図説 損害保険ビジネス

株式会社トムソンネット［編］
鈴木　治・岩本　堯
小島　修矢・川上　洋［著］

第4版

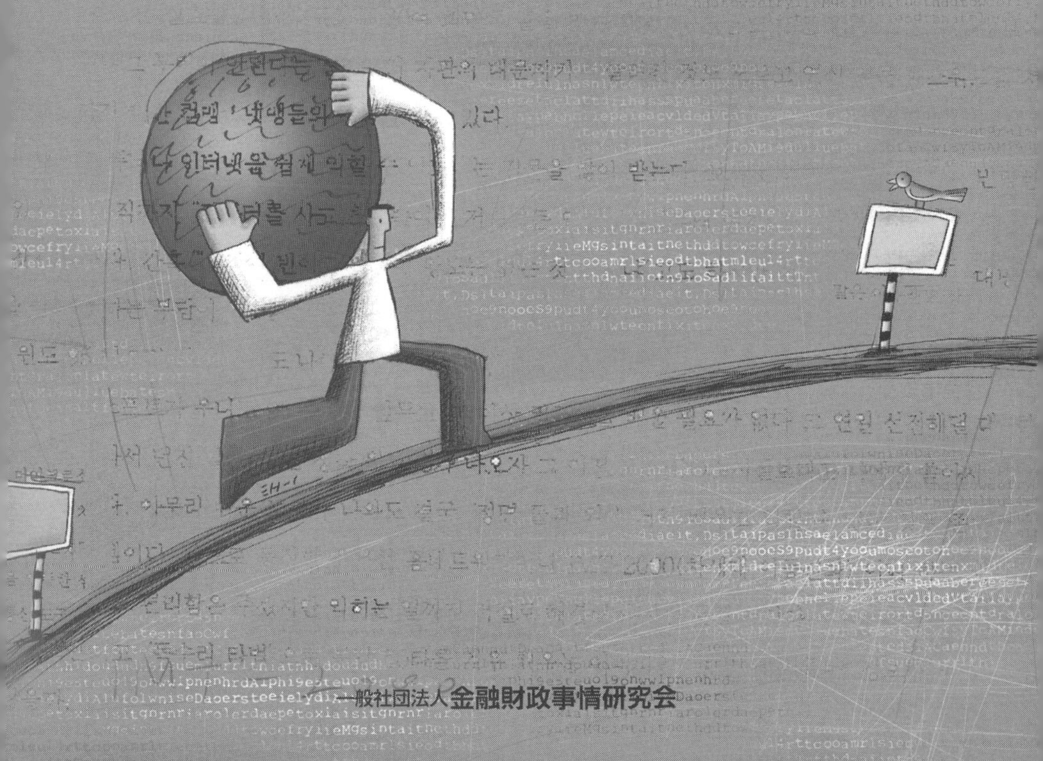

一般社団法人金融財政事情研究会

第４版の刊行にあたって

損害保険ビジネスの「過去、現在、未来」を図によって読み解くというのがこの本のコンセプトです。損害保険を“ビジネス”という視点からとらえ、その構造全体を明らかにするとともに、ダイナミックに変貌する国内外の多様なビジネスモデルを紹介してきました。幸い、2006年の初版以来、2010年の「補訂版」、2018年の「第３版」と版を重ね、これまでの累計販売部数が約２万部に達するロングセラーとなりました。

執筆陣は、商品開発、損保流通、再保険・国際事業、事務・システム部門、など損保ビジネスの各分野で経験を重ねてきた実務家です。一方、理論に偏することなく、現場の生々しい実態をお伝えするよう努めてきました。このような専門書は他にあまり例をみません。

本書では、初版以来、国内外のリスクの最新動向を追い続けてきました。それは、リスクの動向が損保商品の内容や販売方法のあり方、あるいは、損保経営そのものに大きな影響を与えるためです。

わたしたちが「第３版」の発行から４年しか経過していないこの時点で、「第４版」の発行に踏み切ったのは、国内外のリスク環境が激変しているためです。

新型コロナウイルスによるパンデミックの発生、巨大自然災害の頻発、そして、デジタル化の急激な進展は、国内外のリスク課題をかつて例をみないほど増大させ、複雑化させています。翻って、AI、IoT、ビッグデータなど、いわゆるDXの進展はリスク課題の解決に強力な武器を提供してくれます。

「第４版」では、パンデミックの発生が企業や家庭のリスク感性にどのような影響を与えたかを分析すると同時に、コロナ後に向けた損保ビジネスの変化を展望しています。また、リスク環境が激変するなかで、大手損保を中心として、損保が保有する膨大なリスクデータとリスクソリューションを社会的課題の解決に役立てようとする動きが顕著になっています。損保事業の

「パーパス（存在意義）」を見直す動きです。この動きは高度なデジタル技術活用と表裏一体で展開されています。大きな転換期を迎えた損保ビジネスの動向には興味をもっていただけるものと確信しています。

これらの結果、「第４版」では「第３版」の内容を大幅に刷新致しました。

本書がこれまで以上に保険業界の皆様、また、これから損害保険ビジネスに参画を目指す皆さんのお役に立つことができれば幸いです。

最後に、本書出版の企画段階から加わり、その豊富な知見によって多大な貢献をしてくれた三井住友海上火災において商品企画部長などを歴任された石井伸夫氏にお礼を申し上げます。また、損保、生保、保険代理店の各分野にわたる「図説保険ビジネスシリーズ」を企画され、今回またこの「第４版」発行の機会を与えてくださった、きんざいの谷川治生氏には心から感謝の意を表します。

2022年５月

編著者一同

初版〔はじめに〕

損害保険業界は、損害保険料率算定会料率の使用義務廃止を皮切りに、それまでの商品と価格が全社一律という典型的な規制業種から、会社同士が激しく鎬を削る自由競争へと大きく転換しています。

わが国に損害保険事業が生まれた明治時代も自由競争の時代でした。その意味では、日本の損害保険業界は原点に戻ったともいえますが、それは単純な回帰であるはずもなく、長い歴史を踏まえ、未知なる自由化の時代に入ろうとしています。

折しも2006年４月からは、根拠法のない共済団体による少額保険短期保険業者への登録移行を柱とする改正保険業法が施行され、さまざまな業界からの新規参入が予想されます。さらに2007年には銀行窓販の全面解禁、郵政民営化、農協法改正など損保業界における自由化テーマが目白押しです。当然ながら迎え撃つ既存の業界各社においても、これまでのビジネスモデルを根本的に見直さざるをえないという認識が高まっています。とりわけインターネットやコンタクト（お客様）センターを活用した販売チャネル改革が大きな流れになろうとしています。それに対して先進的な保険代理店では、来店型店舗や多店舗展開を図るなかで損保会社からの自立を目指す動きが顕著になっています。

本書は、このように大きな転換点を迎えた損害保険ビジネスが、今後どのような方向に向かうのか、その歴史的な背景やビジネスの基礎を踏まえ明らかにしていくものです。１つのテーマについて見開き２頁で文章と図表で解説した本書は、できるだけ専門用語を避け、保険会社の役職員はもとより、保険代理店やこれから損保ビジネスに参入しようとする皆さんにも読んでいただくことを念頭に構成しました。多少なりとも読者の皆さんのお役に立つことができれば幸いです。

2006年３月

編著者一同

【編著者紹介】

［編者］

株式会社トムソンネット

2004年３月創業。損保、生保、情報ベンダーの出身者が、日本の保険業発展のために、人材育成、保険業務・システムのコンサルティングなどを目的に活動。特に保険業務・システム研修の受講者は5,000名以上に及ぶ。豊富な海外人脈を生かしたグローバル情報の収集や国際交流事業にも力を入れている。グローバルな保険に関する非営利団体ACORDの日本窓口、Fintech協会会員。
本書は以下の５名以外にも、トムソンネット内のAB（Advanced Business）研（先端保険ビジネス研究会）メンバー16名が企画・制作・編集に協力した。

［著者］

鈴木　治（すずき　おさむ）
㈱トムソンネット　シニアビジネスパートナー

東京海上火災保険（現東京海上日動火災）出身。商品開発部門（火災新種業務部）勤務以降、IT企画部門にて第２次～第３次オンライン計画のプロジェクトマネージャーを勤める。その後、安全サービス部長（リスクマネジメント担当部署）、盛岡支店長などを歴任。いずれも共著で『システムリスクに挑む』（小俣龍のペンネーム）、『図説 損害保険ビジネス（初版～第３版）』『図説 損害保険代理店ビジネスの新潮流』『図説 生命保険ビジネス』（いずれも、金融財政事情研究会刊）などを執筆。

岩本　尭（いわもと　たかし）
㈱トムソンネット　シニアビジネスパートナー。

MS&ADグループ（三井住友海上）出身、システム・業務部門中心に従事。日本損害保険協会（業界ネットワーク開発リーダー）、契約者保護機構で業界活動にも幅広く活躍する。『図説 生命保険ビジネス（初版～第２版）』『図説 損害保険ビジネス（初版～第３版）』『図説 損害保険代理店ビジネスの新潮流』、週刊東洋経済臨時増刊『生保・損保特集2019年版：２編掲載』を共同執筆で出版。技術士（電算機応用）、産業カウンセラー、情報処理システム監査技術者、損害保険仲立人資格、損害保険登録鑑定人。

小島　修矢（こじま　しゅうや）
㈱トムソンネット　シニアビジネスパートナー
大東京火災海上保険（現あいおいニッセイ同和損害保険）出身。再保険・海外事業および商品開発等に従事、千葉商科大学 商経学部　非常勤講師（損害保険論）などを歴任。危機管理システム研究学会　理事、㈱保険研究所「インシュアランス損保版」客員論説委員、日本損害保険協会 委嘱講師。主著に『大震災後に考えるリスク管理とディスクロージャー』（共著・同文館出版）、『図説 生命保険ビジネス』『図説 損害保険ビジネス（第３版）』（いずれも共著・金融財政事情研究会）、『ニューヨーク州損害保険法（2013年度段階）』（共訳・損害保険事業総合研究所）、『ロイズ・オブ・ロンドンのイノベーター（カスバート・イーデン・ヒースの足跡を追って）⑴～⑷』（インシュアランス．損保版　2020年）など

川上　洋（かわかみ　ひろし）
㈱トムソンネット　シニアビジネスパートナー
安田火災海上保険（現損害保険ジャパン）出身。事務部門、商品業務部門、企業営業部門、海外事業部門、内部監査部門に勤務。商品業務は、技術保険の商品開発・管理、国内外の各種建設プロジェクトにかかる保険設計、再保険手配などを幅広く担当。企業営業は、国内外にて主に日系・外資系のグローバル企業を担当。海外事業は、米国、インドネシア、英国において損保子会社の経営管理を担当。共著で『図説 損害保険ビジネス（第３版）』（金融財政事情研究会刊）執筆。

森川　勝彦（もりかわ　かつひこ）
㈱トムソンネット　代表取締役社長
大東京火災海上保険（現あいおいニッセイ同和損害保険）出身入社以来一貫してシステム部門に在籍。第二次オンライン（1980年代）より代理店システムの開発・展開に携わる。専業プロ代理店のアドバイザーとして活動。2004年３月にトムソンネットを創業し保険ビジネス研究会を主宰、今日に至る。

目　次

第１章　新型コロナウイルス　パンデミックによる歴史の転換

第２章　損害保険の特質と役割

第３章　損害保険商品

第４章　損害保険ビジネスの変遷

第５章 自然災害の激化と損保の戦略 ―火災保険は自然災害保険

第６章 100年に一度の自動車産業の変化と自動車保険

第9章　損害保険の流通ビジネスと保険代理店

第1章

新型コロナウイルス
パンデミックによる歴史の転換

1-1 新型コロナウイルスによる世界的被害状況

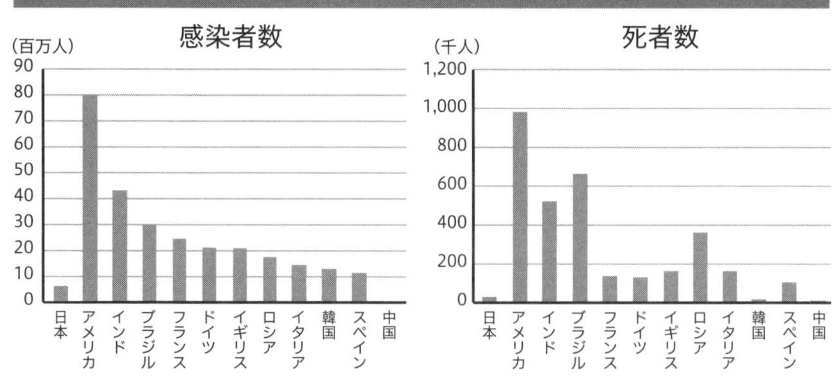

(出典)NHK発表資料、日本以外は米 ジョンズ・ホプキンス大学の発表をもとにNHKが作成

新型コロナによる世界経済成長率への影響

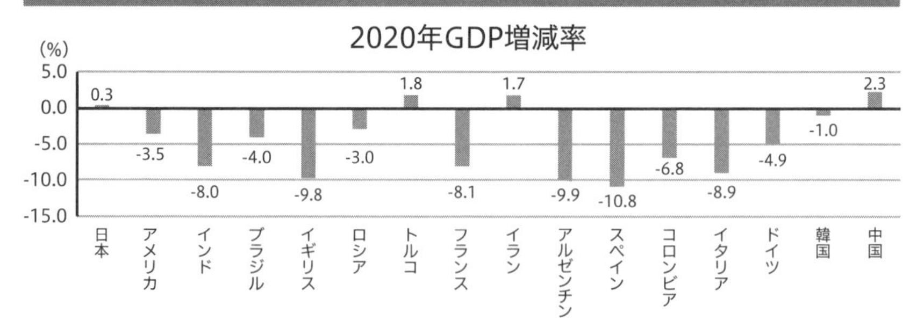

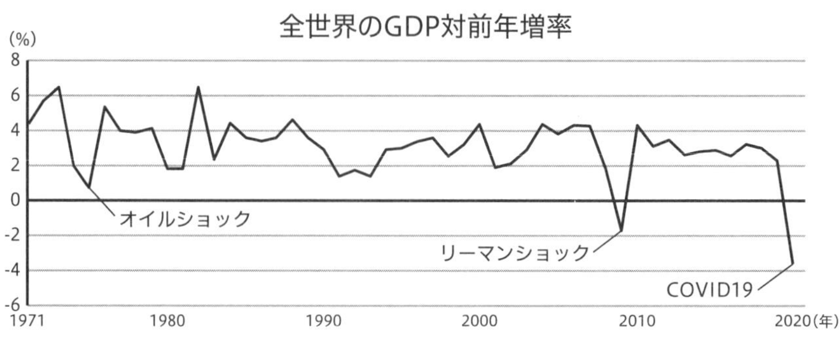

(出典)世界銀行発表資料

100年に一度のパンデミック、世界経済にも大影響

2019年12月頃から新たな感染症の出現かと疑われていた新型コロナウイルスは、2020年３月世界保健機関（WHO）によりパンデミックと認定（COVID-19）された。地域や時期によって感染の波は異なるものの、死亡・後遺障害や入院という人類への直接の被害と経済・社会への影響が世界的に拡大し、2022年春の現在でも継続している。

1918年から1920年にかけて大流行したスペイン風邪は、感染者数が約５億人（当時の人口の27%）、死者数5,000万人とも１億人以上とも推測されている。新型コロナは、世界史上の惨事であったペスト、天然痘、コレラ感染と同様、100年に一度の地球規模のパンデミックとなった。2022年３月末時点で、世界の感染者総数は４億8,600万人、死亡者数は613万人を超えており、その数はさらに増える見通しである。

各国は新型コロナ感染の防止対策として、都市封鎖（ロックダウン）、工場の操業停止、販売店・飲食店等、多くの人々が集まる施設の営業休止・制限、個人の外出・移動の禁止、在宅業務（リモートワーク）の奨励を断続的に行ってきた。それにより、世界中で経済活動が停止・縮小するという大きな影響が発生している。

世界各国の2020年の実質GDPは、欧米諸国をはじめ、対前年比でマイナスとなった国が多い。世界全体のGDP対前年比の推移をみると、2020年はマイナス3.59%となっており、過去50年間ではじめてマイナスとなったリーマンショック直後の2009年のマイナス1.67%を大きく下回る減少である。2021年末までの世界経済の損失は経済開発協力機構（OECD）のエコノミストは７兆ドル（約732兆円）という予測を出した。

具体的な経済的影響として、人の動きの制限による飲食業界、旅行・観光業界、興行ビジネス等における大幅な売上げ減少だけでなく、労働力不足やコンテナ不足による港湾施設での荷下ろしの遅延、物流の大幅な停滞が発生している。サプライチェーンの停止、半導体の供給遅延は自動車メーカー、電機・機械メーカー等の製造業における事業中断を広範に引き起こしている。個人の生活をみても、外出の自粛や在宅業務（リモートワーク）の結果、生活様式の変化があり、それに伴うビジネスモデルの変化も生じている。それは、企業経営や個人のリスクに対応することをミッションとする損害保険ビジネスも大きく変えようとしている。

1-2 新型コロナウイルスの損保への影響

海外主要損害保険会社の新型コロナ関連の支払保険金（2020年（度））

元受会社	英国保険協会加盟会社（200社以上）	・生損保発生損害額見込み：25億ポンド（約3,750億円） ① 事業中断保険発生損害額：20億ポンド（約3,000億円） ② 旅行保険支払保険金見込み：1.52億ポンド（約228億円） ③ 興行中止・賠償責任を含む他の損害保険支払保険金見込み：1.21億ポンド（約182億円）
	AIG（米国）	・損害保険の支払保険金：11億ドル（約1,210億円）（企業財産保険等）
	Chubb（全世界）	・支払保険金見込み：約14億ドル（約1,540億円）
元受／再保険	ロイズ	・グロス支払保険金見込み：62億ポンド（約9,300億円） ・正味発生損害額：34億ポンド（約5,100億円） ・コンバインド・レシオ：110.3%
再保険会社	ミュンヘン再保険会社	・損保再保険の支払保険金：30億ユーロ以上（約3,800億円）
	スイス再保険会社	・損保再保険の発生損害額：19.1億ドル（約2,100億円） ① 事業中断保険発生損害額：11.04億ドル（約1,214億円） ② 興行中止保険金発生損害額：4.11億ドル（約452億円） ③ 信用・保証保険発生損害額：0.53億ドル（約58億円）

（注）換算レート：1ドル=110円、1ユーロ=126円、1ポンド=150円
（出典）各社決算発表資料

国内3メガ損保の2020年度決算にみる新型コロナの影響

東京海上ホールディングス	・海外での保険引受：発生損害額 621億円（興行中止、事業中断、取引信用保険）
SOMPOホールディングス	・海外での保険引受等：純利益の減少 140億円
MS&ADホールディングス	・海外での保険引受：発生損害額 438億円（事業中断保険 150億円、信用保険等）

上記のほか、海外での資産運用益の減少、日本での保険金支払もあるが、逆に、国内における自動車交通量・交通事故の減少により、自動車保険の損害率は低下した。

（注）発生損害額=支払保険金＋当期末未払保険金−前期末未払保険金
（出典）各社の決算発表資料

欧米で巨額の保険金支払いが発生

新型コロナウイルスによる損害保険業界への影響は、①各種保険での保険金支払い、②経済・社会活動への影響による保険料収入の減少、③保険商品や販売方法への影響があるが、まず保険商品ごとの保険金支払状況をみる。

①事業中断保険（利益保険）：火災等の補償対象危険により施設の損傷が発生し事業が阻害された場合の喪失利益と事業が停止・縮小しても支出を余儀なくされる経常費を補償することが標準的な補償内容である。「ウイルスによる汚染は“物的損傷”に該当する」、「ウイルスによる汚染が免責条項として規定されていない」ことを理由に保険金支払いを求める訴訟が各国で多発している。補償対象となる危険を限定列挙せず、ウイルス感染に起因する事業中断を免責事項として明示していない場合には、保険金支払対象となったケースが多い。

②興行中止保険：ウイルス感染の広がりのため、スポーツ、音楽などのイベントが中止となっており、多くのイベント中止に対し保険金が支払われている。2020年のウインブルドン選手権が中止されたことにより、英国の主催者団体は、約1.14億ポンド（約170億円）の保険金を受け取ると報道されていた。

③取引信用保険：債務者が支払不能に至った場合に保険金支払対象になり、かなりの保険金が支払われている。保険金の大幅増加による保険料アップや引受会社の消極化が懸念されるが、欧州では市場混乱防止対策が検討、実施された。

④労災保険：医療関係者や公共輸送・顧客への対面販売に携わる労働者等が職場や通勤途上で感染した場合には、労災保険の支払対象となりうる。

⑤D&O、雇用慣行賠償保険：感染症への対応における役員の過失が企業の損失を招いた場合には、役員の賠償責任が問われる。感染を理由に解雇や給与カットが行われ場合の雇用主の責任が問われるケースがある。

⑥海外旅行保険：感染による治療費用のほかに、旅行を中止せざるをえなくなった場合のキャンセル費用を支払う商品で保険金の支払い対象となる。

なお、感染症への対応を止めるわけにはいかない医療機関やリモートワークをターゲットとしたサイバー攻撃が増加したが、保険金支払状況は定かではない。

2020年度の決算発表によると、国内外の損害保険会社、再保険会社は、事業中断保険、興行中止保険、取引信用保険を中心に巨額の保険金の支払いを余儀なくされ、左表のような支払保険金や発生損害額となっている。

1-3 コロナ禍と事業中断保険

事業中断保険の仕組み

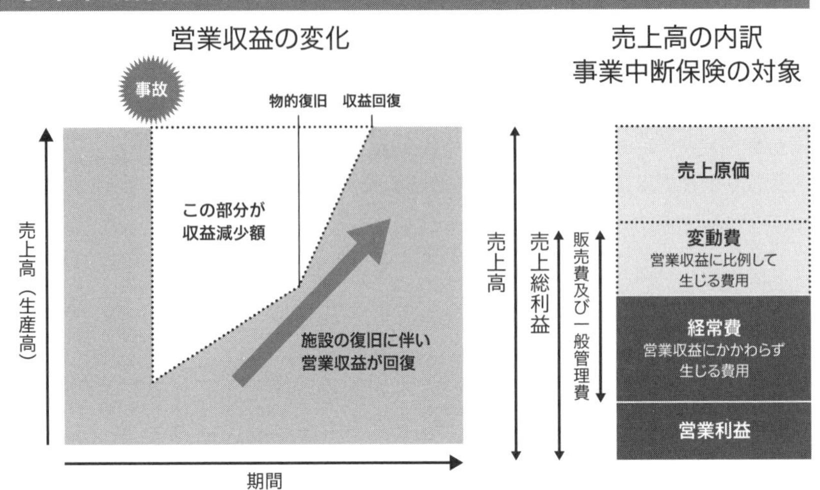

$$\text{支払保険金}=\text{収益減少額}\times\frac{\text{営業利益}+\text{経常費}}{\text{売上高}}$$

事業中断保険の保険金支払訴訟の論点

論点	保険会社側の主張	被保険者側の主張
・新型コロナウイルス感染は補償対象の危険（Peril）か否か＝ウイルス感染は「物的な損傷」か否か？	×事業中断保険は対象となっている施設の「物的な損傷」を前提条件としており、新型コロナウイルス感染は「物的な損傷」に該当せず免責	○新型コロナウイルスの感染（汚染）は「物的な損傷」に該当するので有責
・免責条項で伝染性疾病による事業中断を明記しているか否か？	×伝染性疾病による事業中断を免責と明記している場合は当然免責	○「新型コロナウイルス感染」を免責条項で明記していなければ有責
・政府の命令による営業停止が補償対象となるか否か？	×政府の命令等により保険の対象となっている施設が閉鎖されたことによる事業中断の損失を補償対象とする約款もあるが、当該施設または隣接する施設の物的な損傷があって立入禁止命令が出されたことを条件としており、新型コロナウイルスを原因とする事業中断はこれに該当せず免責 ○（まれではあるが）パンデミックによる事業中断を補償対象とする商品は有責	○当該施設または隣接する施設周辺での新型コロナウイルス感染またはその疑いは汚染による「物的な損傷」と判断され有責

海外では保険約款の解釈めぐり訴訟相次ぐ

コロナ禍によりビジネスを中断せざるをえない状況が世界中で発生しており、欧米では、飲食業や宿泊業を中心に事業中断保険の保険金支払いを求める訴訟が数多く提起された。事業中断保険は火災等により事業が阻害され売上高や生産高が減少した場合の損失を補償する保険であるが、約款の解釈をめぐって保険会社だけでなく、監督当局や業界団体も巻き込んだ問題となった。

保険金支払訴訟の論点は２つある。１つ目は、パンデミックによる事業中断が補償対象の危険（Peril）に該当するか否かである。標準的な保険約款は火災等の補償対象となる危険により保険の目的物である財物の「物的な損傷」があった場合が対象と規定するものが多い。補償対象となる危険を限定列挙せずオールリスク方式としている場合には、新型コロナウイルスによる事業中断を免責と明記していないと保険会社の支払責任があると認定されるケースが多い。２つ目は、政府の命令による営業中断が補償の対象になるか否かである。政府の営業停止・立入禁止命令により事業が中断された場合に、当該施設または近隣の施設の「物的な損傷」があった否かがここでも論点となる。個々のケースにおけるこれら論点に対する判断はさまざまであろうが、かなりのケースで保険会社は保険金を支払った。

進行する保険金支払訴訟とは別に、遡及的な補償提供を求める動きもあった。米国では、免責と定めている約款の条項を無効とし、新型コロナウイルスによる事業中断に対し遡及的に補償するよう求める法案が連邦議会や州議会に提出されたが、これには否定的反応が多く、成立した法案はない。ドイツのバイエルン州では、政府の公的支援と並行して、保険会社が約款上の補償責任に関わらず事業中断損害に対して一定の見舞金を支払った。

約款の不明瞭さは解決すべき課題である。保険金支払訴訟は約款の不明瞭さが原因であるとして、約款の明確化を求める各国監督当局の動きがある。米国で標準的な約款・料率を提供するISO（Insurance Services Office）は、コロナウイルス感染のため政府が事業の停止を命じた場合の営業損失を補償する新たな特約を作成した。世界の再保険業界は「感染症除外条項」の付帯を求めており、感染症に起因する損害を補償する保険か否かを約款上明確にすることは当然である。パンデミックは広い地域でさまざまな業種において事業中断損失をもたらすものであり、保険会社がどこまでそれを負担すべきかについては多面的な検討が必要である。

次のパンデミックへの備え

パンデミックによる事業中断リスクの保険化の条件

保険化が可能なリスクの必要条件	必要条件に合致するか否か
1．危険（エクスポージャー）が大多数の集団で分散できること	否：パンデミックによる事業中断損害は、グローバルに広大でほぼ同時に発生するので、多数の者で損害を分散できない
2．損害は、偶然、無作為、かつ意図的ではないこと	否：パンデミックは現象であるが、事業中断や人々の移動制限は政府の決定で意図的なものである
3．損害は、明確で、計測可能なものであること	否：パンデミックによる事業中断の損害は巨額できわめて不確実なものであり、政府の決定に左右される
4．損害は、壊滅的であったり破滅的経済損失ではないこと	否：損害はほとんどすべてのリスク集団で同時発生するので、保険業界全体の支払能力を脅かし、破綻を招く可能性がある
5．損害は、保険料算出のため、計算可能なものであること	否：新型コロナによるパンデミックは、過去の信頼できる統計データが存在しないため、適切な保険料の算出ができない
6．保険料は、購入できる水準であること	否：パンデミックの損害はほとんどすべてのリスク集団に同時発生して巨額になるため、保険料も必然的に高額となる

（出典）Dr. Robert Hartwig and APCIA, "Uninsurability of Mass Market Business Continuity Risks from Viral Pandemics" (May 26, 2020)
（参考）「米国における新型コロナ ウィルスと事業中断保険を巡る動向」損保総研レポート第 132号（2020年 7 月）

米国で提案されたパンデミックリスク保険制度

名称	提唱者	提唱時期	新たな補償の仕組みの概要
PRIA (Pandemic Risk Insurance Act of 2020)	民主党議員による連邦議会への法案提出	2020年5月	・事業中断保険、興行中止保険の引受損保が任意参加 ・損保の保険金支払が2.5億ドルを超えた場合に連邦政府が再保険で95%を補償、7,500億ドルが限度
BCPP (Business Continuity Protection Program)	米国損害保険協会 1) 全米相互会社協会 2) 米国独立代理店・ブローカー協会 3)	2020年5月	【パンデミックは保険化が不可能という考えに基づき提案】 ・連邦緊急事態管理庁*（Federal Emergency Management Agency）が保険を引き受け、米国の全事業者が補償対象 ・賃金、福利厚生給付、営業費用の80%を3カ月間補償 *連邦緊急事態管理庁は大災害の対応、復旧支援を行う政府機関で、公的保険である洪水保険プログラムを運営している
中小企業向けプログラム (Business Expense Insurance Program)	Chubb保険会社	2020年7月	【従業員500人以下の中小企業が対象】 ・損保が引き受け、米国財務省が大部分を補償（官民が分担） ・1月の賃金をもとにあらかじめ定められた額（最大3カ月分）をパンデミック宣言後直ちに給付（パラメトリック保険）
中堅・大企業向けプログラム (Pandemic Re)			【従業員500人超の中堅/大企業が対象】 ・事業者、保険会社の参加は任意、実損を補償 ・新たに設立された公営再保険会社が大部分を補償（レイヤーにより元受損保と再保険会社が分担）

1) American Property Casualty Insurance Association
2) National Association of Mutual Insurance Company
3) Independent Insurance Agents & Brokers of America
（出典）各提唱者の発表資料、PRIAは下院法案

コロナ禍により、世界中の各種ビジネスで事業中断、イベント中止、企業の破綻等の巨大な経済的損害が発生しているが、それらは民間保険会社が引受けできるリスクなのか？という問題がある。事業中断リスクについては、米国損害保険協会とサウスカロライナ大学のハートウィグ博士が「パンデミックによる巨大市場の事業中断リスクの保険化の不可能性」と題する報告書で、基本的に保険化は不可能と結論づけている。事業中断による推計損失額は保険会社の支払能力を超えるものであり、政府の支援を必要としている。

世界のいくつかの国では官民が連携して公的なパンデミックリスク保険制度を創設する動きがある。米国では、2001年９月11日の同時多発テロ後に成立したテロリスク保険法をまねたPRIA法（Pandemic Risk Insurance Act）案が議会に提出された。保険会社が引き受けるパンデミックによる事業中断への保険金が2.5億ドルを超えた場合に、政府が再保険で大半を補償するという仕組みである。他方、米国損害保険協会、相互会社協会、独立代理店・ブローカー協会は、パンデミックは保険化可能なリスクではないとして、３カ月間の給与・福利厚生・事業費用の80％を補償する連邦政府による事業継続保護プログラム（BCPP）を提案した。また、大手保険会社Chubbは中小企業向けと中堅・大企業向けに一定額まで保険会社が負担し、それ以上は連保政府が補償する独自の２種類のプログラムを提案している。欧州においても、英国ではテロリスクを対象とするPool Reと同様のパンデミック再保険スキームの創設が論議され、民間損保がほとんど引受けを行わなくなったイベント中止に対する政府の支援も検討されている。フランスやドイツにおいても同様の動きがある。なお、欧州で広く普及している取引信用保険については、各国政府がパンデミックにより破綻した企業の債権者に対する保険金支払いを保証すべく、政府による再保険や保証による支援が2020年に行われたが、現在はリスクが減少したとして、政府による支援のほとんどが終了している。

コロナ禍の収束がみえないなか、将来のパンデミック勃発に備えた保険／補償制度は確立されていない。補償制度には、任意加入か全事業者を対象とするのか、再保険プール制度とするには不可欠である補償内容（補償スキーム）や料率水準の統一をどうするのか、官民の負担割合などが検討課題となる。

1-4 日本損保業界のパンデミック対応

コロナ禍に対する日本損保の対応（2020年 4 月以降）

保険商品の種類	改定前の補償内容	改定後の補償内容
食中毒・感染症を補償対象とする事業中断保険 （具体的な商品名は各社で異なる。企業向け利益保険、店舗総合保険、生産物・旅館賠償責任保険に付帯）	**×：補償対象外** 施設の従業員や来客に限定列挙された感染症（新型コロナウイルスは対象外）や食中毒が発生し、保健所等の行政機関により営業停止措置や施設の消毒その他の措置がとられた場合の喪失利益・営業停止に関わらず出費を余儀なくされる費用を補償	**○：補償対象に追加** 施設の従業員や来客が新型コロナに感染し、当該施設が保健所等の指示に基づき休業した場合に20万円の定額を支払う（2021年になって「休業日数に応じ最大500万円」に増額した損保もある）（国や地方自治体による休業要請に基づく休業は補償対象外）
傷害保険 【後遺障害、入院、通院】 （特定感染症危険補償特約を付帯した場合）	**×：補償対象外** 補償対象は感染症法に列挙された一類・二類・三類感染症を“特定感染症”として補償するが、新型コロナは一類・二類・三類のいずれにも明記されておらず補償対象外	**○：補償対象に追加** 感染症法に定める一類・二類・三類感染症に該当しない新型コロナを補償対象に追加
海外旅行保険 【死亡、治療費用】	**○：補償対象** 海外旅行中の疾病は旅行終了（帰宅）後72時間以内に治療が開始されることが条件	**○：補償対象** （治療開始時期の要件を緩和） 海外旅行中の疾病は旅行終了（帰宅）後30日以内に治療が開始されることに、期間を延長
介護事業者向け保険	**×：補償対象外** （傷害保険と同様、一～三類感染症が発生した場合の消毒費用を補償する保険あり）	**○：補償対象に追加** 介護サービス利用者が施設において新型コロナウイルス感染症を発症した場合に消毒費用等の費用を補償

＊補償拡大は新型コロナウイルスが法令上の“指定伝染病”に指定された2020年 2 月 1 日にさかのぼって適用され、追加保険料はない。2021年 2 月13日に“指定感染症”から“新型インフルエンザ等感染症”へ分類変更されため、損保は約款・特約を改定している。
（出典）各社の発表資料を基に作成

パンデミックによる事業中断の損害

来客を前提とする事業

・飲食業の営業停止、営業時間の縮小
・ホテル・旅館、観光スポットにおける旅行客の大幅な減少
・文化芸術関係施設・イベントの公演停止、入場者制限

製造業

・従業員の感染による人手確保の支障
・東南アジア等の部品製造会社の製造中断による部品調達停止
・港湾荷役等物流関係事業の業務遅延による部品調達停止

コロナ禍による損害はほとんどが補償対象外

日本では、事業中断保険や興行中止保険はあまり普及していない。新型コロナウイルス感染が認識され始めた2020年の初め、新型コロナによる損害を補償する一般顧客向け損保商品は、海外旅行保険くらいであった。傷害保険や飲食業・宿泊業向け食中毒・感染症事業中断保険は、対象となる感染症が限定列挙であり、新型コロナウイルスによる損害は補償対象外であった。

2020年２月に新型コロナウイルス感染症が政令により「指定感染症」に指定され、大手損保は４月に新型コロナウイルスによる損害を補償対象とする商品改定を行った。ただし、事業中断に関しては、営業停止は行政機関の命令等によることが条件で、営業の停止や時間短縮の「要請」を受けての営業停止は対象外であり、支払対象となっても補償は20万円の定額支払いという見舞金的性格のものである(その後、一部の会社は、最大500万円に増額)。この時期の大手損保の商品改定は左図のとおり。これらの補償拡大は2020年２月１日まで遡及して適用され、かつ追加保険料を請求しない、という点では前例のない改定ではあったが、消費者等からの要請を受けた割には広がった補償内容は大きなものとはいえない。

新型コロナウイルス感染に対しては、人類の生命・健康を守る取組みが最も大切であることは論をまたないが、経済的損失という観点からは事業中断への対処が重要である。人の動きが制限された結果、飲食業、宿泊業、観光業、イベント事業等で収益の低下、雇用を縮小せざるをえないという事態が多発している。また、自動車、電機・機械等の製造業においても、従業員の感染によるものだけでなく、国内外でのサプライチェーンの停止・物流の大幅遅延により部品調達が滞ったことによる事業中断が発生している。

米国において事業中断保険を手配している企業の割合は30％程度と推測されるが、日本においては事業中断保険の普及度ははるかに低い。国や都道府県は、営業の停止・時間短縮の要請に伴い、休業支援金・協力金等のかたちで事業損失に対する一定の補償や国民全員への一律給付という支援を行ったが、十分とはいえない。

一方、事業中断による損失を保険で補償する場合に、今回のような「要請」を受けた「自主的な」営業中止を保険金支払いのトリガーとすることは困難である。パンデミックによる企業の事業中断損失に対しては、民間保険の限界もふまえ、どのような自助・共助・公助があるべきかを抜本的に検討することが必要と思われる。

1-5 コロナ禍と損害保険料

米国における自動車保険料返還までの動き

消費者団体

アメリカ消費者団体連盟
(Consumer Federation of America)
経済的正義センター
(Center for Economic Justice)

2020年 3 月
・保険料算出の基礎と新型コロナ以降の数値との差を理由に保険料返還を請願

【請願】
保険料返還
保険料支払猶予
等

州保険庁

2020年 4 月
・州保険庁長官が交通量・賃金等の減少等の「保険料算出の基礎」となる数値の減少を理由に保険料返還の命令／要請を保険会社に発出

【命令】
または
【要請】

損害保険会社

・自動車保険等の保険料返還
・保険料支払期限の猶予等

州保険庁長官が保険会社に保険料の返還を命令または要請したのは、
自動車の通行量減少が外出禁止令(ロックダウン)によると判断したためか

米国主要自動車保険会社の保険料返還の内容

保険会社(グループ)	2019年マーケットシェア	返還内容(2020年 4 月時点)
State Farm	16.3%	3 月20日から 5 月31日までの保険料の25%
GEICO	13.7%	4 月 8 日から10月 7 日までの更改契約の保険料の15%
Progressive	12.0%	4 月、5 月分の保険料の20%、5 月、6 月分の保険料の20%
Allstate	9.3%	4 月、5 月分の保険料の15%、+ 1 %のケースあり
USAA	6.0%	3 月31日時点での契約に対し 2 カ月分の保険料の20%
Liberty Mutual / Safeco	4.7%	4 月 7 日時点での契約に対し 2 カ月分の保険料の15%
Farmars / 21st Century	4.2%	4 月分の保険料の25%、以降は別途
Nationwide	2.5%	1 保険証券につき50ドル(2 カ月分の保険料の15%に相当)
American Family	2.3%	1 保険証券につき50ドル、+ 1 %のケースあり
Travelers	1.9%	4 月、5 月分の保険料の15%

州により保険料返還の命令／要請のある州・ない州とがあるが、保険会社は自動車保険を販売している州において命令／要請の有無に関わらず同じ返還内容とした。
＊マーケットシェアは2019年の個人用自動車保険のシェア。
＊返還内容は2020年 4 月時点のもので、その後変更した会社がある。

(出典)アメリカ消費者団体連盟(Consumer Federation of America)発表資料

米国では自動車保険料返還の動き

コロナ禍の損害保険業界への影響として、経済活動の停止・縮小による保険料収入の減少が想定されたが、2020年度の全世界の損害保険料は対前年比1.5%増加しており、パンデミックにより直ちに減少することにはならなかった。

保険料に関して業界で大きな話題となったのは、米国における自動車保険料の返還である。政府の外出禁止令により自動車の走行距離が減り、「保険料の前提となる危険（Exposure）が大きく減少しているので保険料を返還すべき」との主張が消費者団体からなされ、保険料の返還が実施された。2020年３月の消費者団体（アメリカ消費者団体連盟、経済的正義センター）による保険料返還を求める請願が発端である。消費者団体は、パンデミックという状況において保険会社が定める保険料は過大であり、州の保険庁長官に対し、保険料を契約者に返還させる指示を出すよう請願した（米国では保険の監督行政は州ごとに行われている）。全米では26州の保険庁が保険会社に対して保険料返還の命令または要請を出したと報じられている。カリフォルニア州保険庁は、2020年４月に、３月と４月分の保険料について120日以内に返還するよう保険会社宛命令を出した。同庁は自動車保険のほか、労災保険、企業用パッケージや賠償責任保険等の保険料返還も命じている。

保険会社は、消費者団体の声や保険庁の命令、要請を受け保険料の返還を行った。命令または要請が出されていない州においても自動車保険料の返還を行い、３月以降の数カ月間の保険料の15%ないし25%を返還する会社が多かった。全米で140億ドルの自動車保険料が返還されたと米国保険情報協会（I.I.I.）は報告している。主な返還対象となった個人用自動車保険は、前年の全米合計保険料が約2,500億ドルで、返還はその5.6%にあたる。ただし、返還が不十分としてさらなる返還を保険会社に求める訴訟も起きている。

日本では、このような保険料返還の動きはない。米国では行政による強制的な外出禁止令（ロックダウン命令）が出されたが、日本では外出自粛の「要請」にとどまったことが両者の差の大きな要因と思われる。しかし、日本においても交通量や交通事故が減っていることは間違いなく、毎年料率検証を行っている損害保険料率算出機構は、2021年６月に自動車保険の参考純率を平均で3.9%引き下げるという変更の届出を金融庁に行った。今後多くの保険会社が保険料を引き下げるものと予測される。日本ではこのようなかたちで保険料の調整がなされている。

1-6 コロナ禍がもたらす保険ビジネスの変化

対面募集から非対面募集へ

ビフォー・コロナ

アフター・コロナ

企業活動に伴うリスクの再認識

保険にとどまらないリスクソリューションの必要

ビジネスリスク

市場・経済動向
気候変動
法規制の変化
レピュテーション・ブランド価値喪失
新技術

火災・爆発
自然災害 地震・風水災
リコール
D&O
生産物賠償

パンデミック
再認識されたリスク
事業中断 サプライチェーン混乱
サイバーインシデント

伝統的な保険
新たな保険商品の提供

非対面手続き・リスクの再認識が進む

新型コロナウイス感染拡大はさまざまな保険ビジネスの変化をもたらしている。人の動きが制限されたため、それを契機にデジタル化技術も活用して対面で行われていた業務を遠隔的に、あるいは人を介さずに行うという変化が生じている。

保険契約の募集手続きでは、対面募集から非対面募集への変化が起きている。金融庁が定める「保険会社向けの総合的な監督指針」においても対面を前提とした「書面の交付」にかわる電磁的方法による提供が認められるようになり、政府により呼びかけられた押印の省略・代替も非対面募集が増加する背景にある。

保険引受けの判断に必要な情報（アンダーライティング情報）に関しては、従来対面や実施調査で収集されていた契約者や保険の対象に関する情報を、新たなアプリにより入手する手段ができてきた。また、AIの活用により、入手情報に基づくリスク分析や保険設計を、人を介さずに行う仕組みが開発されている。個人や中小企業向け損保商品は、インターネットやスマホによる契約手続きに移行していくこと、さらには販売経路を含むビジネスモデルが変革されることが予想される。

保険金請求手続きについては、請求書類のデジタル化や有無責の判断・損害状況の把握のため写真・動画を用いるアプリやAIの活用が進んでおり、迅速かつ適正な損害調査と保険金支払が進んでいくと予測される。

企業が企業活動に伴うリスクをとらえ直す兆候も大きな変化である。2002年のSARS等は世界での地域限定的な感染症流行であったが、パンデミックは世界的な事業中断をもたらし、事業中断リスクは優先的に対処すべきリスクと認識する企業が増えつつある。従来日本で重視されていたのは、自然災害等による物的損害や製造物責任、リコール、レピュテーションリスクでなどあった。世界的なパンデミックはまたすぐに起こるものでないかもしれないが、パンデミックに限らず、事業中断リスクに対しては事業継続計画（BCP）と対処方法を含むリスク管理を抜本的に見直そうとする企業の動きがある。

世界的なパンデミックや地震危険などに対しては、民間保険会社が提供できる保険商品に限界があるが、損害保険会社は「保険商品を販売する」という観点から脱却し、「潜在的なリスク、エマージングリスクを含め、顧客企業の有するリスクをきちんと把握したうえで、それらに対するソリューションを提供する」というビジネスに変革していくことが求められるのではないだろうか。

第2章

損害保険の特質と役割

2-1 損害保険の特質と役割

1 損害保険とは

「一定の偶然の事故によって生じた損害をてん補する」（保険業法、保険法）

●損害保険ビジネス成立の要件

- ① リスクの量を定める → 損害発生時の支払額の上限を見積もる
- ② リスクを分析・評価をする → リスクの良否を評価、引受の可否・条件を決める
- ③ リスクを分散する → リスクの量・集積を把握し、リスクを抱え込まない

2 地球温暖化・異常気象等により巨大化する自然災害、新技術・社会の変化による新たなリスクの出現

●巨大化する自然災害

・台風の発生頻度の増大、勢力の巨大化
・線状降水帯（ゲリラ豪雨）等による洪水、土石流
・異常豪雪
・首都直下地震・南海トラフ地震等大震災の発生可能性増大

●新技術・社会変化による新たなリスク

・サイバー攻撃・情報漏洩にかかるリスク
・IOT、AI、クラウド（データのリモート化）によるリスク
・世界で多発するテロによる損害

●近年の巨大保険損害

発生年月	国・地域	災害	保険損害額（10億ドル）
2005年8月	アメリカ、メキシコ湾	ハリケーン・カトリーナ	85
2011年3月	日本	東日本大震災	40
2012年10月	アメリカ、カリブ海、カナダ	ハリケーン・サンディ	33
2001年9月	アメリカ	世界貿易センター　ほか	27
2011年7月	タイ	モンスーン豪雨、異常洪水	18

（出典）米国：I.I.I.発行、Insurance Fact Book 2021、2019年の額に換算

3 損害保険に求められる役割・使命

新たなリスク、複雑化・多様化するリスクに対応する保険商品・サービスを提供し、個人や企業のニーズに応えていくことが変わらぬ使命

巨大化・複雑化するリスクに備えるソリューション

先進安全自動車の普及が急速に進み、完全自動運転車の実現も視野に入った現在、交通事故は著しく減少している。事故の減少の結果、保険料率の見直しにより自動車保険料収入の減少が進むと、自動車保険商品を主力とする日本の損害保険業はどうなってしまうのか？

損害保険は「一定の偶然な事故によって生じた経済的損失をてん補する」保険で、多くの契約者から保険料を集め、損失を被った人に保険金を支払う。損害保険がビジネスとして成立するためには、対象となるリスク（経済的損失を発生させる不確実性）を把握し管理する、左図にあげた３つの要件が揃う必要がある。

近年、事故や損害の態様が大きく変わってきている。地球温暖化などに伴う異常気象（大型台風・ハリケーンの頻発）や巨大地震の発生がその一つである。史上最大の経済的被害は2005年のハリケーン・カトリーナで、保険金の支払額は、実に800億ドル近くに及んだ。2011年に発生した東日本大震災のときには家計地震保険で約1.3兆円、企業地震保険や共済等を含めた保険金支払額は約３兆円であった。2018年、2019年と日本を襲った台風などの自然災害では各年１兆円を超える規模の保険金支払額を記録している。そのほか、毎年のように発生する巨大な台風、ハリケーン、山火事、雪害などの被害は枚挙にいとまのないほどである。

もう一つの変化は新技術や社会変化に伴う新たなリスクの出現である。冒頭にあげた自動運転システムやIoT（モノのインターネット）・AI（人工知能）・クラウドの発展は私たちの生活を便利にすると同時に、サイバー攻撃など新たなリスクをもたらしている。

このような変化を背景に、損害保険会社が果たすべき使命も経済的損失の補てんだけでなく、事故や損害の発生を予防・軽減するサービス、さらには巨大化・複雑化するリスクに備える最適なソリューションを提供していくことに広がりつつある。自動運転が普及すると、運転者だけでなく自動車メーカーや部品製造業者、通信事業者・ソフトウェア業者などに責任関係が広がり複雑化していく。損害保険はこうした新しいリスク環境にあっても適切に対応し、被害者救済を最優先に迅速な損害調査と保険金支払いを果たすという重大な使命を担っている。

2-2 損害保険のカバー領域

私的保険

生命保険（第一分野）

・古代ローマ時代の埋葬組合（コルレーギア）がルーツ
・1693年、「生命表」発明（E・ハレー）
・保険リスクが低く、経営の安定性が高い

第三分野（第一分野と第二分野に当てはまらない）

損害保険（第二分野）

・支払いの有無、支払金額が未確定
・巨大リスクを補償
・経営の安定性低い

・人の生存、死亡
・定額支払（保障）

・人の疾病、傷害
（傷害保険、医療保険、介護費用保険など）

・一定の偶然な事故
・実損のてん補（補償）

少額短期保険

公的保険

▶加入の義務づけ　▶保険料率がフラット、税金投入も
▶運営が「官」　▶弱者救済

医療保険
・健康保険
・国民健康保険
・船員保険
・各種共済組合

年金保険
・国民年金
・厚生年金保険

雇用保険
・雇用保険

介護保険

災害補償保険
・労働者災害補償保険
・国家公務員災害補償
・地方公務員災害補償

産業保険
・農業保険
・漁船保険
・中小企業信用保険

保険は領域ごとに役割を分ける

損害保険は偶然な事故により経済的損失を被った被害者を救済する仕組みであるが、保険の概念において、損害保険は一つの領域にすぎず、ほかの領域にある保険制度と密接な関係にあることをみてみよう。

保険業を監督・規制する法律である保険業法の第３条は、保険業は内閣総理大臣の免許事業であり、生命保険業免許と損害保険業免許の２種類があるとし、「人の生存又は死亡に関し、一定額の保険金を支払うことを約し、保険料を収受する保険」を生命保険、「一定の偶然の事故によって生ずることのある損害をてん補することを約し、保険料を収受する保険」を損害保険と規定している。前者を第一分野（生保固有業務）、後者を第二分野（損保固有業務）と称する。生保は契約段階で保障金額（定額保障）が確定しているが、損保は被った損害の程度に応じて保険金が支払われる（損失の補償）。生保と損保では同じ“ほしょう”でも異なる機能を表して使う文字が違うことが注目ポイントだ。

第一分野と第二分野のどちらにも当てはまらない領域が第三分野（医療、年金、介護そして傷害保険）である。換言すれば、生命保険会社と損害保険会社のどちらも取り扱える保険分野ということになる。90年代後半以降、規制緩和・自由化の動きのなかで、生保と損保どちらの業界も第三分野を少子高齢化社会における成長分野と位置づけ、激しい競争を行っている。

一方、2006年には少額短期保険事業者も加わり、商品選択の幅を広げている。

生保、損保そして第三分野商品で構成される保険事業は、大数の法則や収支相等の原則という保険の原理（**2-4**参照）に共通の基盤を置いている。しかし、その性質やビジネスにおいては異なる点も多い。生命表という統計に基づき安定的な料率算定を行う生保に比して、損保の料率算定には保険の原理自体が必ずしも理論どおりには働かないというむずかしさがある。地震や台風などの自然災害リスクはその最たるもので損保経営の最大の関心事となっている。他方、生保は長期契約中心であるため保有資産の運用が金利動向に大きく左右される特徴がある。

保険は保険会社だけが扱う私的保険だけでなく、社会政策、産業政策に則した公的保険（雇用保険、健康保険、農業保険など）が官の主導で行われており、この２つの保険制度が両輪で社会を支えている。

2-3 損害保険はリスクマネジメント（R/M）

リスクとは ▶ 経済的損失を発生させる不確実性

リスクの洗出し
（リスクの発見・確認）

▼

リスクの分析・評価
（リスクの性質や発生頻度、予想される損害規模を分析・評価）

▼

リスクマネジメント処理方法の選択実施

▼

処理結果・効果の検証・改善

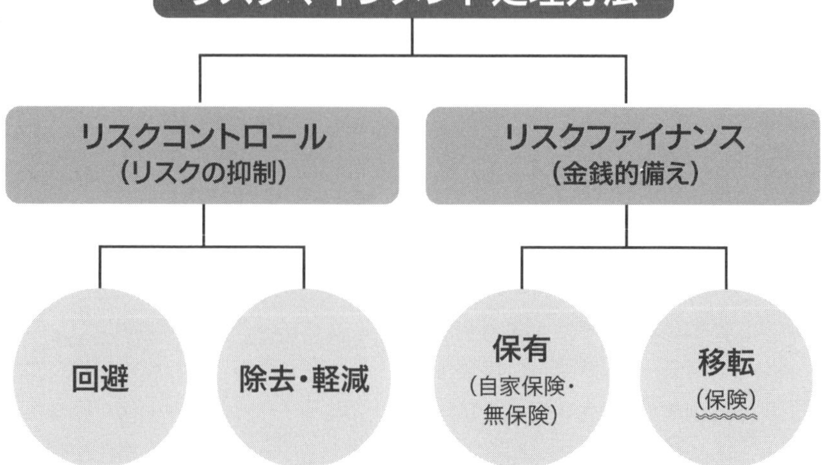

R/Mの４つのステップと２つの処理方法

ピーター・バーンスタイン著『リスク　神々への反逆』によれば、リスクという英語が一般的に使われるようになったのは17世紀であり、さらに、その語源は、イタリア語の「Risicare（勇気をもって試みる)」、また、ギリシャ時代からある「Risco（切り立った険しい岩礁)」という言葉に由来するという。往時のエーゲ海や地中海にあって、漁船、商船、軍船の水夫たちが、悪天候のなか岩礁を避けながら懸命に操船するイメージを浮かべてみると、リスクとは、元来人間が挑戦する姿、すなわち、運命より選択、チャレンジを意味しているとわかる。現代におけるリスクの定義には、ISO（国際標準化機構）をはじめあまたあるが、本書ではリスクを「経済的損失を発生させる不確実性」とする。

リスクマネジメント（R/M）はその言葉のとおり、リスクを管理することである。19世紀米国の産業革命期にあって、企業の操業に伴う火災、爆発、盗難などさまざまな事故に備えて、経営者は損害保険の購入に積極的であったが、高い保険料が悩みの種であった。そこで、保険料節約に最も効果のあるのは何か、それは保険事故を起こさないことだと気づいたのがR/Mの始まりである。

事故の原因となるリスクとは何かを発見すること、企業の抱えるリスクはいくらでもあるが、一つひとつ洗い出す作業を行うことがR/M実践の第一歩だ。次に、選択したリスクごとにその性質や発生頻度、損害規模を分析、評価する。さらに、リスクに対処する方法を考え、選択し、実行する。最後に、実施した結果がどうであったか検証し、必要に応じて改善措置をとる。この４つのステップを繰り返し実行し続けることがR/Mなのである。

R/Mの処理方法には、リスクを実態としてとらえ、回避、除去、軽減、分離、分散することなどを中身とする「リスクコントロール」と、事故が起きることを前提に、金銭的な備えをする「リスクファイナンス」の２つに分類される。さらに後者には、自家保険や自ら資金手当てをする「リスクの保有」とリスクそのものを移転してしまう「リスクの移転」がある。保険はリスクの移転の最強の手段である。リスクの処理するうえで、単独の手法を選択するのか、いくつかの手法を組み合わせて複合的な処理を選択するかはリスクによって異なるが、多くの企業では、リスクコントロールを進めながら、同時にリスクファイナンスも採用するというように、複層的にR/Mを実施している。

2-4 保険の原理

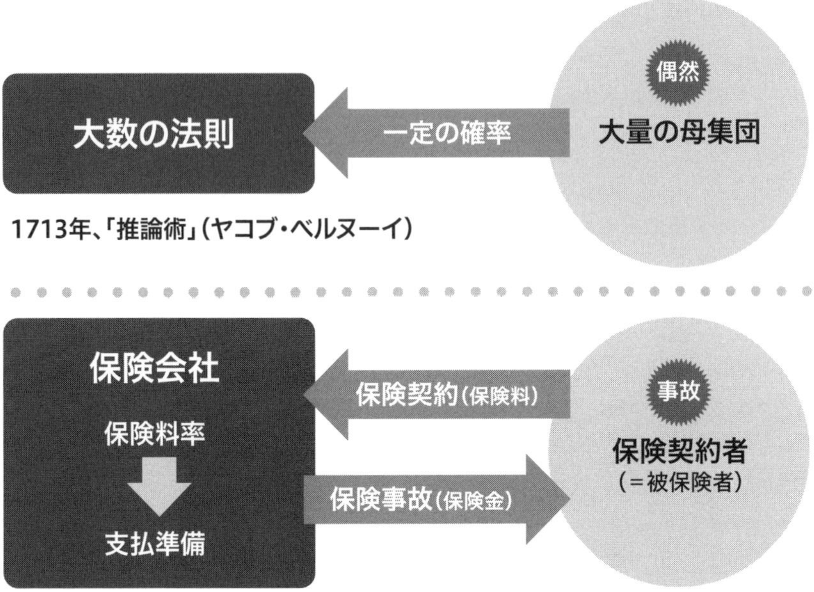

収支相等の原則

純保険料の総額=保険金の総額

保険料単価(P:純保険料)× 加入者数(N)
=
平均保険金(Z)× 事故発生件数(R)

給付・反対給付均等の原則

保険料は予想支払保険金に事故発生確率を乗じたものに等しい

保険料単価(P:純保険料)
=
平均支払保険金(Z)×事故発生確率(W)※

※事故発生確率(W)=事故発生件数(R)/加入者数(N)

大数の法則に基づき予想支払保険金と保険料を決める

保険は確率から成り立っているといわれるが、そのベースとなるのが大数の法則（Law of Large Numbers）である。歴史的には、1713年スイスの数学者、ヤコブ・ベルヌーイがその著書『推論術』において、有名な「3,000個の白い小石と2,000個の黒い小石の入った壺」の例をあげ、１回ごとに壺から小石を取り出し、その色を確認し、また戻すと、回数を重ねれば重ねるほど白と黒の出る比率は３対２であるという「事実上の確実性」を明らかにした。後に保険の原理となる大数の法則（「個々にとっては偶然な事故も、十分に多数な母集団になれば、その発現は予定できる」）の誕生であった。

日本における出火件数は、消防白書によれば、年４万件を割り減少傾向で推移しているものの、建物の数も大きく変動していないことから、年間の出火頻度は安定した数値を示している。ある集団のなかでの発生頻度と１回の平均保険金を想定して、支払保険金の総額が算定できるが、その額に等しい保険料を徴収すれば、この集団での保険金の総額と保険料の総額は収支均衡する。これが収支相等の原則（必要十分の原則）である。毎年、事故の発生頻度や平均保険金の額が変動するので、収支が均等になるよう検証し見直しをしていくことになる。さらに、この式から個別保険料を導き出したものが給付・反対給付均等の原則（公平の原則）と呼ばれている。すなわち、平均保険金に事故の発生確率（事故の発生件数÷契約者数）を乗じたものが個別保険料になる。

大数の法則が十分働かないリスクも保険商品として取り扱うことがある。典型的なものは、賠償責任保険や自然災害リスクを補償する保険であるが、上述のリスクとは異なり、既存の事故統計からは安定した頻度や損害額を予測することがきわめて困難であるという特徴がある。母集団の規模や損害額が事故の実態により大きく変動するなど、個別性が強い、特有の事象に対する保険には、リスクモデリングと呼ばれる「事故発生確率や規模についてコンピュータを使いシミュレーションする」方式が用いられている。これにより、地震リスクなど統計が実際存在しないケースでの保険設計が可能となっている。

2-5 保険料と保険金額

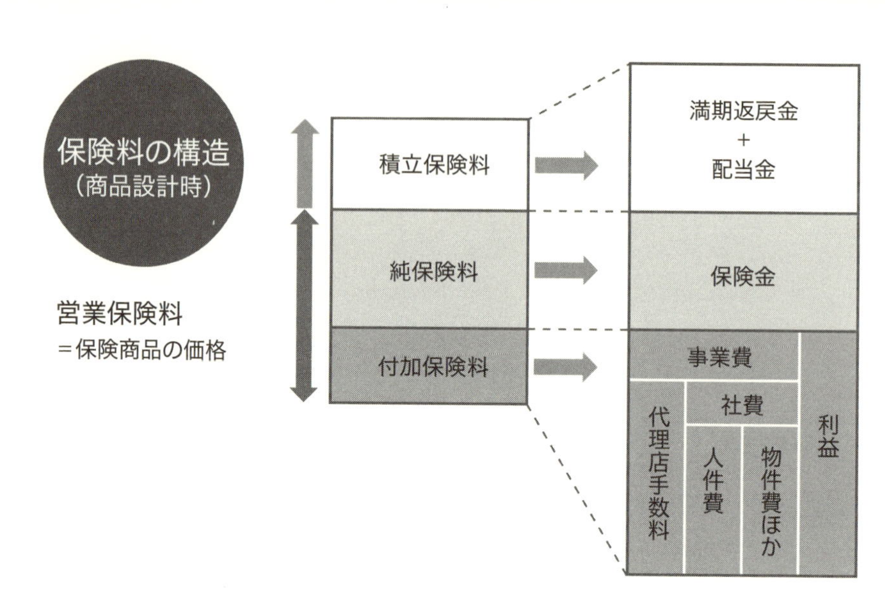

●保険金額 ＝ 物保険の場合

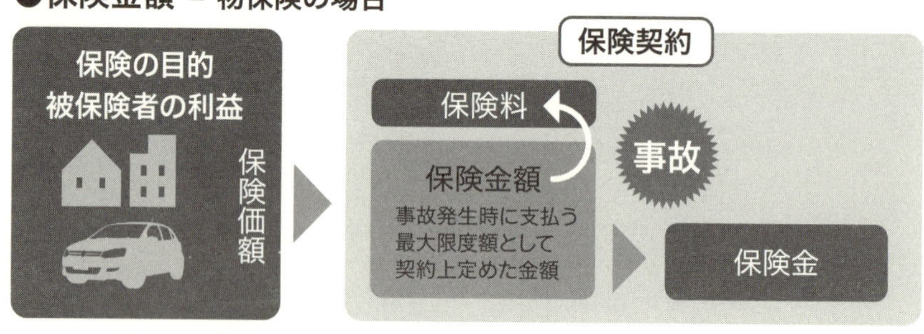

●てん補限度額 ＝賠償責任保険の場合

物保険と賠償責任保険で異なる保険金額の考え方

保険商品の値段は顧客にとって最大の関心事である。テレビでは連日、安さを強調した通販商品のコマーシャルが流されている。顧客に保険商品の価格＝保険料と認識されているのは営業保険料だ。保険の設計上、営業保険料は２つに分かれ、第一は、純保険料と呼ばれるもので、顧客の損害をてん補するために支払われる保険金部分に相当する。一方、保険会社は、商品を販売し、保険金を支払うために必要な各種費用を保険料のなかに織り込む必要がある。これを付加保険料と呼び、このなかには、商品販売に従事する代理店の手数料、損保会社の人件費、物件費などの社費が含まれている。最後に、事業利益を期待して一定割合を組み込む構成だ。損保商品の保険期間は通常１年以内だが、積立型の長期保険の場合には、積立保険料が別途上乗せされている。その分は特別な資産運用に供され、将来の満期返戻金や配当金としての原資となる。

実際の保険料は、火災保険などの物保険を例にとれば、保険金額に単位保険金額当たりの保険料率を乗じて決められる（物保険の場合１単位は1,000円、海上保険では100円を適用）。住宅の所有者が万一の火災事故に備えて火災保険の購入を希望する場合、その住宅（建物・家財）が火災保険契約の「保険の目的」となり、火災などの保険事故の発生によって損害を受けるおそれのある利益のことを「被保険利益」、被保険者が被る可能性のある最高の損害金額のことを「保険価額」と呼ぶ。

保険の目的、被保険者利益、保険価額をもとに保険契約を締結する際、保険会社との間では保険金額が約定される。保険金額とは、事故発生時に保険会社が支払う損害てん補責任の最高限度額として契約上定めた金額である。そして、保険金額に対象となる商品に設定された保険料率を適用し、営業保険料が決定、提示されることになる。物保険ではない賠償責任保険などの保険契約の場合、保険価額を前提としない。被保険者が自動車の運転あるいは施設の事故などで第三者から損害賠償請求をされることに備え保険を購入する際、その保険契約には保険金額ではなくてん補限度額が設定されるのが一般的であり、それが保険者が支払う保険金の最大支払限度額となる。

2-6 損保商品の流通機構

1 保険の募集形態

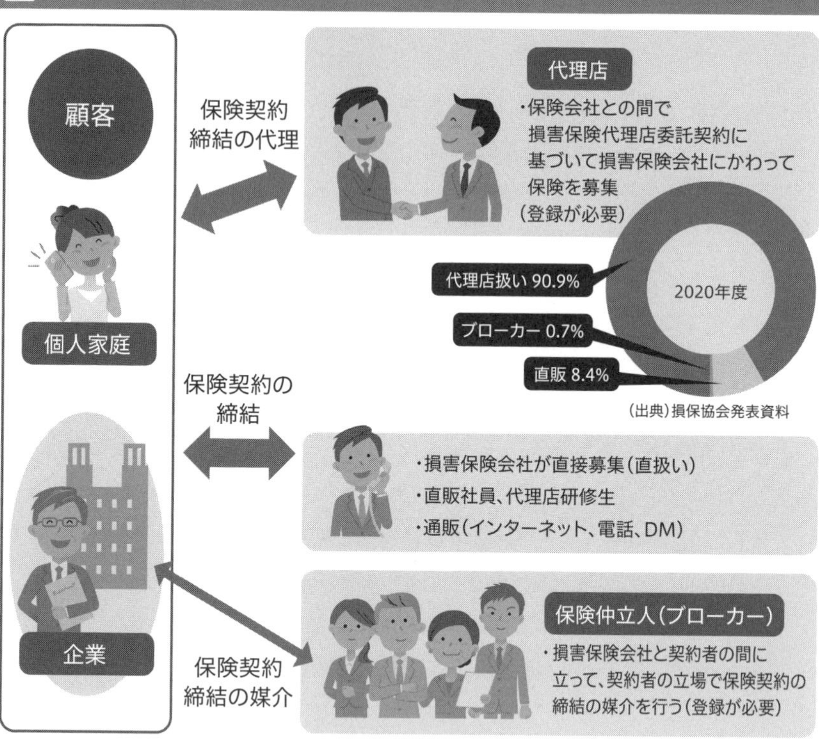

2 保険流通の課題

募集チャネル	課題
代理店	効率化、大規模化、自立・自律した企業マインド
直扱い	通販以外は実質消滅、通販各社の課題は広告宣伝経費高
保険仲立人	参入障壁の緩和

代理店チャネルが国内収入保険料の９割占める

多種多様なリスクに囲まれた現代にあって、損害保険の募集には、顧客のニーズをしっかり把握（意向把握義務）し、最善の保険商品を選択し説明（情報提供義務）することが求められている。そのため、募集人には、リスクに精通し、商品を熟知していることが必須である。保険募集を行うことができる者は、保険代理店、保険会社、保険仲立人（ブローカー）である。

代理店は、日本の損保商品の流通のなかでも、圧倒的な存在感を示し、販売の主役の地位を長く保持している。2021年３月末現在、16万5,000店余の代理店が全国津々浦々で募集業務に従事し、代理店経由の収保割合は90.9%にのぼる。代理店は保険会社と委託契約を締結し保険商品を募集し、保険会社の設定する代理店手数料体系に従って手数料を得ている。代理店には保険を専門に扱う専業代理店と自動車販売ディーラー、不動産業など本業のかたわら保険募集を行う副業代理店がある。さらに、代理店には所属する保険会社１社だけの商品を扱う専属代理店と複数の保険会社の商品を取り扱う乗合代理店に分類することもできる。最大時（1996年度末）62万店あった代理店数は効率化、大型化の波にさらされ著しく減少している。

代理店を介さず保険会社が直接顧客と契約する形態を直扱いという。損保社のなかには営業専門の社員を雇用し保険募集に従事させる直販社員制度や、将来の代理店を育成する目的で一定期間給与を保障する代理店研修生制度もある。また、直扱いの典型的な形態にはダイレクト保険（通販）がある。代理店を介さずインターネットやスマホで直接契約するもので、代理店手数料がかからない分、保険料を安く設定することができる。

保険仲立人（保険ブローカー）は日本の損保市場の規制緩和の時代（1996年）に誕生した。欧米では一般的な制度であるため、国際整合性の観点から導入が急がれた経緯がある。代理店や直扱いとは違い、顧客サイドの立ち位置からベストな契約条件を提供することを目的としている。主として企業物件分野を中心に活動しているものの、扱い保険料規模は依然として小さい。また、2021年に「銀行・証券・保険」すべての分野の金融サービスをワンストップで仲介できる金融サービス仲介業を創設する新しい法制度（金融サービス提供法）が施行され注目を集めている。

2-7 損害調査と損害支払い

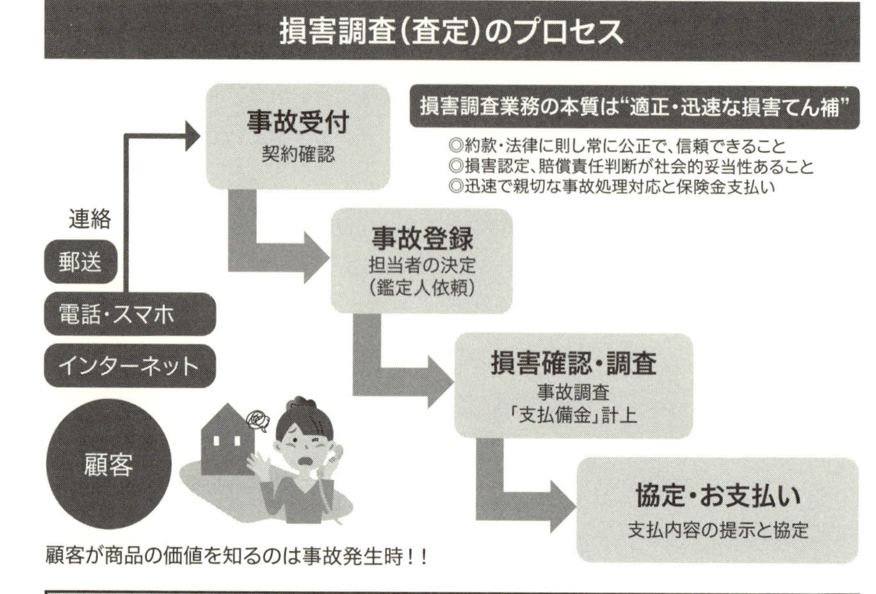

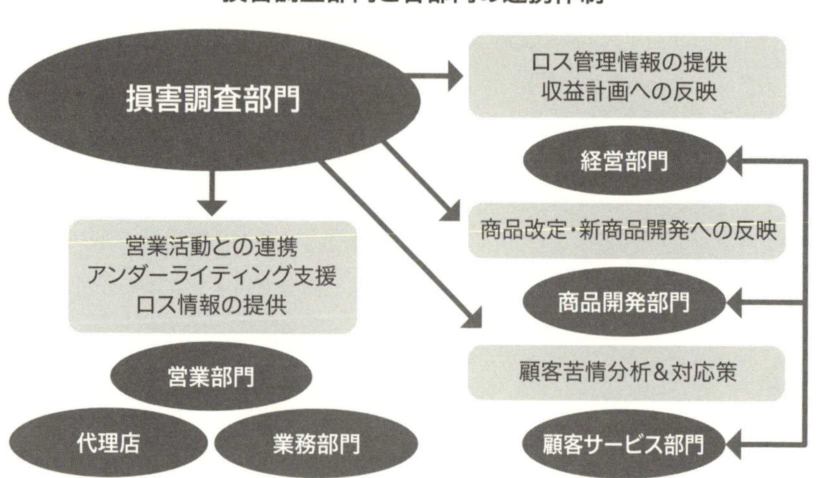

損害調査データの収集が大事

損害保険が商品としてのその価値を発揮するのは、顧客が予期せぬ事故や災害にあったときである。保険の目的が罹災し、顧客に経済的損失が発生した場合、保険契約の約定に従って保険金を支払うことになるが、その業務を担うのが損害調査（査定）部門である。損害調査業務の本質は適正・迅速な損害てん補と呼ばれるとおり、あらゆる点において顧客の納得が得られるものでなければならない。

事故の受付から支払いに至るまでの一貫処理のステップ（経過管理）では、きわめて高い透明性が要求されるが、なによりも被害にあった顧客に寄り添う姿勢が大切である。近年は事故の受付において電話だけでなく、インターネット経由など新しい媒体への対応も必要になっている。事故を登録し、担当者を決め、損害を確認する調査に移り、保険金支払いに備えた経理処理を整え、保険金を確定させるため顧客に金額を提示し必要な協定を結ぶ。これらの説明は火災保険を前提としたものだが、自動車の対人賠償においても、弁護士との連携、示談代行など若干の相違点はあるものの、大きな流れは変わらない。

事案ごとのきめ細かい対応が損害調査業務の本質であるが、台風、地震・津波など大規模自然災害の場合には、被災事案が広域にわたって多数存在し、通常の損害調査対応では到底まかなえきれないことがある。東日本大震災では、住宅火災保険に付帯する地震保険の保険金支払額が約１兆3,000億円、支払件数は約80万にものぼった膨大な処理事案に対して損害調査の原則を外すことなく、迅速な対応をとることに重きを置き、可能な限り合理的な措置（地域全損認定など）をとったことは記憶に新しい。迅速な保険金支払いをさらに促進するために、広域災害における航空機や人工衛星の活用、あるいはドローンを使った精緻な調査などの導入が現実のものとなっている。

損害調査部門で忘れてはならないことは、保険金支払業務を超えて会社にとって重要な役割があることである。保険金動向が経営に及ぼす影響は会社の収支計画上も貴重なデータであり、新商品開発においてもおおいに参考になる。また顧客と接する営業やサービス部門に対しても損害調査データはとても役に立つものであり、その意味でも損害調査部門の役割は大きい。

2-8 損保ビジネス安定化の仕組み

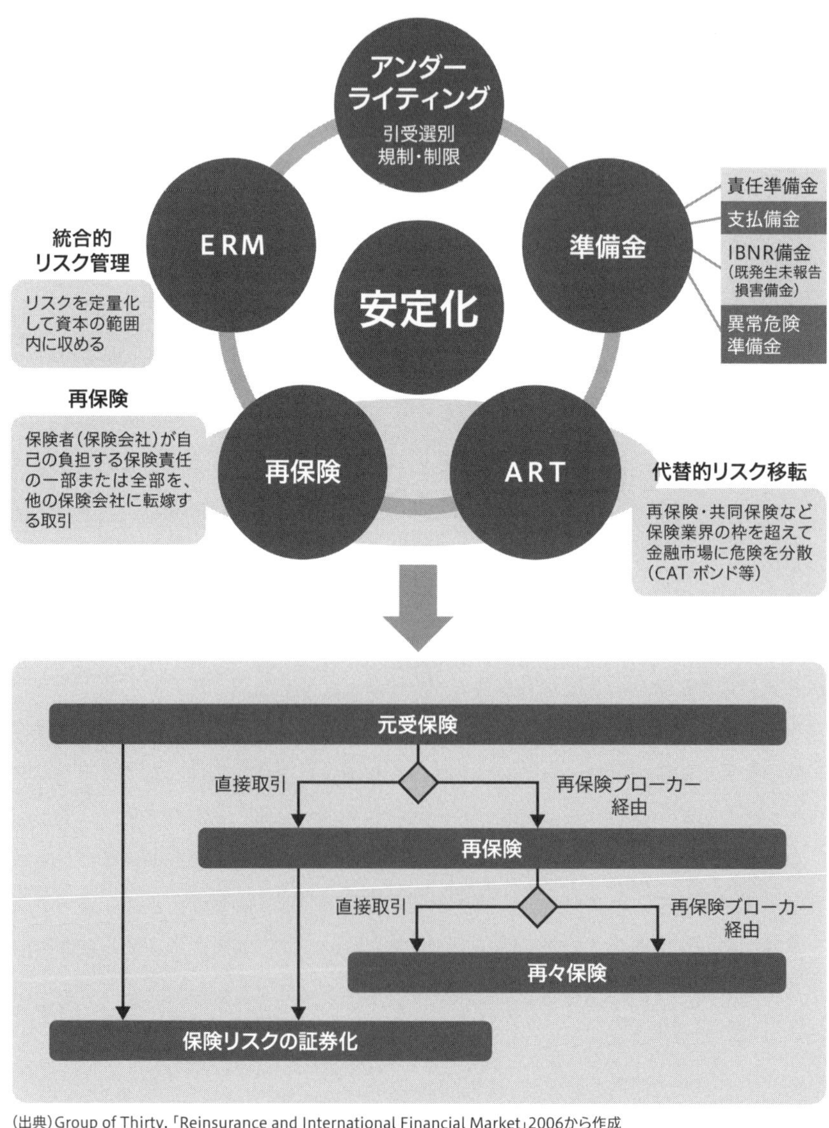

(出典)Group of Thirty,「Reinsurance and International Financial Market」2006から作成

損保経営の安定化に資するバランス装置

損害保険会社も営利企業であり、利益を追求する組織である。利益をあげるには、増収（売上げを伸ばす）を図りつつ、出費を抑制すること、そして保有資産を上手に運用し利息・配当収入を得ることが基本である。この収支バランスに問題があれば、一般の企業同様に、経営は大きく揺らぐ。特に、引受契約の集団（ポートフォリオ）のなかの、巨額な物件や、未知あるいは自然災害など異常危険の可能性を含む契約に損害が発生した場合、保険金の支払いによって保険会社の財務は大きく損なわれる。損失の程度によっては、その後の安定的な経営を確保できなくなり、最悪の場合には破綻に瀕することになる。

歴史的にも経営を安定させようとする多くの試みがあった（左図参照）。最も基本的なものは、アンダーライティングで引受けを厳しくすることだ。この言葉は、ロンドンの金融街（シティ）にある保険市場や証券市場において、取引仲介ブローカーが持ち込んだ契約スリップに引受人が引受割合と一緒に署名（アンダーライト）したことに由来するものだ。つまり、引受けに際して、物件の良否を吟味し、不良物件を排除するなど適正な契約を選択することがアンダーライティングとなった。

第二の安定化装置は異常な支払いに備えるための各種準備金であり、損保会計に特有ものである。特に、異常危険準備金は、毎年、収保の一定割合を引当て、損害率が一定以上悪化した場合に取り崩すことにより、収支の悪化を防止することを目的としている。ERMは契約ポートフォリオだけを対象とするのでなく、資産運用リスク、経営不祥事リスクなども含めて多様なリスクを定量化し、資本との関係を明確化する仕組みである。

再保険と代替的リスク移転は詳しくは次項以降で述べるが、双方ともほかの保険者（あるいはボンド購入者）に保険責任の一部、または全部を転嫁する仕組み（取引）である。リスクの分散、移転であり、その取引は世界に広がり本質的にグローバルなものである。再保険専門会社や取引を仲介する再保険ブローカーが実質的にリードする。これにより、巨大リスク、自然災害、特殊なリスクなどのリスクヘッジが図られ、大きな事故が発生しても、回収金を得ることで損害保険会社の経営の安定が図れるわけである。

このようにさまざまなリスク安定化の仕組みを駆使して損害保険会社の使命である保険事故の支払いに万全を期している。

2-9 再保険

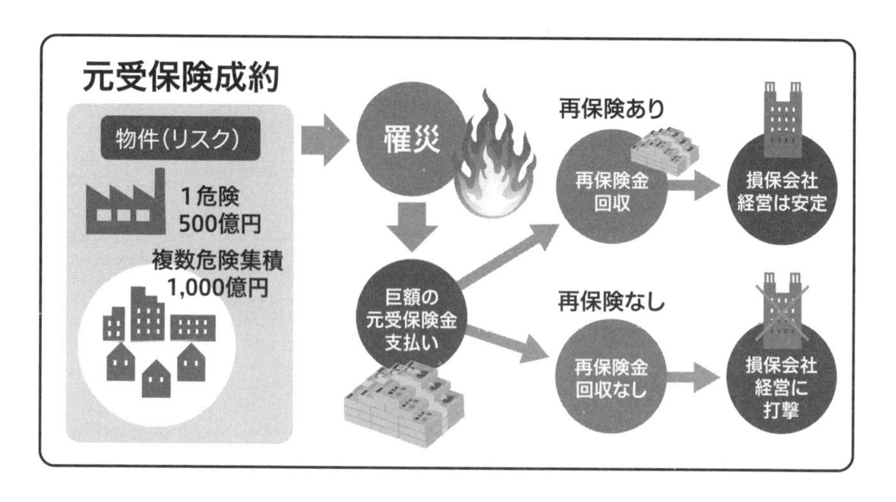

①平準化されたポートフォリオ(契約集団)の構築
リスクの大数化

保険会社の事業成績の安定化

②異常損害に対する経営安定策
「リスクの集積」により巨額な保険金支払が生じる可能性

元受保険会社の引受能力の補完

再保険の目的と機能

資本力の補完

③自己の保有限度を超える契約であっても引き受けることができる

高度先端情報

リスクを軽減し、担保力の増強を図るため、資本増強の補完・代替策として利用

④再保険専門会社・ブローカーの世界的ネットワーク、ノウハウの利用等

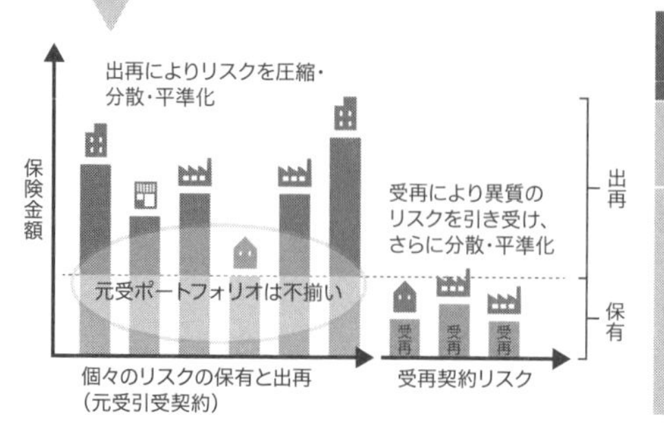

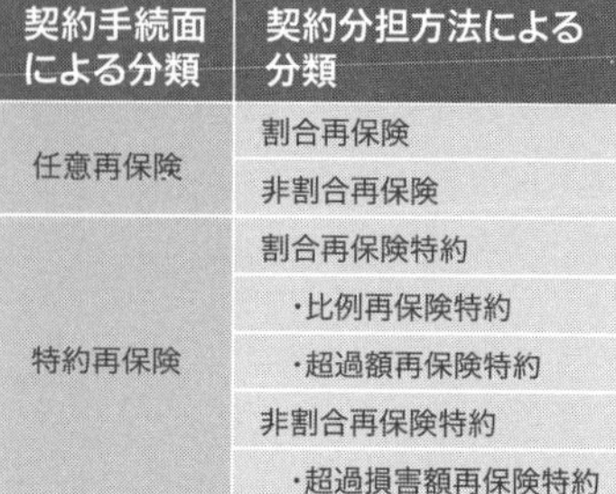

契約手続面による分類	契約分担方法による分類
任意再保険	割合再保険
	非割合再保険
特約再保険	割合再保険特約
	・比例再保険特約
	・超過額再保険特約
	非割合再保険特約
	・超過損害額再保険特約

再保険の４つの役割

再保険の目的と機能、なぜ再保険が必要なのか、どんな機能を果たしているのかには次の４つの区分がある。①保険会社の事業成績を安定化させること、具体的には、平準化されたポートフォリオ構築、リスクの大数化を実現することで、元受保険契約が、工場、ビルディングあるいはその他の建物や住宅物件の場合、個々の契約の保険料は大数の法則によって成り立つことを述べた（**2-4**）が、ただ、左図下段に示すように現実には、各社が引き受ける契約の保険金額は個々にかなり凸凹がある。縦軸がリスクの大きさ、保険金額かてん補限度額、横軸を個々の契約と置くと、大小入り混じった契約群（ポートフォリオ）が見てとれる。そこに再保険のバーを引くと保有する契約集団が均一化され平準化されてくる。バーの上の部分は出再され再保険者側に移転される。また、ほかの保険者の契約を引き受ける受再契約を加え、元受のポートフォリオとあわせたトータルで安定化した契約集団ができる。これがポートフォリオの平準化であり、最も安定的なかたちとして経営に資するものになる。②異常損害に対する経営安定策、自然災害などの集積リスクによって巨額な保険金支払いがあっても、保険会社が安定した事業を行うためには再保険が欠かせない。③元受保険会社の引受能力を補完、大規模物件や顧客のそのほかの物件について、小さな会社でも再保険を駆使することによって自分の引受能力を最大限発揮して、大きな保険会社と競えることができる。これが、元受保険会社の引受能力の補完、換言すれば資本力の保管、再保険を活用して実質的に資本の増強の効果が得られることを意味する。④再保険専門会社は、長年の歴史のなかで、ネットワークを使って得たノウハウを集積してきた。これに高度先端情報を培い生かすことで保険業界全般の発展に寄与している。

再保険の種類に関して、契約の手続き面による分類として、任意再保険と特約再保険がある。任意再保険には個別に一つひとつの契約を出再者も受再者も任意に契約を締結することで、個別任意再保険とも呼ばれる。特約再保険は、個々の契約を個別に交渉、締結するのは業務が煩雑になるので、一年間を通じてある規模の再保険を二者間であるいは三者間で包括的に締結をする契約方式をいう。

最後に、責任分担によっての分類には大きく分けて２つ、元受契約の割合に即した割合再保険（プロポーショナル）をすることと、割合に応じない非割合再保険（ノンプロポーショナル）という２つの方式がある。

2-10 ART（代替的リスク移転）

●ARTの種類

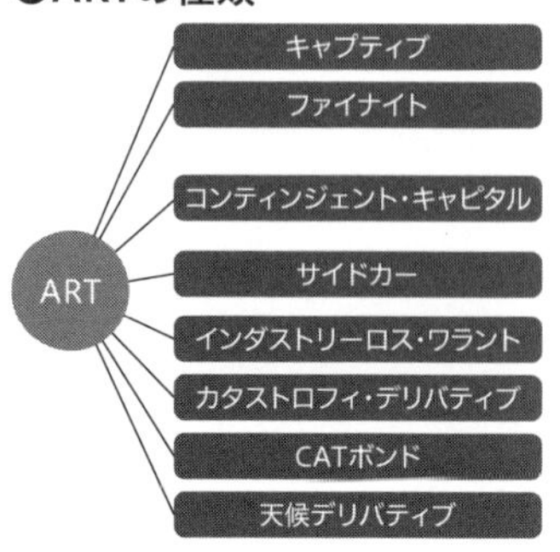

（出典）可児滋著『金融と保険の融合』きんざい刊

●CATボンド（財物リスク）の発行額

（出典）AonSecurity Report

●再保険資本推移

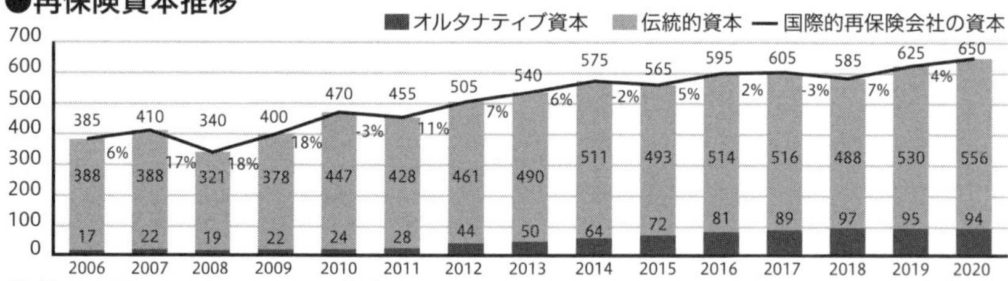

（出典）Aon's Reinsurance Aggregate 31/12/2020

●CATボンド発行の仕組み

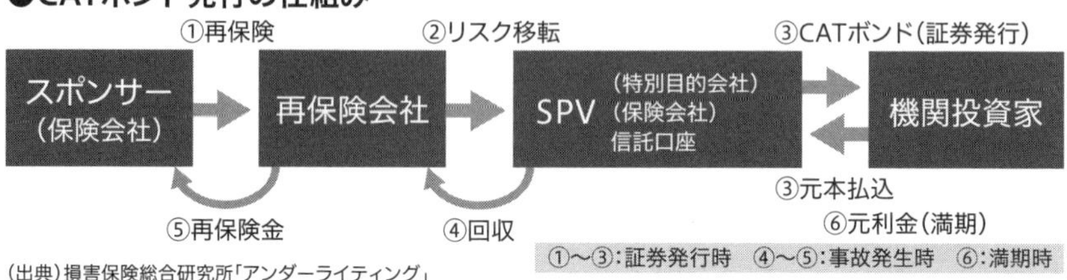

（出典）損害保険総合研究所「アンダーライティング」

●日本社のCATボンド発行

発行時期	発行企業	金額	満期	リスク種類
2017年１月	損保ジャパン日本興亜	4.8億ドル	4年	台風
2018年３月	全共連	7億ドル	5年	地震
2018年３月	東京海上日動	2億ドル	5年	地震
2018年３月	三井住友海上	2.2億ドル	4年	地火費・台風・洪水
2018年３月	あいおいニッセイ同和	1億ドル	4年	台風・洪水
2020年２月	全共連	2億ドル	3年	地震
2020年３月	三井住友海上	1億ドル	4年	台風
2021年３月	損保ジャパン＆子会社	4億ドル	4年	地震・台風
2021年３月	東京海上日動	1.5億ドル	5年	地震

企業リスクを損保引受けにかえて移転

ART（代替的リスク移転）とは何か。伝統的な保険や再保険を代替・補完する意味で代替的という言葉が用いられている。厳密な意味で保険ではなく保険に類似したものという考え方である。保険市場を離れて金融資本市場にまでリスクの移転を図るものもあり、金融と保険の融合と呼ばれることもある。既存の保険の枠組みを超えてリスクを多面的にヘッジする仕組みといえよう。

背景にあるのは、企業の抱えるリスクが複雑化・多様化・大型化した状況にあること、また、金融工学やリスクマネジメント技術が発達したことだ。その結果、リスクヘッジする手段の一つとして保険の枠組みを超えて代替的なリスク移転も活用が広がっている。一般企業だけが対象ではなく、保険会社もとりわけ自然災害の脅威に対して、伝統的再保険の手配以外にARTも利用してリスクを分散し資本力の強化、拡充に努めている。

ARTはいくつかの種類に分類され、キャプティブ、ファイナイト、キャットボンド（災害債券）、天候デリバティブなどさまざまな形態が開発されている。

代表的な事例としてCATボンドに焦点を当てよう。CATボンドは1990年代に開発され、保険リンク証券、インシュランスセキュリティーズと並ぶ保険証券化の１つである。保険会社にとっては保険金の支払いの債務を証券化するというかたちになる。具体的な対象は、保険会社が保有する地震やハリケーンなど異常損害のリスクである。

仕組みの図（左図参照）をみると、スポンサーである保険会社は地震リスク等を再保険会社に出再をして、その再保険会社はバミューダやケイマン島などにおいて特別目的会社を設立し債券を発行する。債券は機関投資家等が購入し、元本を振り込む。元本は信託財産として保管される。所定の異常事象がなければ、その元本は利息とともに機関投資家に満期返戻される。しかし、地震や台風災害等による異常損害が発生した場合には、その程度に応じて元本が削減されたりデフォルト、すなわち返戻されない可能性もある債券である。日本円に換算して３兆円程度のCATボンドが世界で発行されている。日本企業では、損害保険会社や共済が発行するのがほとんどだが、過去には、JR東日本とかオリエンタルランドなどの法人企業もCATボンド市場に資金を求め債券を発行した歴史もある。

第3章

損害保険商品

3-1 損害保険の商品開発

商品開発の流れ(イメージ)

商品開発ニーズの把握
- ・リスクの動向に着目
- ・競合他社の動向
- ・欧米先進事例の把握
- ・企業顧客/代理店からの要請

関連情報の取集
- ・公的/準公的情報
- ・先行類似商品分析
- ・海外損保情報
- ・企業、団体からの情報

リスク

約款設計と契約規定
- ・主契約の補償リスク
- ・特約による補償リスク
- ・契約内容変更・解約処理規定

保険料設計と料率検証

1.純保険料(F・D方式)
- ・発生頻度(Frequency)
- ・平均損傷度(Damageability)

2.損害率法(ロス・レシオ方式)
- ・予定損害率を実際の損害率で補正

発生頻度と損害の規模モデル例

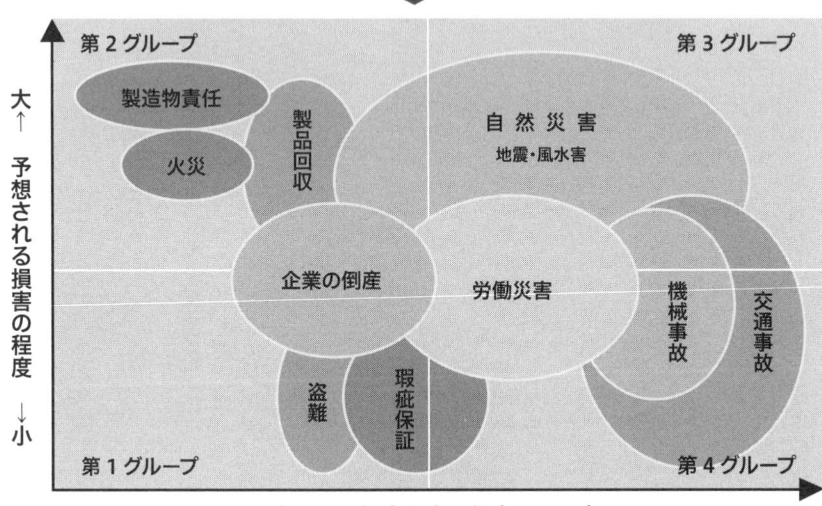

顧客ニーズ（リスク）に応える商品を設計

損害保険の歴史は紀元前数千年にさかのぼるといわれるが、時代ごとに社会が直面するさまざまなリスクに対応して商品が開発されてきた。14世紀に海上保険、17世紀の火災保険、そして20世紀には自動車保険や航空保険等を誕生させ、いずれも現代の損保を支える主力商品となっている。

商品開発は、他業と同様、顧客のニーズを知ることが大事であり、損保に携わる人のイロハとして、社会のあらゆるリスクの動向に着目しなければならない。日々の暮らしのなかで遭遇するさまざまなリスクに目を向ける。通勤時の人の流れ、天候、車両の運行状況、建物のようす、通信設備の状態などリスクの動向に敏感でなければならない。もちろん、新聞、ニュースに目を配り、新しい技術の仕組みや応用の可能性などにアンテナを最大限研ぎ澄ましていなければならない。

特に、今後はますます未知のリスク、ニューリスクを感じ取ることが求められる。例えば、新薬の開発に伴う治験、情報漏洩、サイバー攻撃、ネット炎上などは、すでにそこにあるリスクとして、リスクマネジメント（R/M）の手法に基づき確固たる処理を行う必要性が増大している。

損保の商品開発は、特定のリスクに着目し、それらに関係する情報の収集から始まるが、公的・準公的情報の確認、先行類似商品の分析などを国内外、該当企業等から収集し分析を行い、損保商品としての開発が可能かを検討する。次に、補償対象リスクについて、主契約で補償するもの、特約条項で補償すべきリスクを整理し、約款や契約規定を設計する。必要な付帯サービスを用意することはいうまでもない。

そして、損保商品として採算性を見込んだ保険料を算定する。保険の原理に基づき、発生頻度（Frequency）に損害の程度（Damageability）を乗じて純保険料（保険金支払いに充当）を算出するが、それぞれの頭文字をとってF・D方式と呼称されている。あるいは、あらかじめ推定した損害率（保険金の総額を総保険料で除した率）を実損データと照合し、料率調整を行う方式（損害率法）が一般的に用いられている。

企業のR/Mでも同様の方法が行われており、リスクごとに損害の程度と頻度を軸に図示する方法でリスクマッピングとも呼ばれている。事故の発生頻度と規模を視覚に訴えるものなので、リスクの所在と影響度がイメージしやすい。

3-2 損保商品のリスク別分類

	物保険	賠償責任保険	費用／利益保険	信用／保証保険
担保リスク	物の損害	「法律上の損害賠償責任」を負担したために被る損害	●消極損害 （得られたはずの利益の喪失を補償） ●積極損害 （財産上の負担の発生分を補償）	信用の供与に伴う、債権者（与信者）が債務者（受信者）の債務不履行や不法行為によって損害を被る危険（信用危険）
特徴	●一部保険、超過保険がありうる ●最も伝統的な損保商品	●予想損害額の推定がむずかしい ●保険金額は「てん補限度額」として約定	●日本では認知度が低く普及が課題だが、拡大の余地は大きい ●「お天気保険」などで注目される ●「天候デリバティブ」へと進化	●被保険者は債権者だが、契約者が異なる －信用保険：債権者 －保証保険：債務者 ●保険会社が保険金を払った場合、債務者に代位求償権を持つ
主要な商品	●火災保険 ●盗難保険 ●自動車保険 （車両保険） ●機械保険 ●貨物・船舶保険	●賠償責任保険 ●自賠責保険 ●自動車保険 （対人賠償保険） （対物賠償保険）	●興行中止保険 ●延長保証保険 ●利益保険 ●ホールインワン保険 ●お天気保険 ●営業継続費用保険	●履行保証保険 ●入札保証保険 ●身元信用保険 ●取引信用保険

物、賠償責任、費用／利益、信用／保証に大別

第一分野（生命保険）や第三分野（傷害、医療、介護など）と比べて、「一定の偶然な事故によって生ずることのある損害をてん補する」損害保険（第二分野）の守備範囲はきわめて広い。海上保険、自動車保険、火災保険など金融庁から認可を受けた保険商品の区分（保険種類）は約30種類あるが、この種類ごとに保険種目があり、海上保険には、船舶・貨物保険、火災保険では個人向け、法人向け火災保険、地震保険などに分かれる。損保の商品は多様なリスクを補償するため、リスクの組合せ商品やバリエーションをもたせたものも含めると、その数は膨大なものになる。左表は、補償するリスクの種類によって分類したもので、損保商品の大枠を理解することができる。

まず、物保険は、財物が被保険利益であって、例えば、住宅、工場、製品・半製品、車両、航空機などが保険の目的となるが、事故発生後、損害額は客観的に評価されるので、原則として被保険者が、実損害以上に利得することはない（利得禁止原則）。つまり、保険金額を保険価額以上に設定しても保険価額以上支払われることはない。もっとも、現在では顧客のニーズに応へ、減価を見込んだ金額ではなく、完全復旧を考慮した再調達額を基準にてん補する方式が一般的となっている。

賠償責任保険は、法律上の損害賠償責任を補償するものであるが、事故の状況、過失割合、被害者の状況（職業・年齢・年収）などの理由で保険金の支払いに大きな違いがある。このため、保険契約時に、保険金額（てん補限度額）の設定がむずかしい保険である。特に企業保険の自動車保険、航空保険、賠償責任保険（施設管理や生産物など）では、過去の事例やリスクシナリオをふまえ、妥当なてん補限度額を設定する仕組みをとっている。

費用／利益保険は、近年成長が著しい分野であり、費用リスクに対する顧客のニーズが顕在化し、次々と商品が開発されている。個人保険分野では、ゴルフのホールインワン保険などがよく知られている。自動車や携帯電話、電化製品を購入した際、販売店が勧める延長保証サービスなどにも用いられている。

信用／保証保険では、建設工事の際の入札保証保険、履行保証保険や売掛債権の貸倒れリスクをカバーする取引信用保険などが代表的な商品である。

なお、自動車保険は、物保険、賠償責任保険、傷害保険などを複数の補償リスクを複合する総合保険の代表格である。

3-3 損害保険商品のマーケット別分類

<table>
<tr><th rowspan="2"></th><th rowspan="2">家計保険市場
(パーソナル)</th><th colspan="2">企業保険市場(コマーシャル)</th></tr>
<tr><th>中堅・中小企業など</th><th>大企業</th></tr>
<tr><td>顧客層</td><td>●個人消費者</td><td>●中堅・中小・零細企業
●学校法人、宗教法人、農業法人等の各種法人
●地方自治体など公的機関</td><td>●大企業
●政府系公的機関
●準公的機関
(独立行政法人など)</td></tr>
<tr><td rowspan="2">主な商品構成</td><td rowspan="2">●住宅総合保険
●家庭用自動車保険
●地震保険(家計)
●傷害保険
●個人賠償責任保険</td><td>●企業総合保険
(財産補償条項・休業補償条項)
(地震危険補償特約)</td><td>●企業財産包括保険
(利益減少・営業継続費用補償)
(地震危険補償特約)</td></tr>
<tr><td colspan="2">●一般自動車保険(含むフリート契約)
●賠償責任保険(施設、請負業者、生産物、受託者、自動車管理者、サイバーリスク、個人情報漏えい、海外 PL、会社役員賠償責任等)
●労働災害総合保険　●工事保険
●取引信用保険(国内・輸出)　●保証保険
●船舶・貨物・運送保険
●その他のリスク商品(生産物回収費用保険、興行中止保険、海外投資保険等)</td></tr>
<tr><td>販売チャンネル</td><td>●専属プロ代理店
●乗合プロ代理店
●副業代理店
(ディーラー、整備工場等の多様なチャネル)
●ダイレクト販売
(インターネット等通販)
●直販外務員(縮小中)</td><td>●専属プロ代理店
●乗合プロ代理店
●直販外務員(縮小中)
●損保の営業担当者
(直扱い)</td><td>●企業の機関代理店
●保険仲立人(保険ブローカー)
(日本では少ない)
●乗合プロ代理店
(一部)
●損保の営業担当者
(直扱い)</td></tr>
<tr><td>販売方式</td><td>●定型的
●大量販売</td><td>●業種別パッケージ
●ハーフオーダーメード</td><td>●専門的
●個別、手づくり</td></tr>
</table>

成長余地大きい中小企業市場

損保各社や代理店がビジネスを行うマーケットは、個人保険（パーソナルライン）市場、企業保険（コマーシャルライン）市場に大別される。大手損保社では商品開発部門をこの分類で分けている場合もある。損保ビジネスでは、個人の消費動向、企業の設備投資の状況など市場の分析に基づき、ターゲットとする顧客ニーズにマッチした商品開発と販売政策が求められる。

個人保険分野の主力商品は家庭用自動車保険と住宅総合保険であるが、各社独自の愛称で販売されている。従来は、セット商品というべき定型商品が主流であったが、現在はリスクに応じて顧客が着脱可能な補償危険や、保険金額の設定にも工夫をこらした商品メニューが用意されている。自動車保険では、とりわけインターネットを通じたダイレクト販売（通販）も徐々にシェアを伸ばしており、廉価を訴求するテレビコマーシャルも頻繁に放映されている。最近では、車載器を設置し、運転動向、走行距離などの情報を損保社が収集し、保険料算定に利用するテレマティクス自動車保険も普及し始めている。

また、IT技術の進展に伴い、契約に直結する価格比較サイト（アグリゲーター）など、欧米で浸透している販売手法がわが国でも本格的に登場している。お仕着せ的な保険商品から、価格に敏感で多様化した顧客のニーズや選択肢を反映した商品の開発・提供がますます必要になっている。

一方、企業保険分野では、90年代以降、自由化・規制緩和に伴い、主力商品である火災保険を中心に激しい競争が展開され、保険料もダンピングを疑いたくなるような状況があった。グローバル化した大企業とは異なり、中小企業では、経営者の損保商品に対する認識度は高いとはいえず、新種分野を中心に潜在的な需要の可能性は大きい。中小企業に対しては、企業規模や業種によって販売方式や提供すべき商品は異なるのは当然であり、業種別パッケージ商品からハーフオーダーメード商品まで幅広い商品を投入している。特に、損保社は中小企業マーケットを成長市場と見定め、業種によるリスク特性を分析、診断するサービスを提供するなど、多様な商品開発、販売手法の開発を急いでいる。

今後の商品開発においては、さまざまな顧客とその現場の声に日々に接する募集サイドからの要請が重要になってくる。

3-4 企業保険

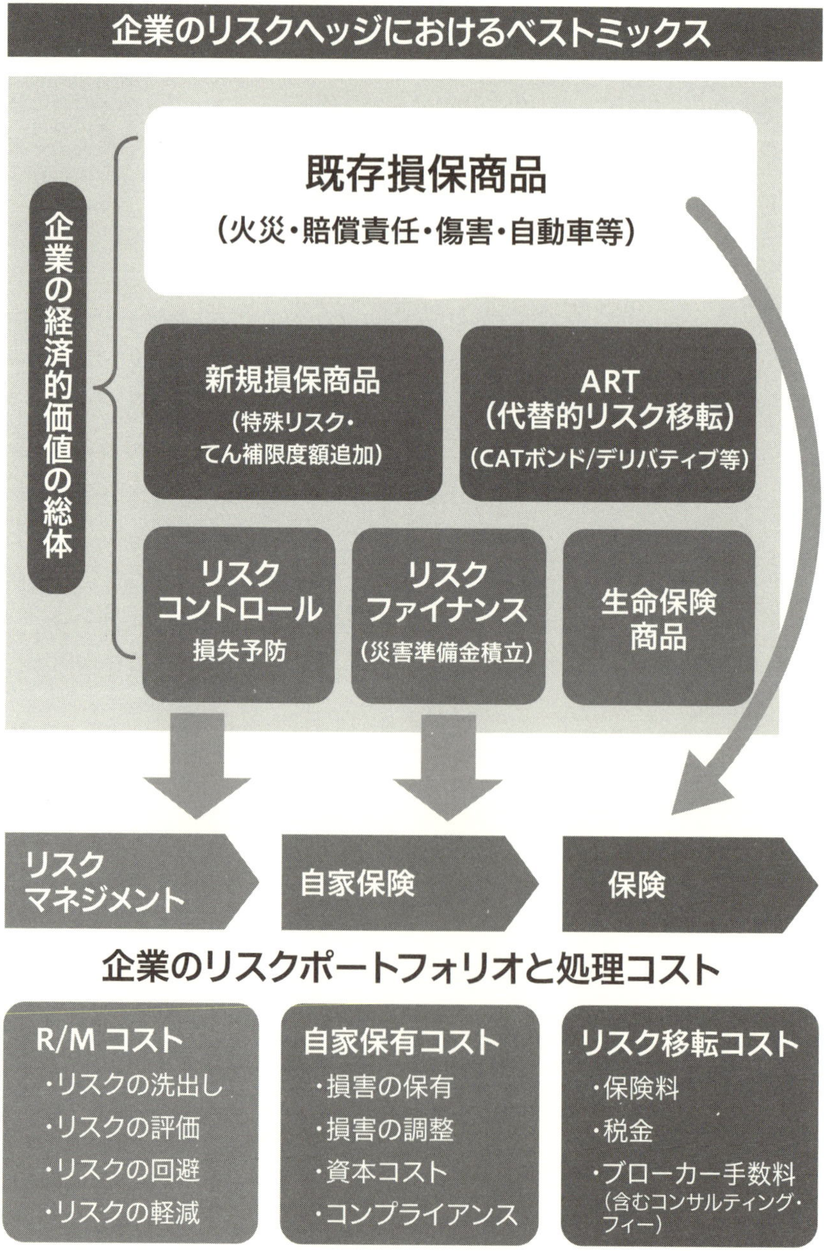

企業のリスクヘッジにおけるベストミックス

企業の経済的価値の総体

既存損保商品
（火災・賠償責任・傷害・自動車等）

新規損保商品
（特殊リスク・
てん補限度額追加）

ART
（代替的リスク移転）
（CATボンド/デリバティブ等）

リスク
コントロール
損失予防

リスク
ファイナンス
（災害準備金積立）

生命保険
商品

リスク
マネジメント

自家保険

保険

企業のリスクポートフォリオと処理コスト

R/M コスト
・リスクの洗出し
・リスクの評価
・リスクの回避
・リスクの軽減

自家保有コスト
・損害の保有
・損害の調整
・資本コスト
・コンプライアンス

リスク移転コスト
・保険料
・税金
・ブローカー手数料
（含むコンサルティング・
フィー）

リスクヘッジ手段のベストミックスを追求

企業のリスクヘッジは、損保商品を購入することだけがすべてではない。第2章で損害保険とリスクマネジメント（R/M）について触れたように、企業はリスクを認識し、それに対処する方策を多面的に考察し、損害保険をリスクヘッジの一つの手段として巧みに利用してきた歴史がある。一方、損保会社は企業のリスクを検討したうえで、可能な限りリスクに見合った損保商品を開発、提供してきた。ただし、この企業と損保会社の関係は、企業の規模、財務状況、業種の特徴などによって異なる。

大企業の多くは潤沢な資金とリスクに対する認識度が高い。R/M原理を的確に理解し損保商品をリスクヘッジの一つの道具として位置づけ、必要な保険を、競争原理を上手に利用しながら最適コストで購入することに努めている。他方、中小企業の場合には、R/Mが十分に浸透しているとはいいがたく、伝統的な保険による手当て以外にはなかなか手が回っていないのが現実である。中小企業のR/MやBCPの取組みに、中小企業庁が尽力しているが笛吹けど大きな進展はみられず、課題は依然として多い。もちろん、中小企業のなかにも上記の大企業のような先進的な取組みが必要との認識が少しずつではあるが広がっているのは間違いない。

左図は、企業の財産、知的所有権、第三者への賠償責任などのリスクに対して、R/Mの観点からどのようにヘッジをするのかをイメージしたものだ。財物の損害、特に風水害リスクを考えてみれば、なによりも上段の項目にあるように既存の損保商品の購入が欠かせない。しかし、それだけではカバーしきれない事情（例えば、地震リスクの対する保険カバーの提供には限界）がある場合には、損保の補完商品を利用したり、ART（代替的リスク移転）の代表例である保険デリバティブ商品やCATボンドなどを手配することで当該リスクのヘッジを施すことも可能である。

また、外部にリスクを転嫁するばかりではなく、自助努力が優先的に考慮されるべきであり、リスクコントロールやリスクファイナンスなどを用いて、トータルな処理コストの最適化を図るのがR/Mの要諦である。R/Mコスト、自家保険コスト、保険等のリスク移転コストなどをしっかり押さえたベストミックスの考え方がこれからの企業リスク処理に根付かせていく必要がある。

3-5 リスクの多様化とパラメトリック保険

1 企業が抱えるリスクの範囲の拡大

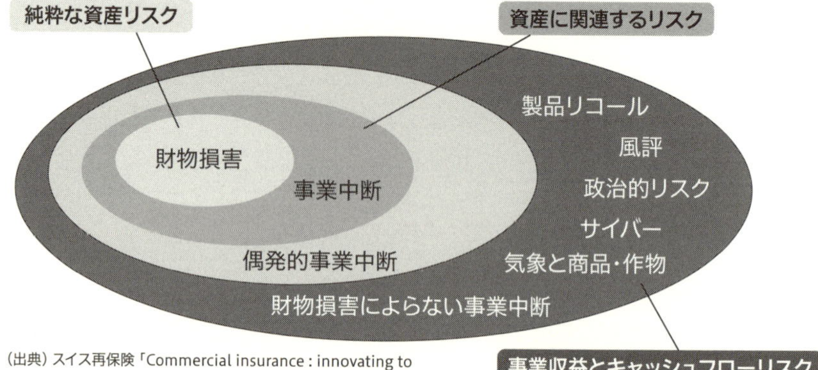

（出典）スイス再保険「Commercial insurance : innovating to expand the scope of insurability 2017」をもとに作成

2 伝統的損害保険とパラメトリック保険の比較

	伝統的損害保険	パラメトリック保険
保険金支払トリガー	・実際の損失または物的資産への損害（例：火災事故は物的損害と事業中断損害を発生させる）	・パラメーターとして設定した指標の閾値を超えるイベントの発生（例：定められた地域においてマグニチュード7.0以上の地震の発生）
保険金支払の基準	・被保険者が実際に被った損害額（損害調査の実施が必要）	・イベントパラメーターあるいはインデックス値に基づき事前に定めた金額（例：マグニチュードのレベルに応じて支払金額の変更も可能）
ベーシスリスク※	保険約款には免責条項や不補償条項が付帯され契約者と保険者との利害関係を調整	・選択したインデックスと保険金支払い、被った損害との相関関係 ・高度な商品設計（ダブルトリガーなど）で軽減も可能（例：サイクロンの場合、その強さに応じて段階的に支払額を上げてゆく設定）
保険金請求手続	損害査定（複雑・時間がかかる）	対象となるインデックスの確定と測定（通常は第三者機関が実施）により迅速な手続き（損害査定が不要）
担保期間	通常１年	１年または複数年
契約構成	標準約款、カスタマイズ可能	約款テンプレートは基本のみで、顧客ニーズに沿って個別に商品設計

※ベーシスリスクとは一般保険用語的意味では、実際に発生した損害額と保険金として受領する金額の差額を指す。

（出典）スイス再保険「What is parametric insurance ?」2018、「パラメトリック保険の現状と課題」損保総研レポート 2019.11等をもとに作成

大企業の自然災害リスクヘッジニーズ受け進化

企業を取り巻くリスクの範囲は拡大し続けている。財物損害や事業中断のリスクを超えて、生産物賠償責任や製品リコール費用、サイバー攻撃、情報漏洩、風評被害、政治的・社会的リスクなど伝統的な保険商品では完全にリスクヘッジができない事態が生じている。そこに登場したのがパラメトリック保険である。

パラメトリック保険とは、伝統的な損害保険とは異なり、損害と因果関係のある指標（パラメーターやインデックス）が設定した条件が測定された場合に、契約時に決められた所定の保険金を支払う保険をいう。1990年代に誕生したこのパラメトリック保険はインデックス保険とも呼ばれ、被保険者（企業）が特定したリスク（地震・台風・洪水など）に関わる特徴的な指標（震度や風速、降水量など）をトリガーとして設定される。このような自然災害の指標は典型的なトリガーだが、市場指数や収穫高、停電などもトリガーとして利用されている。ただし、指標には客観性、透明性、一貫性があることが条件となる。

損害保険では被保険者に実損害があってはじめて保険金が支払われるが、パラメトリック保険は対象リスクに関して設定した指標値を超えた場合に約定の保険金が支払われる。例えば、該当地域で震度６強の地震が発生した場合に５億円が支払われるとか、カテゴリー５のハリケーンが当該地域で発生した場合に1,000万ドルが支払われるなどである。指標や補償額は、被保険者企業のリスク認識、財務力、防災・減災対策の水準などによってレベル設定が異なり、保険料にも反映される。上述のとおり、パラメトリック保険は保険の代替というよりも補完であり、伝統的保険ではカバーできない補償ギャップを埋める意味合いが大きい。ただし、保険としての適用においては、契約締結時および事故発生時における被保険利益の存在や事故時の損害発生の通知が必要な場合がある。

大企業の自然災害リスクをヘッジすることから、現在のパラメトリック保険は進化しつつある。インシュアテックの発展に伴い、中小企業や個人向けパラメトリック保険が開発され、航空機の遅延保険、ホテルの空室補償（英国ロイズ）、地震保険（米国Jumpstart）、マイクロインシュランス（インドBICSA）など、広範囲な活用が進んでいる。この動きは、わが国でも少額短期事業者を含め徐々にその事例が増加することは確実な状況といえよう。

3-6 保険デリバティブ

1 保険デリバティブの拡大

金融デリバティブ

・保険業法上の「付随業務」
・損保商品ではない

保険デリバティブ

代表的商品

・天候デリバティブ
・地震デリバティブ
・台風デリバティブ

損害保険の場合

お天気保険など

損害保険固有のむずかしさ

①相当因果関係の証明
（積雪量と売上減少間など）
②利益減少の証明
③「利益禁止原則」の存在

①事前の統計調査
②観測期間の設定
③一定の数値以下または以上
④約定金額（補償金）の支払い

2 天候デリバティブの事例

会社名	A 観光株式会社
業種	川下り等遊覧船事業
目的	降雨によるK川流量増加に伴う営業休止の場合の、売上減少リスクを回避
対象期間	20XX年X月X日〜XX年X月X日まで夏季計62 日間
対象地点	指定箇所（アメダス観測所）
受取条件	日降水量40.0mm以上の日が発生した場合、その日数に応じて1日当たり26万1,000円を受け取る。（免責日数 0 日）最大受取額 1,017万9,000円（39日分）
プレミアム	（当初支払額）100万円
保険会社	XX損害保険会社

損保派生商品─保険を超えた商品

損害保険会社のなかには、保険に類似した商品として天候デリバティブや地震デリバティブなどを販売している会社がある。これらは、気温や降雪・雨量、地震の場合は、物件所在地域内での一定のマグニチュード以上の地震発生など、約定した事象が発生した場合に、約定した金銭を支払う「デリバティブ（金融派生）商品」である。これは損害保険ではなく、付随業務として取扱いが可能（保険業法98条）とされているものである。

デリバティブ取引自体は、投機、裁定取引、リスクヘッジを目的としたもので、金融取引全般に適用されているものであるが、リスクのヘッジ、すなわちリスクの移転手法として、損害保険の取り扱う領域と重なる点が保険デリバティブの特徴である。保険商品ではないので、代理店等の販売チャネルでは、別途資格を取得しなければ募集・販売はできないが、銀行、証券等はこの商品を取り扱うことができる。とはいえ、提携損保社に委託することが多い。

天候デリバティブは1997年、後に経営破綻した米国エンロン社が開発したが、日本の損保社も直後（1999年）に導入している。以降、急速に普及し、正確な統計は公表されていないが、現在、補償額ベースで約3,000億円～5,000億円規模に達していると推定される。天候、地震、台風といった自然現象は、企業の業績に甚大な影響を与える可能性があり、実際、こうしたリスクに対して保険設計は可能で、お天気保険、異常気象保険あるいは地震保険などがある。しかし、保険商品の設計には手間と時間がかかること、事故が起こった際には、一定の損害調査が必要なこと、とりわけ、事故と損害の相当因果関係の証明、利得禁止の原則（焼け太り禁止）などハードルが高い。これに対してデリバティブは、決済が簡便、迅速で支払金額（インデックスを定めてそれに応じた定額払い）も明確である。遊覧船の運営会社が、降雨によって川の流量が増加し営業休止を強いられ、その結果、売上げが減少してしまうリスクの事例（左表）のように、一般的には少額な契約が多い。そのほか、地震デリバティブなど企業のリスクヘッジに保険商品とあわせて利用することも、特に中小企業などで増えるであろう。日本の損保各社も慎重な姿勢は維持しつつ、顧客ニーズに即して、パラメトリック保険同様、この分野での研究、開発を怠ってはいない。

コラム 2

自然災害リスクを計量分析する

三大モデル専門会社・損害保険料率算出機構・損保社独自モデル

＊2021年8月Moody's傘下へ

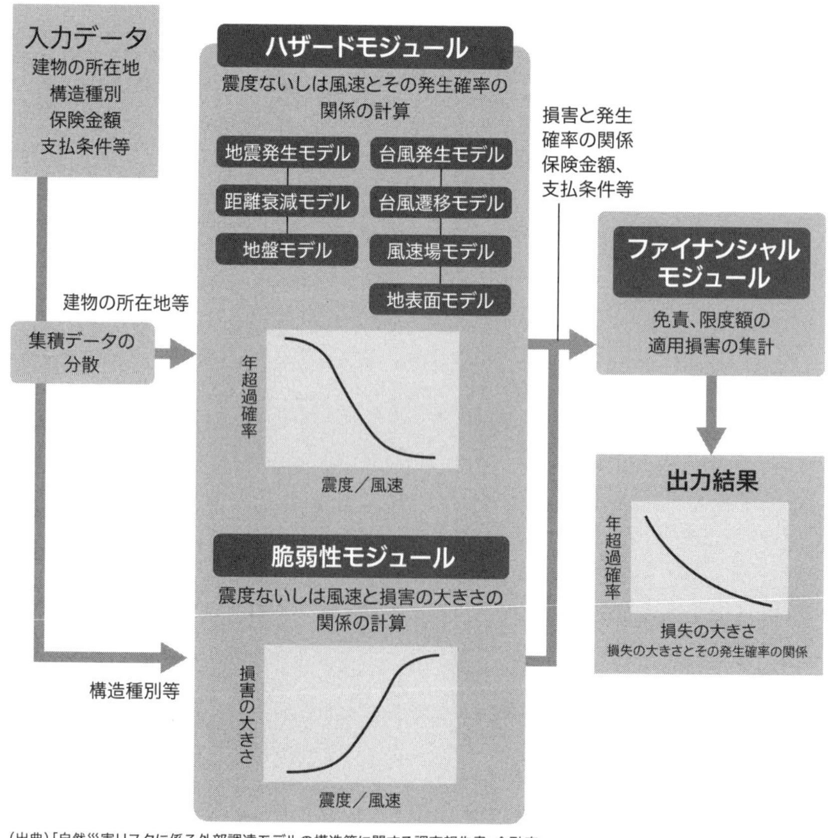

（出典）「自然災害リスクに係る外部調達モデルの構造等に関する調査報告書」金融庁

東日本大震災は、震源に近い東北地方にとどまらず広域に甚大な被害をもたらした。政府（内閣府）の試算によれば、経済的被害は16兆円から25兆円、それに対して、損害保険による損失補てん（保険金支払い）は、家計地震保険と企業向け地震保険をあわせ合計約２兆円であった。これに農林・漁業共済の補償を含めれば、復旧、復興に十分とはいえないまでも大きな支えとなったと考えられる。

地震のほか、世界各地で台風、洪水、山火事など気候変動に起因する自然災害も頻発し事態は深刻な様相を呈している。こうした世界共通の課題に直面し、損害保険業の悩みは、10年、100年、1000年に一度か、いつ起こるかともわからない巨大損害をいかに保険事業として取り込むかにある。２章で述べたとおり、保険は大数の法則に基づいて成立し、統計が命である。ところが、自然災害リスクにはその要素が圧倒的に不足しているため、収支相等の原則が有効に働かない。

米国は、日本同様、ハリケーンや地震リスクに長年さらされた経緯から、1980年代以降、自然災害リスク分析モデルが、三大モデル会社（RMS、AIR、EQE-CAT）によって開発された。背景には、IT技術の進歩があり、自然災害の計測、歴史的データの蓄積、保険契約の地理的分布や災害発生個所との照合等々、膨大な量のデータを処理できるコンピュータの普及などがあった。ハザードモジュール、脆弱性モジュール、ファイナンシャルモジュールなど分析モデルが確立し、ソフトウェアとしてサービスに供される。この流れのなかにあって保険会社はもとより、ブローカーや再保険専門会社も、自社独自のモデルを開発、運用する時代が到来した。自然災害の再保険手配には欠かせない必須項目だ。さらに、このモデルは、金融資本市場に保険リスクのヘッジを求めるART（代替的リスク移転）の仕組みとして、とりわけ、CATボンドなど証券化したリスクの計測に不可欠なツールだ。

自然災害のモデリングとして発展した手法は、いまや、人的被害に関わるリスクでも活用され始めている。具体的には、賠償責任分野やパンデミックなどの集積リスクなどにも応用の幅が広がっている。薬害リスク、医薬品開発における治験リスク、サイバーリスクなど、いっそうの進展が期待されるとともに、パラメトリック保険やインデックス保険での利用も普及するであろう。IT技術の発達に伴うデータアナリティクスの分野から目が離せない。

3-7 今後の商品開発

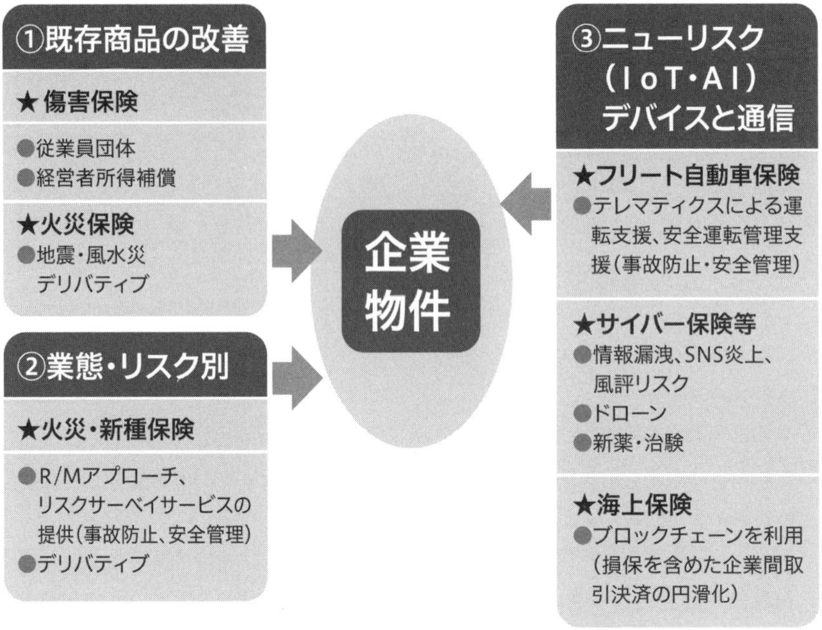

企業物件

①既存商品の改善

★傷害保険
●従業員団体
●経営者所得補償

★火災保険
●地震・風水災
デリバティブ

②業態・リスク別

★火災・新種保険
●R/Mアプローチ、
リスクサーベイサービスの
提供（事故防止、安全管理）
●デリバティブ

③ニューリスク
（IoT・AI）
デバイスと通信

★フリート自動車保険
●テレマティクスによる運転支援、安全運転管理支援（事故防止・安全管理）

★サイバー保険等
●情報漏洩、SNS炎上、
風評リスク
●ドローン
●新薬・治験

★海上保険
●ブロックチェーンを利用（損保を含めた企業間取引決済の円滑化）

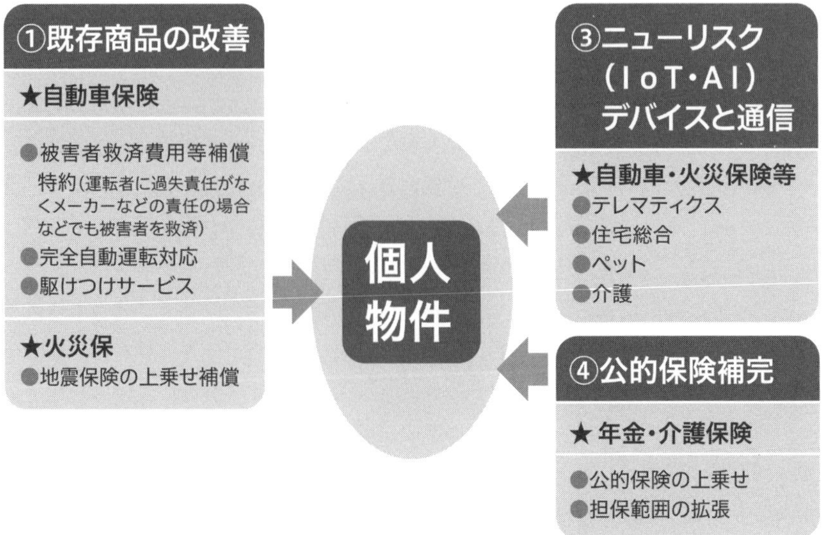

個人物件

①既存商品の改善

★自動車保険
●被害者救済費用等補償
特約（運転者に過失責任がなくメーカーなどの責任の場合などでも被害者を救済）
●完全自動運転対応
●駆けつけサービス

★火災保
●地震保険の上乗せ補償

③ニューリスク
（IoT・AI）
デバイスと通信

★自動車・火災保険等
●テレマティクス
●住宅総合
●ペット
●介護

④公的保険補完

★ 年金・介護保険
●公的保険の上乗せ
●担保範囲の拡張

顧客のリスク実態に即した４つの方向性

損保各社の最近の新商品開発の方向性については、①既存商品の改善系、②中小企業の業態・リスク別特化、③技術革新に連動（IT・IoT、AI等）して生じるニューリスクに対応、④公的保険制度に付加価値をつける民間保険の参入という４つの範疇に分けて考えるとわかりやすい。それらを顧客の分類、すなわち、企業物件と個人物件についてさらに検討してみたい。

企業物件では、個人物件同様、①から④の範疇でのさまざま動きが現れてくる。企業の規模に応じて、簡便なセット商品（欧米には小規模事業者向けのクラフトマン保険などがある）からテーラーメイドの商品まで多様な選択肢が可能となるが、特に強調すべきは、これまでにも増して保険単体の商品販売から、専門業者（リスクコンサルタント、IT業者、弁護士、会計士等）のサービスをからませた商品が開発されていくことであろう。

一方、フリート自動車保険（付保社用車が10台以上の契約）ではテレマティクス自動車保険（**6-5**参照）がますます鍵を握るようになり、車載器の性能とソフトウェアの利便性を関連業者との組合せもからめて、損保社間の競争は激化する。大企業は、R/Mに基づき損保商品の最適化を追求し、国際的ブローカーの関与もあり、国内損保の動きには一定の限界がある。したがって、中小企業市場への浸透が最大の課題であり、業態別のリスク分析が効力を発揮する。

個人物件の主力商品である自動車保険と火災保険では商品自体の魅力を強化する動きはない。しかしながら、自動車保険では、自動運転機能の普及に伴い、事故が運転者に起因しない、例えば、通信回線の故障、あるいは自動車メーカーの過失などの場合にあって、現行の自動車保険の枠を変えるような特約（被害者救済費用等補償）や自動走行中は保険料を無料とする特約の登場など、今後とも、既存商品の枠組みを変えずに、新たなリスクやサービスを付帯する動きは続くであろう。そのなかでも、上記③にからんだテレマティクス自動車保険や家電等と通信リンクしたサービス（留守番見守りなど）を付帯した住宅総合保険などが予期され、さらに家庭内の要素として、ペット、介護などが単独、パッケージ化された商品として登場してくるものと考えられる。

農業分野では、公的保険や共済事業の枠を超えて、損保の柔軟な適用が、特に農業の６次産業化を睨んで期待されている。

2040年の損害保険ビジネス

1. 世界の損害保険市場は2040年に向け安定した成長を見込む

世界の種目別収入保険料規模予測

（10億ドル）

	自動車	財物	賠償責任	その他	合計
2020年	766	450	214	378	1,808
2040年	1,420	1,273	583	1,059	4,317

（出典）Swiss Re「More risk: the changing nature of P&C insurance opportunities to 2040」

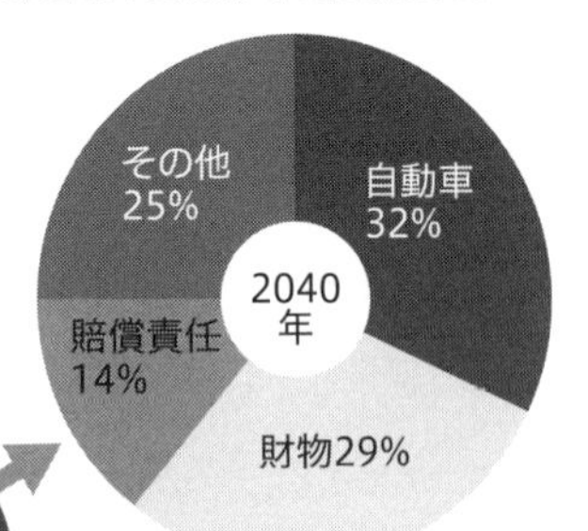

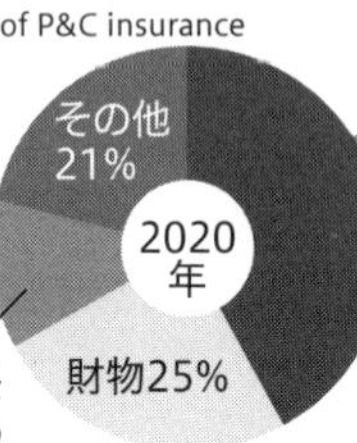

■全種目合計で2.4倍に増加

■自動車のウエイトは先進国の成長鈍化で減少するも発展途上国の成長が牽引し主要種目を維持

2. 成長のドライバーは経済成長

■収保増は先進国・発展途上国双方とも経済成長が主因

■先進安全自動車の普及は先進国では大きいが、発展途上国では経済成長が凌駕

■自動車保険料の増加は先進国では限定的

■財物保険では都市化や気候変動の要因もあるも大きくはない

保険料の種目別増加要因と成長率

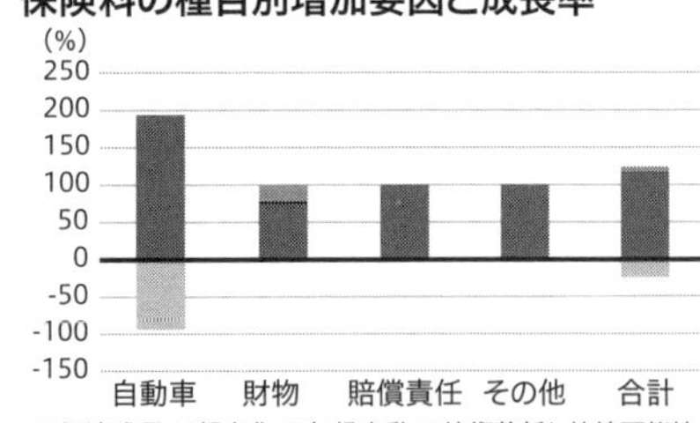

■経済成長 ■都市化 ■気候変動 ■技術革新と持続可能性

自動車保険料の変化（2020/2040）先進国/発展途上国比較

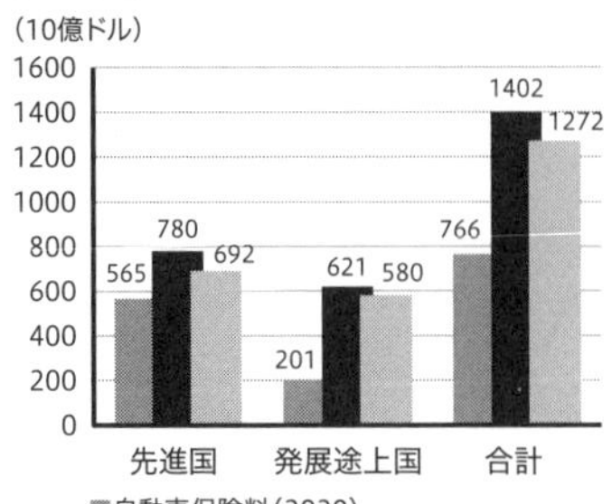

■自動車保険料（2020）
■自動車保険料（2040）①基本シナリオ
■自動車保険料（2040）②激変シナリオ

（10億ドル）

	自動車	財物	賠償責任	その他	合計
2040年までの増加額	635	823	369	681	2,508

増加要因

経済成長	194%	75%	100%	100%	116%
都市化	–	3%	–	–	1%
気候変動	–	22%	–	–	7%
技術革新と持続可能性	-94%	–	–	–	-24%

（出典）1.に同じ

21世紀に入り急速に進歩するIT技術革新は、社会、企業、個人の活動をより便利で快適なものにすると考えられるが、反面、新たなリスクがそこに登場するという矛盾がある。とりわけ、世界規模でのCO_2の排出は、メタンやフッ素ガスなどとともに地球温暖化をもたらし、その結果、大型台風、洪水、山火事などの異常気象に伴う自然災害は頻発化し、しかもその規模は拡大の一途をたどっている。

損害保険はいつの時代もリスクに適切に対応する商品を提供してきたが、歴史を振り返れば、大航海時代の海上保険、ロンドン大火を契機に始まった火災保険、モータリゼーションによる自動車保険、そしてさまざまなそのほかのリスクに対応する新種保険という大きく４種目が現代の損害保険ビジネスの基盤となっている。この基盤の上に、商品・販売・損害調査というサービス提供の仕組みが確立されている。上述の社会の変貌に既存の仕組みが対応できるのか問われている。

最大種目である自動車保険をみれば、自動車自体の安全技術の急速な進歩はとどまることを知らず、完全自動運転を視野に、いまや事故率は低下傾向が顕著となった。その結果、保険料水準は逓減傾向が顕著であり、保険料収入は規模の激減を予測する見解もある。火災保険では、自然災害の影響は甚大であり、保険会社は再保険による手当てもままならず、保険料値上げを限界まで顧客に要請せざるをえない状況にある。そのほか、新種保険では、製造物責任、施設管理責任、請負業者に加えて、D&O（役員賠償）や情報・データ漏洩に対する賠償責任など賠償責任リスクやサイバーリスクなどにビジネスチャンスを期待している。

スイス再保険が出した未来予測によれば、世界の損害保険料は、問題、課題は山積するものの、総じて順調な発展が続き、保険料規模では、2040年には現在の２倍以上に拡大する。最大の要因は世界的な経済成長であり、途上国では今後の経済成長過程において、これまで先進国が経験してきた20世紀型の損害保険ビジネスを踏襲するとみられる。最大種目の自動車保険では、先進国での先進安全技術車の普及による保険料減少を織り込んでみてもなお、世界的にはまだ成長余力があるとしている。一方、火災保険では、気候変動リスクによる料率アップに加え、経済成長の影響が大きく賠責、新種同様拡大するとしている。個別先進諸国の状況は総体のなかに埋没しみえにくいが、成長が期待できることは安心材料といえる。

第4章

損害保険ビジネスの変遷

4-1 日本の損害保険発達史

年代		主な出来事	損害保険業界の動き	競争環境	主要商品	経営リスク
明治（1868～1912）		•日清戦争 •日露戦争 •相次ぐ大火（東京神田だけでも７度の大火）	•国営火災保険構想（強制と任意の２本建て） •東京海上設立（1879） •東京火災設立（1887）	•自由競争（カルテルを模索）	•海上保険 •火災保険	•大火、商品の収支管理
大正（1912～1926）		•第一次世界大戦（1914～1918） •スペイン風邪（パンデミック） •関東大震災（1924）	•大日本連合火災保険協会の設立（1917） •地震見舞金の支払い	•自由競争（カルテルを模索）	•火災保険 •海上保険	•大火、政治
昭和（1926～1989）	1926～1945	•満州事変（1931）、日中戦争（1937～1945） •太平洋戦争（1941～1945）	•損害保険の国家統制（保険料率、募集制度）	•国家統制	•火災保険 •陸上戦争保険	•大火、空襲、地震
	1945～1960頃	•終戦とGHQ支配 •日本経済の壊滅と大火の頻発	•損害保険料率算定会設立 •「保険募集取締法」成立（以上、1948）	•カルテル体制	•火災保険	•大火
	1960～1980頃	•高度経済成長とモータリゼーションの進展 •交通戦争の惹起	•火災保険総合化（1961～） •自動車保険の一律引受規制（1966～1970頃）	•カルテル体制	•自動車保険 •火災保険	•自動車保険（収支管理）
	1980～1989	•プラザ合意（1985） •バブル経済	•「積立特約」認可（1985～1986） •積立商品ブーム	•カルテル体制	•自動車保険 •積立保険	•資産運用（積立保険）
平成（1989～2019）		•日米経済戦争 •バブル経済崩壊（1991） •東日本大震災（2011）	•保険業法改正（1996） •保険料率自由化 •生損保の相互参入、など （４－２で詳述）	•自由競争	•自動車保険 •火災保険	•自由化対応 •自然災害
令和（2019～）		•新型コロナ（パンデミック）（2020～）	•金融サービス仲介業制度の創設（2021）	•自由競争	•自動車保険 •火災保険	•自然災害 •グローバルリスク管理

半世紀も続いた価格カルテル

わが国最初の損害保険会社は、1879年（明治12年）に誕生した東京海上（現東京海上日動火災）である。それ以来の損害保険発達の歴史を概観したのが左表である。

損害保険は産業の発達や社会環境の変化の影響を大きく受ける産業である。損害保険市場は名目GDP（国内総生産）の規模にほぼ連動して拡大する。また、各時代の主要損保商品は、時代によって主役が変わる産業特有のリスクを反映している。これは生保との大きな違いである。「主要商品」の項をみると、時代ごとに　損保の主要商品が目まぐるしく移っていることがよくわかる。

例えば、明治時代の主要商品は海上保険（船舶、貨物保険など）であった。国内産業の発達が十分ではないため、海外との交易を盛んにして富国強兵を強力に推進する時代であった。火災保険の総保険料が海上保険を上回るのは1920年度（大正９年度）のことである。その背景には、第一次世界大戦後に全世界を襲った大不況やスペイン風邪の大流行（パンデミック）によって世界的に交易が激減したことがあった。

次いで、火災保険から自動車保険へと主要商品が大転換するのは1960年代後半（昭和40年代）に入ってからである。この時代、モータリゼーションが進展し、自動車産業が日本経済の発展を主導するなかで主力損保商品のシフトが起こった。

損保はハイリスクの産業である。損保会社は常に経営破綻のリスクにさらされている。創業間もない東京海上も一時は経営破綻の危機に瀕した。直接の原因は海外営業の失敗であるが、「現計計算」というずさんな収益管理が事態の認識と対処を遅らせた（**コラム4**参照）。

一方、物保険である火災保険から、対人・対物賠償という賠償保険が補償の中心である自動車保険に移行する1960年代、損保業界は明治時代と同じ収益管理の失敗から「全社一律引受規制」という事態に追い込まれる（**コラム5**参照）。

損保事業が置かれた時代ごとの競争環境の推移をたどったのが「競争環境」の項である。自由競争が建前ではあるが、独占禁止法がなかった明治時代から損保業界は、業界内で料率協定（カルテル）を繰り返してきた。終戦後の相次ぐ大火と社会的混乱のなかで政府は、「損害保険料率算定会制度」という公的カルテル体制を樹立する。いわゆる「護送船団方式」である。それが半世紀も続くのである。

コラム 4

東京海上の経営危機を救った青年・各務鎌吉

東京海上創業 ・澁澤栄一が発起人 ・華族(殿様)の出資(1879)	・海上保険市場を独占 ・国家の手厚い保護 ・リスク回避の経営(最初は船舶保険を回避)	・頭取:蜂須賀茂韶、支配人:益田克徳 ・書記方、簿記方、検査方などの体制
順調な業績が継続 ・どんぶり勘定の会計 ・海外営業が絶好調	・船舶保険の引受開始(1884) ・英国(ロンドン)などに代理店委託で進出(1890)	・株主への高率配当(第1期から6%配当。第2期9%配当。第3期～10期は、10～12%の配当。当時は半期決算) ・株価は額面の3倍に ・各務鎌吉の入社(1891)
業績が急激な悪化 ・海外営業が「逆為替」の連続(赤字基調) ・ライバル3社参入	・ロンドンなどの業績悪化:悪化の原因不明 ・日本海陸保険、帝国海上保険、大阪保険の参入(1893)	・海外営業の現況調査と事態解決にあたる派遣者の選定で混迷 ・弱冠26歳の各務に白羽の矢 ・各務の起用は澁澤栄一の発案
各務鎌吉による事態解明 ・ロンドン支店などの引受実態の調査 ・保険経営と保険会計(収支管理)の調査	・各務のアンダーライティングノウハウの習得 ・海外営業は委託当初から赤字だったことが判明 ・委託した代理店によるずさんな引受けが原因 ・「現計計算」の根本問題	
東京海上の経営再建:破綻回避 ・ロンドン支店の閉鎖 ・経営再建策の決定 ・「年度別会計」に移行	各務の当初案 ・ロンドン支店の存続 ・自らがアンダーライターとして英国営業を仕切る ・結局は「閉鎖」を提案	・「英国代理店営業報告」(1896) ・資本金の増強(1897) ・減資や政府交付金などを使った累積欠損金の処理、「年度別会計制度」に移行(1899)
ウィリス・フェーバー商会との提携 ・東京海上の代理店に ・ロンドンカバー創設(1899)	各務によるウィリス社選定 ・ロンドン最優最大の保険ブローカー ・ロンドンカバーは貨物保険の包括再保険契約	・各務帰国、東京本社の営業部長に就任(1899) ・各務はその後「支配人」を経て、東京海上のトップ(専務)に就任

損保の原点:アンダーライティングと「合理的な収支管理」

(出典)「東京海上の100年」「東京海上火災保険(株)百年史」

2021年に放映されて人気を博したNHKの大河ドラマ「青天を衝け」の主人公は澁澤榮一である。澁澤は生涯を通じて約500社の企業を興し、「日本近代経済の父」と呼ばれている。彼が産婆役を務めた企業の一つが「東京海上」(現東京海上日動火災)である。左表のとおり、東京海上の海外展開の開始は早かった。

東京海上の1892年(明治25年)上期の決算報告をみると、総収入保険料35.4万円のうち82%を海外で稼ぎ出している。いかに東京海上のグローバル展開が急激であったかがわかる数字である。ところが、海外営業は突然暗転し、東京海上は経営危機に陥る。経営危機に際して、このグローバル経営のどこに問題があるのかを解明するのが、入社4年目の青年・各務鎌吉(かがみけんきち)の任務であった。そして各務の起用を提案したのが東京海上の相談役・澁澤榮一である。澁澤がどうやって各務の能力を見い出したのかは不明であるが、さすがは澁澤である。

足かけ6年間に及んだ各務のロンドン駐在時における第一の成果は、ロンドン等において代理店に任せていた営業実態を解明し、その抜本的な改革を図ったことである。各務は、「毎夜9時頃まで事務所にありて研究に没頭し、さらに、退社の時にはこれらを下宿に持ち帰り、種々の角度より成績を算出した」という(「東京海上の100年」より)。まさに、寝食を忘れての調査、分析であった。ロンドンなどの英国営業はその初年度から赤字だったことが判明する。赤字の原因は英国代理店によるずさんなアンダーライティングであった。この間、調査、分析と実践を重ねるなかで、各務自身がロンドンでも一流のアンダーライターに成長する。

一方、東京海上が採用していた現計計算という会計制度が、経営が悪化している実態の発見を遅らせたことも判明する。現計計算は一種の現金主義であり、保険金支払いという原価が後から発生する損保事業においては絶対に採用してはいけない収支管理の仕組みであった。これを解明し、年度別計算に移行させたのが各務の2つ目の功績である。

そして、3つ目の功績が東京海上ロンドン支店を閉鎖するかわりに、当時のロンドンにおいて最優・最大の保険ブローカーであるウィリス・フェーバー商会を東京海上の代理店に委託し、同社を窓口として貨物保険の包括的再保険契約(ロンドンカバー)を創設したことである。

コラム 5

モータリゼーションの進展と自動車保険の収支管理

●1960年代

モータリゼーション進展
・自動車保有台数の急激な進展
・交通戦争の勃発

自動車保険の急進展：特に対人賠償
・ディーラー、整備工場への代理店委託
・負担が急増した事務処理体制
・事故処理負担の急増：データの不備

●1966年：商品内容の大改定

自動車保険の約款・制度の近代化
・対人・対物：100％担保（４分の３から）
・無事故割引拡大（15％を最大50％へ拡大）

杜撰な収支管理
・支払備金（未払保険金）の計上は決算期のみ
・W／Pベースの管理（現計計算）

●1966年〜1970年頃

急激な収益の悪化
（経営危機相次ぐ）
特定車種の全社一律引受規制

引受規制車種
・ハイヤー／タクシー
・レンタカー
・営業用トラック

引受規制代理店
・修理工場など

●1970年代中半〜1980年初頭

自動車保険の近代的なリスク管理へ

・契約事務体制の整備
・損害部署後方事務体制の整備と未払保険金の把握
・W／PベースからE／Iベースの収支管理に移行
・自動車保険オンライン計画

正確な契約情報の把握

未払保険金の管理

適切な収支管理

引受指針の策定

顧客単位の成績把握

自動車保険の急拡大期であった1960年代の後半、国内で営業するほぼ損保全社が、ハイヤー、タクシー、レンタカー、営業用トラック等の特定の用途車種を対象に、対人賠償も含めて、一律の引受規制を行った。これはアンダーライティングのの本義に反した異例の措置であった。それまでの自動車保険は、大正時代から続く古色蒼然たるもので、対人と対物賠償責任保険は、保険金の支払時に被保険者に４分の１の自己負担を求める約款となっていた。これを1966年の改定で、100％保険会社負担に変えると同時に、「無事故割引」（現在の無事故・事故等級制度）を、それまでの最大15％から最大50％にまで拡大したのである。

一方、当時の自動車保険の収支管理は、専門用語ではリトン・ペイドベイシス（written paid basis）と呼ぶが、要は「どんぶり勘定」ともいうべき前近代的な内容であった。1966〜1967年当時の自動車保険の保険料収入は年率60％程度の異常な伸びを示していた。逆に、保険金の支払いは、特に対人・対物は示談の結果を待つ必要があるため、物保険に比べると数カ月以上、場合によっては年単位で遅くなる。分母の売上げが急拡大するなかで、分子の保険金の支払いが遅くなると、リトン・ペイドベイシスで計算した損害率は実態と比べて格段に良好にみえるのである。当時の自動車保険は、実際には大幅な赤字商品であったのである。

統計の不備による自動車保険の収支悪化に気づいた保険会社は、いち早く厳しい引受規制に踏み出していた。この引受規制が、ドミノ倒しのように全社に拡大していったのである。しかし、当時の損保会社には信頼できるデータがまったく揃っていないため、「リスクが大きい」と思われる契約をいっさい引き受けない一律規制で身を守るほかに方法なかったのである。

1970年に実施された自動車保険の料率の大幅アップによってこの規制は消えることになった。この一律規制の反省から、1970年代に入ると、損保各社は近代的なリスク管理へと舵を切る。自動車保険の収支管理をリトンベーシスから、アーンド・インカードベイシス（earned incurred basis）へと改善される。また、オンライン化と事務体制の整備による正確な契約データの蓄積や損害調査部門における未払い保険金の管理がその骨格である。

4-2 自由化から25年間の軌跡

時代	法律・制度関係	保険商品・販売網関係	その他
1996年 〜 1999年	①保険業法改正(96年4月) ・保険料率自由化(企業物件から順次) ・生損保の相互参入 ・保険ブローカー制度 ②日米保険協議決着(96年12月) ③料率算定会制度の改革(98年7月) ・算定会料率の使用義務の廃止(98年7月):2年間の激変緩和措置期間	①生損保の相互参入(96年10月) ・損保系生保会社17社営業開始 ②アメリカンホーム社の通販によるリスク細分型自動車保険(97年9月) ③東京海上、自由化初の大型商品(自動車保険・TAP)開発(98年10月) (注)TAP:Tokio Automobile Policy人身傷害保険を付帯した高付加価値自動車保険	①契約者保護基金新設(96年4月) ②契約者保護機構創設(98年12月) ③ソニー損保営業開始(99年6月)
2000年 〜 2004年	①保険業法改正(00年6月) ・銀行業による保険販売解禁 ・保険会社の倒産法制の整備 ②料率自由化:激変緩和措置期間の終了(00年7月)	①代理店制度自由化(01年4月、03年4月まで激変緩和措置) ②保険商品(長期火災、海外旅行傷害、債務返済支援保険)の銀行窓販解禁(01年4月) ③第三分野商品の生損保本体への解禁(01年7月)	①第一火災、業務一部停止命令(00年5月):生保型破たん ②大成火災、会社更生手続き(01年11月) ③東京海上日動火災の誕生(04年10月)
2005年 〜 2010年	①保険金不払問題の発生と金融庁による保険会社処分(05年〜07年) ②保険業法改正(06年4月) ・少額短期保険業制度の新設 ③保険法成立(08年5月、10年4月施行)	・代理店等による契約者の「意向確認書」作成の義務づけ(金融庁「総合的な監督指針」の一部改定)(07年4月改定、10月実施義務づけ)	①初の少額短期保険会社、日本震災パートナーズ(現SBIリスタ少額短期保険)設立(06年4月) ②MS&ADインシュアランスグループ誕生(10年4月) ③NKSJグループ誕生(10年4月)
2011年 〜 2021年	①保険業法改正(14年5月、16年4月施行) ・保険募集人に体制整備義務 ②金融サービス提供法成立(20年6月、21年11月施行)	金融サービス仲介業制度の創設:銀行・証券・保険すべてのサービスをワンストップで提供する新しいビジネスモデル	①東日本大震災(11年3月) ②新型コロナウィルスによるパンデミック(20年1月〜)

1996年業法改正によるパラダイムシフト

わが国損保産業が、1948年以来続いてきたいわゆる護送船団方式を脱し、商品・料率の自由化時代へと突入したのが1996年である。この背景には、1994年に開始された日米保険協議がある。米国はクリントン大統領時代であり、1993年に開始された「日米包括経済協議」を通じて、日本の閉鎖的な経済構造の変革を迫ってきていた。

保険問題はこの協議のなかの「優先３分野」の一つとされていたのである。

1996年の保険業法改正は、1940年以来、実に56年ぶりの大改正であった。商品・料率が自由化されたほか、生損保相互参入が実現し、保険仲立人（ブローカー）制度の発足が決まった。戦後のわが国損保ビジネスを支えていたパラダイムが180度転換したのである。“黒船来襲”と呼ばれる所以である。

一方、この業法改正は、日米保険協議が最終決着をみていないなかでの、米国の要求を一部“先取り”した改正であった。肝心の商品・料率の自由化については漸進主義をとり、米国の要求を十分に取り入れたものではなかった。

大蔵省（現金融庁）は、商品・料率の自由化は、企業物件、それも大口契約から「漸進的かつ段階的」に進める道筋を考えていた。行政当局が、当時の損保業界が自由化突入による弱肉強食の世界に慣れるには相当の期間と準備が必要だと判断したのは当然のことであった。

この配慮もむなしく、1996年12月、日米保険協議は米国側の要求をほぼ100％受け入れる形で決着する。商品・料率は個人物件を含めて、1998年７月から完全な自由化時代に突入する。ただ、２年間は激変緩和措置のため、従来の商品・料率をそのまま使用することも認められていた。

そのなかで、損保業界に衝撃を与えたのが東京海上火災（現東京海上日動）による新型自動車保険・TAP（Tokio Automobile Policy）の開発であった。東京海上火災は、一時は自動車保険料率算定会へのデータ提出を拒否したほど、自由化時代における商品開発方法が激変した。横並び体制が完全に崩壊したのだ。

その後、2003年４月からは代理店制度が自由化される。全社一律で運営されてきたノンマリン代理店制度は廃止され、各社別制度へと移行する。代理店手数料体系や手数料水準も各社マターとなる。これによって、商品・料率と販売体制の両輪が自由化されたのである。

4-3 商品・料率の自由化と損保ビジネス

1 損保商品・料率決定の枠組み：除くマリン種目（船舶、貨物、運送保険）

	1998年 7 月以前	1998年 7 月～
保険料率算出団体	•損害保険料率算定会 •自動車保険料率算定会	損害保険料率算出機構（名称変更）
自動車保険 火災保険 傷害保険	•商品内容（保険約款）は全社共通 •営業保険料を算定会が算定 •全損保会社に遵守義務	•商品内容（保険約款）は各社独自 •算出機構は純保険料（純率）のみを参考情報として算出 •各保険会社は参考純保険料を参考にして、付加保険料（社費と代理店手数料など）を加えて、営業保険料を決定 •外資を中心に「リスク細分型保険」の登場
自賠責保険 家計地震保険	同上	同左　（実質的に遵守義務）
新種保険	各社ごとに大蔵省（現金融庁）から商品の創設認可取得 （注）競争排除的な運営	同左 （注）名実ともに完全自由化

2 商品・料率の自由化が損保ビジネスに与えた影響

- 契約は競争排除的で固定化
  （「共同保険」による協調的引受）
- アンダーライティング（U／W）は限定的
- R／Mアプローチの効用なし
  （リスクを軽減しても保険料はおおむね不変）
- 専業プロ代理店は質量ともに不十分

▶

- 激しい“Bid”（競争入札）が主流に
- U／Wが生命線に
- R／Mアプローチが徐々に主流に
  （保険代理店もR/M重視に移行）
- 自動車保険通販ビジネスの拡大
- 専業プロ代理店が徐々に主力に

企業火災保険に始まった保険料値引競争が拡大

左表は、自由化突入前後における損保商品（保険約款）と保険料率の決定の仕組みである。マリン種目（船舶、貨物保険など）は、表からは除いてある。

自由化以前は、自動車保険等ノンマリン主要５種目については、商品内容と保険料率が料率算定会制度のもと全社同一で運営されていた。これらの商品は、独禁法の適用除外であるだけではなく全社が“遵守義務”を負っていた。

料率算定会は、全社から提供される保険契約データ、損害支払いデータ（未払いを含む）、それと、各社の事業費（社費と代理店手数料など）のデータを集積、分析し、一定の予定利益率を乗せて営業保険料を算出する。各損保社は、この営業保険料を当局に提出して、認可を受ける仕組みである。どの損保会社であっても事業利益を出すことができるような料率水準に設定されているため、全社揃って安定した事業運営を展開することが可能であった。経営破綻を回避する制度だが、この仕組みが大手損保社ほど有利であることは自明の理である。

一方、自由競争であるはずの新種保険も、業界協調的に運営されていた。その具体的事例がある。日本機械保険連盟が1993年３月～1996年３月まで、機械保険と組立保険でカルテルを行い、独禁法に違反していたとして、2000年６月に54億円の課徴金審決を受けたのである。業界の反論、言い分は通らなかった。

このような仕組みが一変し、激変緩和措置が終了する2000年７月からは、完全な自由競争の時代に突入した。営業第一線では、まず企業物件の火災保険市場で激変が起こった。従来は共同保険方式が主流で、損保各社が一定の保険料を分け合っていた市場が、Bid（競争入札）による自由競争の世界へと移行したのである。保険料が一気に３割～５割も下がるケースが激増していった。その当時の保険料を下げる根拠は「他社対抗」であり、アンダーライティング（U/W）以前の値引競争である。企業火災保険に始まった保険料の値引競争は、企業自動車保険や団体契約等へと拡大していった。

日本の損保市場では、半世紀も全社同一の商品時代が続いてきたため、U/Wやリスクマネジメント（R/M）が不要な時代が続いてきたのである。その後、「他社対抗」を理由とする保険料の値引きは根絶され、近年はU/WやR/M重視の時代に移っている。

4-4 損保による生保参入とその歴史的意義

1 生損保の相互参入の経緯と結果

1996年 4 月
改正保険業法が施行
- 生損保の相互参入が決定（子会社方式）

1940年以来の大改正
（商品・料率の自由化時代に突入）
- 損保による生保参入（12社）
- 生保による損保参入（ 6 社）

<損保による生保参入のねらい>

- 自由化の進行による競争の激化によって損保市場の伸び悩みが予想されるなか、新たな収益源の確保へ
- 長期資金の確保による経営基盤の強化

<損保による参入方式>

- 損保専業代理店の活用
- 既存生保ビジネスモデルの変革：
  ①提案型販売　②画期的新商品
  ③ 3 利源の開示　④証券面の印影廃止
  ⑤業績評価方法の変更
- システムの共同開発（ 2 系列）

<25年経過後の結果>

- 生保による参入損保の存続会社は明治安田損保のみ
- 損保系生保会社は参入全社が存続、損保系大手は中堅生保クラスに海外損保子会社と並ぶ新たな収益の柱に成長
- 損保代理店にとって、「生保」は顧客基盤の確立と有力な収益源に成長

2 損保による生保参入の歴史的意義

歴史的意義

- 生保、第三分野という巨大な保険市場への参入：大きな収益の柱を獲得
- 生保市場の活性化：既成概念にとらわれない新たな発想による新商品の発売や新ビジネスモデルは生保市場に大きな刺激を与える
- 損保専業代理店の事業領域と業績の拡大に寄与
- 「ヒトの生死」「生存リスク」を含むトータルなリスクマネジメントの推進

1996年10月、子会社方式で生保・第三分野に参入

生損保の相互参入について、当時のメディアの多くは圧倒的な販売力を誇る生保の営業職員パワーが、損保の個人物件市場、特に自動車保険市場において一定のシェアを獲得するものと予想をしていた。だが、この予想はまったく外れ、損保系生保だけが成功している。

生保系損保会社のなかで現在も残っているのは、合併後の明治安田損害保険の1社だけである。これに対し、損保系生保会社は全社が存続しており、いくつかの会社は保険料収入でトップ10に迫る勢いである。

そもそも、損保サイドは、商品・料率の自由化によって損保事業の利益率が相当程度圧縮されるとの危機感をもっていた。この危機感が、損保の生保参入を成功させた大きな要因である。また、損保サイドは、損保による生保参入によって、既存の生保ビジネスモデルを変革するという覚悟をもっていた。その背景には、生保販売の主力販売チャネルとして期待をしていた損保専業代理店には、“生保嫌い”が多かったため、既存生保によるビジネスモデルを踏襲していたのでは、彼らがついてこないという事情があったのである。

生保に参入して四半世紀が経つが、あらためて、その歴史的意義を総括してみよう。

まず、2020年度の決算数字をみると、3メガ損保の生保事業は、海外事業と並んで利益を生み出す大きな柱に成長している（**4-11**参照）。生保分野の利益貢献の大きさは参入のねらいが的中したことを意味する

また、損保系生保による既存の発想にとらわれない新商品の開発は生保市場に刺激を与え、その活性化に寄与している。解約返戻金を払わない低料率の商品等は既存生保の反発を受けながらも、市場の好評を博している。また、積極的な3利源の開示なども従来の慣行を打破したものであった。そもそも、生損保の相互参入は、既存の発想を打破し、市場の活性化をねらったものであったはずである。既存生保が、損保参入時に同じような発想があれば、別の展開もありえたはずである。

次に、損保専業代理店の一部が生保参入を機に、大きく業容を変え、業績を拡大させている。自動車保険を中心に個人商店的なビジネスを展開していた専業代理店が活性化し、零細代理店から独立代理店へと脱皮する機会となったのである。

最後に、トータルなR/Mの推進が可能となったことも大きな成果である。

4-5 自動車保険通販ビジネスの日本上陸

1 通販型自動車保険への期待と懸念

期待事項	懸念事項
●通常は、代理店経由よりは低廉な保険料（20～40%安い） ●24時間365日、契約手続きが可能 ●多様なシミュレーションが可能 ●保険会社間の保険料を比較しやすい ●代理店とのわずらわしい人間関係がない	●一定以上のリスク集団の場合は、保険料が拒否的水準になる可能性あり（若年層、高齢者） ●事故対応力に不安がある（質・量両面で） ●事故発生時や契約時に代理店から親身になった世話が受けられない ●インターネットやコンタクトセンターへの接触に馴染みがない。契約条件の入力等がわずらわしい

2 通販専業損保各社の自動車保険収保（2020年度）

会社名	資本系列など	自動車保険元受正味保険料（百万円）	対前年比増減（%）	シェア（%）
ソニー損保	ソニーFG	116,294	8.1	2.7
アクサ損害保険	アクサ生保の 100%子会社	52,879	1.7	1.2
セゾン自動車火災	SOMPOグループ	51,327	12.6	1.2
チューリッヒ保険	外資系損保	48,341	11.6	1.1
SBI損保	SBIグループ	42,805	16.7	1.0
三井ダイレクト損保	MS&ADグループ	36,105	0.5	0.8
イーデザイン損保	東京海上グループ	33,017	4.9	0.8
合計		380,768	8.0	8.8

(注)シェアは、日本損害保険協会加盟会社と外国損害保険協会加盟会社の自動車保険元受正味保険料の合算数字に対する割合
(出典)①日本損害保険協会公開資料、②外国損害保険協会公開資料、③各損保社による決算資料

3 自動車保険通販ビジネスの日米比較

日本	米国
① 自動車保険市場の8.8%のシェア（2020年）2014年（7.0%）に比べて1.8ポイントの拡大にとどまっている。 ② 通販トップのソニー損保のシェアは2.7%、保険料収入は1,163億円	① 個人自動車保険市場の25.7%のシェア（2019年）。2014年（20.1%）対比で5.6ポイントのシェア拡大 ② 通販トップのＧＥＩＣＯ（ガイコ）の保険料収入は3兆8,000億円を超え、全米2位

1997年、業界が身構えた“黒船来襲”の結果は……

1994年に開始された日米保険協議における米国側の要求のなかで、商品・料率の完全自由化と並んで、国内損保側がとりわけ警戒していたのが自動車保険通販（ダイレクト）の導入と、保険料の大幅な割引を可能とするリスク細分型自動車保険の解禁であった。自動車保険市場が保険料値引競争に陥るとおそれたのだ。

当時、自動車保険通販専業損保の市場シェアは、参入から３年～５年後には10％を超えると考えられていた。もともと自動車保険通販ビジネスを成功させたのは、英国・ダイレクトライン社である。そのビジネスモデルは、徹底したTVコマーシャルなどによって顧客を誘引し、30％程度低い保険料水準を武器にして優良契約者を選別する巧みなアンダーライティングであった。

このビジネスモデルが、その後、世界中に拡大し、インターネットの急速な普及とも相まって、個人物件市場における強力な流通ビジネスに成長していった。特に米国ではGEICO（ガイコ）やプログレッシブなどの成功によって、自動車保険市場は激変していた。「このビジネスモデルを日本においても解禁せよ」、というのが、日米保険協議における米国側の主張だったのである。

左表１は、その当時における通販型自動車保険への期待と懸念事項を、“契約者目線”でまとめたものである。はたして契約者はこのモデルを選択するのかどうか、業界は固唾をのんで日本の消費者の動向を見守っていたのである。

しかし、蓋を開けてみると、通販専業損保各社の市場におけるシェアはそれほど伸びない。これはまったく意外であった。表２に、2020年度における通販専業損保各社の自動車保険収保と自動車保険市場全体に占めるシェアを示した。売上トップのソニー損保ですらシェアは2.7％強であり、通販専業損保合計のシェアは8.8％にすぎない。この現状を米国の通販市場と比較するとその差は歴然としている（表３）。

事前の予想に反して、わが国における通販ビジネスが伸び悩んでいる理由はよくわかっていない。①契約者による通販ビジネスへの漠然とした不安、②その不安を払拭する大胆な戦略展開の不在、③わが国では、商品としての自動車保険がコモディティ（注）とはなっていないこと、などの要因が複合しているもの思われる。

（注）コモディティ：商品間に大きな差がなく、手軽に買える商品のこと。

米国における通販型自動車保険の急拡大

1 （米国）個人自動車保険市場のトップ５社（2019年度）

順位	会社名	主な販売チャネル	元受正味収入保険料（１ドル＝110円）	シェア（%）
1	ステートファーム	専属代理店	4兆4,967億円	16.1
2	GEICO（ガイコ）	通販専業	3兆8,381億円	13.8
3	プログレッシブ	独立代理店＋通販	3兆4,128億円	12.2
4	オールステート	専属＋独立＋通販	2兆5,989億円	9.3
5	USAA	通販専業	1兆6,754億円	6.0

2 （米国）販売チャネル別保険料シェアの変化（2014年度から５年間）

チャネル分類	2014年度		2019年度		増減（ポイント）
	元受正味収入保険料（１ドル＝110円）	シェア（%）	元受正味収入保険料（１ドル＝110円）	シェア（%）	
専属代理店	10兆1,640億円	49.0	12兆1,110億円	43.5	▼5.5
独立代理店	6兆4,240億円	30.9	8兆5,690億円	30.8	▼0.1
通販系	4兆1,800億円	20.1	7兆1,720億円	25.7	+5.6
合計	20兆7,680億円	100.0	27兆8,520億円	100.0	−

（出典）①米I.I.I Insurance Fact Book2021、②米IIABA I 2015および2020 MARKET SHARE REPORT

3 2020年度決算にみる米国通販損保の“強み”

	ソニー損保	ガイコ
正味損害率a	50.8%	74.1%
正味事業費率b	28.0%	16.1%
C/R（a＋b）	78.8%	90.2%
収支残率（粗利）	21.2%	9.8%

（注）経営指標：ソニー損保は全商品合計、ガイコは個人自動車保険

（出典）ソニー損保・2020年度決算、BERKSHIRE HATHAWAYのAnnual Report 2020

米・通販損保の特徴

① 徹底した効率経営による事業費率の削減（ガイコの16.1%は驚異的）
② 目標損害率を高く設定し、お客への保険料還元率を高めている。①と②は通販損保ビジネスの原点。
③ 先端のデジタル化への取組みによる最先端のビジネスモデルの追求
④ オールステートの通販部門の業績が伸びず、大株主が猛反発（代理店への依存度を減らせとの要求）

わが国の通販型自動車保険ビジネスが伸び悩んでいるのとは対照的に、米国の自動車保険通販（ダイレクト）の市場シェアは、ここ数年で急拡大している。

表１は、米国・個人自動車保険市場のシェア上位５社の実績である。米国の個人自動車保険市場の全体規模は約31.5兆円（１ドル＝110円換算）と、わが国の自動車保険市場全体（企業物件市場を含む）の約７倍である。

トップ５のなかに通販専業損保が２社も入っている。GEICO（ガイコ、Government Employees Insurance Company）は、その名前のとおり、米国政府系役職員を対象として保険販売をしている共済のような企業である。また、USAA（United Services Automobile Association）は、米国の軍人、軍属およびその家族を対象として保険、金融サービスなどを展開している同じく共済のような企業である。この２社が“外売り”を強化している。

以上の通販専業２社のほか、プログレッシブは通販ビジネスに参入することによって急拡大を遂げた会社である。さらに、オールステートは専属代理店系の大手であったが、近年は販売チャネルのマルチ化を進め通販ビジネスにも参入した。

表２は、2014年度～2019年度における米国の販売チャネル別保険料シェアの推移である。通販（ダイレクト）系損保がシェアを5.6ポイントも拡大させている。保険料規模にすると72％もの拡大である。５年間の保険料伸び率は平均すると11％強にも及んでいる。

これに対し、専属代理店系損保のシェアは5.5ポイントもの減少だ。この間の年平均保険料伸び率は3.5％程度にすぎない。通販系は専属代理店系の約３倍の保険料伸び率を示している。独立代理店系のシェアは横ばいだ。顧客は、明らかに専属代理店系から通販系へと移行している。

表３は、ソニー損保とGEICO（ガイコ）の損益構造を比較したものである。ガイコは事業費率を驚異的なレベルまで引き下げており、商品原価である損害率は74％ときわめて高水準だ。こうすることによって、保険料水準を可能な限り安く設定している。ただ、この戦略は通販型自動車保険の原点であり、プログレッシブも同じ戦略をとっている。一方、ソニー損保の経営指標をみると、英米で成長している通販系損保とは戦略が異なっている。

4-6 代理店制度の自由化

1 代理店制度の自由化：全社統一「ノンマリン代理店」制度から脱却

2001年4月
代理店制度の自由化実現
（2年間の激変緩和措置）

●●●

「全社統一」から「各社別代理店制度」に移行
・代理店に与えられる資格や種別
・代理店手数料体系、手数料水準

代理店手数料体系は
「ポイント制」に移行
：全社ほぼ同じ

●●●

・「資格ポイント」は従来水準の約7割（当初）
・「個別評価ポイント」は約3割（当初）
（例）売上規模、増収率、事務処理能力など

2 各損保会社が展開した代理店政策と結果検証

背景	採用した政策	具体的な施策
保険会社と代理店の二重構造の解消 ●多くの非自立代理店が存在 ●販売網の拡充と代理店のバックアップのため全国に営業拠点網展開 ●以上が損保の「高コスト」体質を生んでいた	代理店リストラの推進（非自立代理店の圧縮）	●代理店リストラ基準（後継者の有無、経営規模、法令順守レベルなど） ●中核となる大型代理店への契約移管や代理店同士の統合・合併推進
	代理店業務の効率化と生産性改善	●代理店システムの抜本的改善と代理店による活用促進 ●損保の営業拠点で実施してきた事務や業務の代理店への移管
	保険会社による直営（直資）代理店の設置	●中核となる大型代理店が不在な地域における受皿 ●損保営業社員などのリストラの受皿
	営業拠点の統廃合	●営業拠点の統廃合の推進、一部の会社は傘下に営業支社を置かない支店を志向

	正味収保（百万円）	代理店数（注）	営業拠点数	代理店手数料率（%）		
				全種目	自動車	火災
2000年度①	6,917,094	342,191	3,696	16.9	18.6	22.6
2019年度②	8,696,313	165,185	1,752	18.0	18.6	25.5
②／①または②－①	+25.7%	▼51.7%	▼52.6%	+1.1	±0	+2.9

（注）①代理店数は2000年度（上段）と2019年度（下段）、生保営業社員の取扱いを同じにした。②手数料には保険仲立人を含む。
③営業拠点数は、「部店内支店（支社）」、「支社」、「営業所」の合算。

（出典）①日本損害保険協会公開資料、②保険研究所「インシュアランス損害保険統計号」

2003年４月、各社別代理店制度へ移行

商品・料率の完全自由化（実質的）に遅れること３年、激変緩和措置を経て、2003年４月から、今度は代理店制度が自由化され各社別代理店制度へと変わった。代理店の業務遂行能力を示す「代理店資格」や「種別」、「代理店手数料体系」、あるいは、「代理店手数料水準」は各社独自のものとなったのである。

代理店制度の自由化突入以降、損保各社が採用した新代理店手数料体系は「ポイント制」と呼ばれるものである。「資格ポイント」と「個別評価ポイント」で構成され、骨格は各社ともほぼ同じ内容となっていた。資格ポイントには従来の代理店手数料ファンドの約７割（当初）があてられた。個別評価ポイントがゼロなら、手数料が以前の３割減になる。

個別評価ポイントの評価項目には、当時の保険会社の意図が表れていた。保険会社が重視したのは、「保険料売上規模」、「増収率」、それに、「自立した業務遂行能力」などであった。要は、売上規模が大きく成長性が高く、業務処理能力のある代理店への転換を促したのだ。現在のポイント制は当初とは多少違ってきている。売上規模や増収率重視は変わっていないが、「経営品質」にも着目している。

表２に自由化を機に、当時の損保会社が展開した対代理店政策の概要を示した。自由化突入当時の損保会社は、「保険会社と代理店の二重構造」という大きな問題を抱えていた。これが、損保の高コスト構造の大きな原因となっていた。

対代理店政策の骨格は、営業や事務で自立していない零細代理店を一掃することであった。各地の中核代理店に周辺の零細代理店を吸収していく政策が採用された。また、損保の基幹システムを抜本的に再構築し、それまで損保の営業課支社で行っていた事務、業務を代理店で遂行できるようにしていったのである。

表２の下段をみると、その効果は一目瞭然である。2000年度と2019年度を比較すると、正味収入保険料が約26%増えるなか、代理店数は約半分になり、損保の営業拠点数もほぼ半減している。一方で、代理店手数料率は逆に約１ポイント高くなっている。代理店ポイント制の仕組みによって、代理店手数料率の高い自立した大型代理店の構成割合が増えることで全体の手数料率がアップするからである。

ちなみに、自動車保険を例にとれば、諸外国の手数料水準は11～12%程度である。代理店ポイント制のあり方を含め、代理店手数料水準の圧縮が今後の課題である。

4-7 少額短期保険業の誕生

1 「少額短期保険業」誕生の経緯

1997年
「オレンジ共済組合事件」発生
●●●
根拠法がない共済（無認可共済）による
詐欺事件で約2,600人が被害にあう
被害額は約60億円

2006年 4 月「保険業法」改正
●●●
①「無認可共済」への対処
②「少額短期保険業制度」の新設

事業者数：112社登録（2022年 2 月末時点）

2021年 3 月末時点の保有契約件数＝957万件、収入保険料＝1,178億円（前年比9.7％増）

（出典） 日本少額短期保険協会ホームページ

2 「少額短期保険業」規制の枠組み

	少額短期保険事業者に課される規制	（参考）保険会社に課される規制
参入規制など	●財務局への登録制 ●株式会社または相互会社 ●最低資本金：1,000万円	●金融庁長官による免許制 ●株式会社または相互会社 ●最低資本金：10億円
小規模事業者規制	●年間収受保険料：50億円以下	制限なし
生損保兼営	●生損保兼営可	●生損保兼営禁止
商品審査	●事業方法書、普通保険約款、保険料算出方法書 ●事前届出制（届出の60日後（短縮／延長可）より発効）	●事業方法書、普通保険約款、保険料算出方法書 ●個人商品は認可制
セーフティネット（注）	非対象	対象
商品の制限（本則）	●保険期間：2 年以内（損保） 〃　1 年以内（生保） ●保険金額例 a．死亡保険金：300万円以下 b．医療保険：80万円以下（傷害疾病保険） c．損害保険：1,000万円以下	●原則自由
経過措置 （無認可共済からの移行業者への特例措置）	2023年 3 月末まで保険金額の上限 ●既契約：5 倍（医療は 3 倍） ●新規契約：3 倍（医療は 2 倍）	（注）2018年 3 月末までとされていた経過措置期間が、さらに 5 年間延長

（注）セーフティネットとは、「契約者保護機構」への加入義務を指す

無認可共済の廃止を契機に発足

2006年４月の保険業法改正の目玉は、①「無認可共済」への対処と、②「少額短期保険業制度」の新設、の２つである。

無認可共済とは、JA共済や全労済のような制度共済とは違って、特定の地域や職域などを対象とする相互扶助の団体組織であるが、根拠法や所轄監督官庁をもたない共済組織のことである。

無認可共済が世間で大きく知られるようになったきっかけは、1997年に発生した「オレンジ共済組合事件」である。これは、元参議院議員の政治団体が運営していた共済団体が起こした詐欺事件である。「オレンジスーパー定期」という年６～７％もの配当を謳った商品を売り、多額な資金を集めた。世間はこの事件を重くみて、このような事件の再発防止を政府に求めていた。

保険業法の改正によって、2008年４月からの２年間の経過期間を経て無認可共済は一掃され、2010年４月以降は保険会社もしくは少額短期保険事業者として、保険業法の枠組みのなかで営業を行う仕組みへと変わったのである。

2022年２月末時点における少額短期保険事業の登録業者数は112社に達している。また、2020年度における保有契約（957万件）、収入保険料（1,178億円）が示すように、この市場は順調な拡大を示している。

少額短期保険業に関する規制の枠組みは表２に示したとおりである。

保険金額は、損保が1,000万円以下、生保が300万円以下などと低く抑えられていることから、比較的低廉な保険料でリスクの隙間を埋める保険商品が開発可能である。**4-8**で紹介するように特色がある多様な商品が市場に送り込まれている。

一方、少額短期保険には保険会社の場合と違って、セーフティネットがない。セーフティネットとは、保険会社が破綻した場合でも、保険契約者等の保護を図る「命綱」のことであり、生損保別に契約者保護機構が用意されている。金融庁は少額短期保険事業の制度設計にあたって、セーフティネットは不要と判断した。少額短期保険は保険金額が少額なうえに、保険期間が短い。また、少短保険業者には供託金の設定が義務づけられており、資産運用に厳しい制約が課されているためである。

4-8 少額短期保険ビジネスの現状

1 商品区分別2020年度実績：契約件数と収入保険料

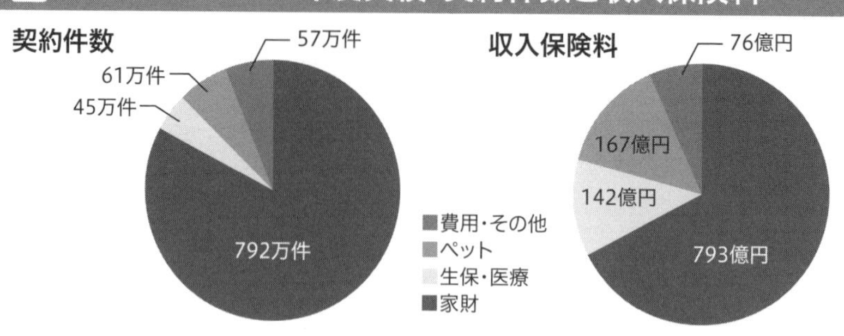

2 少額短期保険の商品例

家財

「地震の保険」
：SBIいきいき少額短期

- 火災保険に入らず単独での加入が可能
- 地震・噴火による倒壊、火災、津波、地崩れ等、多様なリスクをカバー
- 全壊時の保険金額を、世帯人数によって、300～900万円の５タイプから選択。全壊以外の大規模半壊なども補償

生保・医療

「母子保険はぐ」
：スマートプラス少額短期

- 2021年度の「少額短期保険大賞」を受賞した商品
- "赤ちゃんとママのための妊娠保険"がキャッチフレーズ
- 妊娠、出産という女性にとって入院、手術リスクが最も高い時期に着目
- 妊娠保険＋赤ちゃん保険で３つのタイプから選択

費用・その他

痴漢冤罪ヘルプコール付き
弁護士費用保険
：ジャパン少額短期

- 弁護士費用等の保険金、最高300万円
- 賠償責任保険セットで月額590円
- "男を守る弁護士保険、女を守る弁護士保険"がキャッチフレーズ
- 弁護士から平均４分で連絡がくる（2018年度）

3 少額短期保険ビジネスへの期待と今後の課題

期待

①ニッチなリスクの解決策を早く、安く保険市場に投入する機動性

②消費者と保険市場の距離感を埋める役割

③多様なかつ本格的な保険ビジネスを生み出す巧妙な仕組み

今後の課題

①経営管理態勢の強化：
法令等に定められた最低基準についての不備が検査・監督の過程で複数社で発見（財務局処分事例）
- 取締役会によるガバナンスの機能不全など（近畿財務局）
- 虚偽の業務報告書、監査の不備など（北海道財務局）
- 社長による不適切な経理処理など（東北財務局）

②保険金額の経過措置期間の決着：
2023年まで17年間継続

（出典）①日本少額短期保険協会ホームページ、②各少額短期事業者のホームページより

ユニークな保険を提供　一方、管理態勢に課題も

左図表１は、2020年度における少額短期保険市場の契約件数と収入保険料の「商品区分」別内訳である。「家財」の分野に契約件数と保険料収入が集中している。

図表２では、「家財」、「生保・医療」、「費用・その他」という３つの商品区分ごとに、特色のある少額短期商品の事例をあげてみた。

まず、「地震の保険」である。『NEWよい保険・悪い保険2021年版』（横川由理・長尾義弘監修、徳間書店刊）の専門家が選ぶ「ミニ保険ランキング」で第１位となった商品である。家計地震保険とは違って火災保険への加入が不要である。そのため、家計地震保険の加入者は補償不足分を埋める商品としての活用も可能である。この保険は、世帯人数によって加入する保険金額を柔軟に選択できるという簡便さに特徴がある。

次の商品「母子保険はぐ」は、妊娠、出産という女性にとって入院、手術リスクの最も高い時期に着目して開発された。少短保険らしい着眼点の良さから紹介した。“赤ちゃんとママのための妊娠保険”というキャッチフレーズもおもしろい。

最後は、“痴漢冤罪”から被保険者を守る弁護士費用保険である。この商品とサービスは、テレビでもよく取り上げられており、少短保険を代表する商品になっている。この商品のような費用リスクは今後拡大が期待される分野である。

少額短期保険ビジネスへの期待と今後の課題を、表３にまとめてみた。少額短期保険事業者による時代のリスクを敏感にとらえた話題性のある商品の開発は、消費者と保険市場の距離を縮める役割を果たしている。また、多くの起業家（アントレプレナー）を保険市場に引き寄せ、多様な保険ビジネスを生み出している。少短ビジネスは、生損保市場の活性化にも役立っている。

一方、課題も散見される。まず、いくつかの業者にみられるずさんな経営管理態勢である。各地の財務局が公表している処分事例からは、契約者からの信頼が第一であるべき保険事業者とは思えない一部の事業者の悪質な実態がみえてくる。社長による独断専行をチェックできないガバナンスの機能不全や、資産状況の虚偽記載などは、絶対にあってはならないことである。

なお、無認可共済から少額短期保険事業に移行した事業業者のために設けられた保険金額の上限に関する特例措置が当初の2018年３月末から2023年末までに延長された。“経過措置期間”というには長すぎる。これ以上の延長は許されない。

4-9 保険金不払い問題と東日本大震災

1 不払い問題発生の経緯

2005年２月
- 生損保で同時に保険金不払い問題が発生

…

- F火災保険：
自動車保険を中心とした不払事案
- M生命保険：
死亡保険金に係る不適切な不払い

▼

- 金融庁による徹底した調査指示
- （金融庁）損保会社には経営管理態勢、内部管理態勢に構造的な欠陥がある。業務停止処分（４社）、業務改善命令（多数）

…

- 損害保険各社
50万件、380億円の不払事案
- 生命保険各社
135万件、973億円の不払事案

（出典）「生損保業界における保険金不払い問題」「立法と調査」No274
（財政金融委員会調査室　井上涼子著）

2 （損保）保険金不払い問題発生の原因

（1）保険自由化の影響： •自由化突入後の商品開発・販売競争激化
•独自の商品や特約の追加によって商品複雑化

（2）脆弱な販売網による影響： •全社統一の画一的商品に慣れきっていた販売網
•販売網への研修、指導が不十分

（3）「請求主義」の弊害： 保険会社は「請求を促す」姿勢の欠如

（4）営業優先体質： •契約獲得が最優先の体質
•契約者への商品内容の説明が不十分

3 再発防止への取組みとその効果

（1）保険商品や特約の統廃合、約款の平易化等を通じた商品性の見直し
（2）保険代理店の質的強化と契約者からの「意向確認書」の取得
（3）損害サービス分野への要員投入と支払漏れを防ぐシステムの整備
（4）「請求主義」の是正：保険会社から「請求を促す」姿勢への転換
（5）外部専門家（医師、弁護士、有識者等）による損害調査の検証制度
（6）苦情を受け付ける方策の強化（個社+業界全体）、など

▼

自由化に正面から向き合う
姿勢に転換

東日本大震災時の「地域全損認定」
契約者から高い評価

複雑な特約と“営業優先体質”に起因

くしくも、損保と生保各１社で、“同時に”、保険金不払い問題が発生したのは2005年２月のことであった。左図２に保険金不払い問題が解明されるまでの経緯と結果、そして、これだけ多くの保険会社に、なぜこれほど巨額の保険金不払い事案が発生したのか、考えられる主な原因をあげた。

まず、自由化・規制緩和が進むなか、多くの保険会社が他社との競争を意識するあまり、多様な給付内容の商品を競って開発したり、多様な特約付帯を進めた結果、保障内容が複雑になり、顧客が商品内容を理解することが困難となっていたことがあげられる。

それ以前に、顧客に補償内容を説明する立場にある保険代理店も商品の細部まで理解できず、契約者の十分な理解が得られなかったのである。これは、長く続いた損害保険料率算定会制度のもと、保険代理店の粗製乱造が進んでいた結果であったともいえる。

また、“保険金は請求があってはじめて支払うもの”という「請求主義」が業界の常識となっており、“契約者に請求を促す”、という姿勢に欠けていたことも不払い問題発生の原因の一つであった。

さらに、保険会社があまねく“営業優先”の体質に陥っていたことが、この事件を大きくしたといえる。厳しい見方であるが、ともすると、顧客を忘れ、目先の売上げを優先させる体質が色濃くあったのである。

一方、このような問題の再発は業界の存続そのものにも関わるため、損害保険業界は、保険商品の統廃合や約款の平易化など、徹底した再発防止に取り組んできた。そしてなにより大事なことは、この問題の発生を契機として、損害保険業界全体が、自由化に抵抗するのではなく、自由化に「正対」をする姿勢に転じたことである。真に市場から受け入れてもらうためには、顧客と正面から向き合い、商品とサービスの内容で勝負するほか手段がないことにようやく気づいたのである。

その成果は東日本大震災の発生時に証明された。約80万件に及んだ（家計向け）地震保険の損害調査と支払いのため、損保各社は大量の人員を投入し、現地保険代理店と一体となって迅速な損害処理を進める一方、業界共同歩調をとり、地域全損認定の決定等を行ったのである。この損保各社と業界全体の取組みは、多くの契約者から高い評価を得たのである。

4-10 自由化以降の市場規模・商品構成

1 日本損害保険市場の年度別推移：1996年度〜2020年度

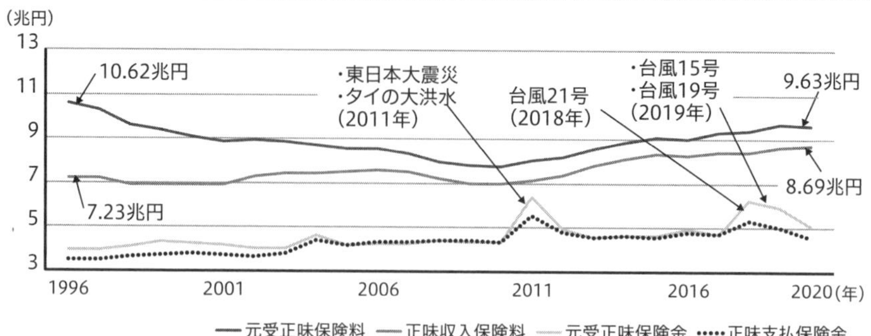

2 保険種目別元受正味保険料構成割合：1996年度と2020年度の比較

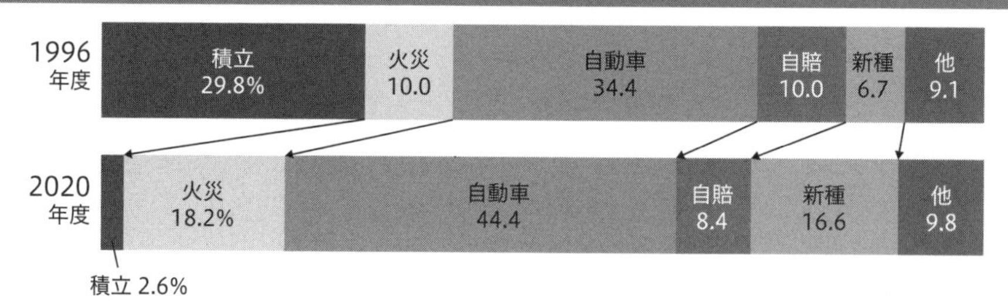

（注）自賠は自動車損害賠償責任。積立は、積立火災、積立傷害、積立介護、積立動産総合、積立労災の合計、新種は「その他新種」のことで、傷害保険を含まない。

3 損保主要商品の年度別損害率の推移

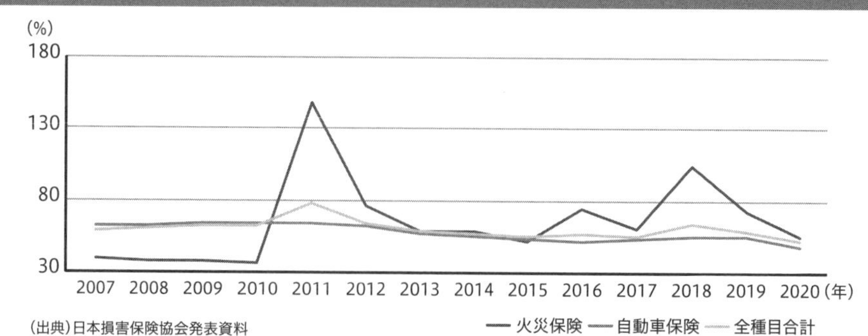

（出典）日本損害保険協会発表資料

シェアが激減した積立、拡大著しい自動車と新種

損保が自由化に突入した1996年から現在に至る25年間は、明治以来続く損保の歴史のなかでもまれにみる激動の時代であった。この期間にわが国損保ビジネスがどう変貌を遂げたのかをいくつかの面から検証してみたい。

まず、市場規模と保険金の支払状況の推移を図１で示した。「営業ベースでみた売上げ」にあたる元受正味保険料（含む積立）は若干落ち込んでいる。元受正味保険料はGDP（国内総生産）の動きに連動するため、この間のわが国の「失われた20年」と軌を一にしている。後述するが、バブルの崩壊後、積立保険がまったく売れなくなった影響も大きい。「決算ベースでみた売上げ」にあたる正味収入保険料は、約２割のアップとなっている。

これに対し、支払保険金のほうは、緩やかながらも右肩上がりで増加基調をたどっている。目につくのが、年によって支払額が跳ね上がっていることである。これは東日本大震災や大型台風の来襲等、相次ぐ自然災害の発生によるものである。再保険関係の出入を調整した正味支払保険金の推移をみると、再保険が有効に機能していることがわかる。

図２をみると、この間に商品別の元受正味保険料の構成割合が一変している。1996年度における積立保険は自動車保険に次ぐ第２位の保険料シェアがあった。さらにいえば、バブル絶頂期の1989年３月末では、積立保険は元受保険料構成割合の約４割を占め、売上げトップであった。それが、2020年度になるとわずか３％程度に激減した。これは、「予定利率」がゼロに近い水準にまで下落したため、積立保険の販売停止が相次いだことが原因である。1996年の生保への参入によって、販売エネルギーを積立保険から生保へと大きく転換した影響も大きい。一時はトップの売上げを誇っていた商品が、20年強の間にほぼ壊滅状態になったのだ。

一方、損保商品の構成割合の変化は、損保の損益構造に大きな影響を与える。図３をみると自動車保険の損害率はほぼフラットな線を描き、安定して利益を稼ぎ出していることがわかる。ところが火災保険の損害率は、自然災害の影響を受けて変動幅が極端に大きい。

今後、自動車保険は、自動運転化の進行などによって事故率が減り、市場が縮小することが確実視されている。自動車保険のウェイトが減少するなか、火災保険の相対ウェイトがあがっていく。新種保険も巨大リスクの発生危険を抱えている。

4-11 国内営業体制のスリム化と事業領域の拡大

1 3メガ損保の営業構造改革の推進：2020年度の2007年度比較

		2007年度				2020年度			
		正味収保（億円）	営業支社数	社員数	生産性（億円）	正味収保（億円）	営業支社数	社員数	生産性（億円）
東京海上HD	東京海上日動	19,122	708	15,263	1.25	22,613	350	17,176	1.32
	日新火災	1,417	155	2,745	0.52	1,477	106	2,180	0.68
	グループ合計	20,539	863	18,008	1.14	24,090	456	19,356	1.24
	（2007年度比）					（+17%）	（▲47%）	（+8%）	（+9%）
MS&ADHD	三井住友	13,068	707	14,421	0.91	15,595	440	14,168	1.10
	あいおいニッセイ同和	11,700	874	12,992	0.90	12,814	404	13,933	0.92
	グループ合計	24,768	1,581	27,413	0.90	28,409	844	28,101	1.01
	（2007年度比）					（+15%）	（▲47%）	（+3%）	（+12%）
SOMPOHD	損保ジャパン	20,339	899	24,700	0.82	21,414	510	23,447	0.91
	（2007年度比）					（+5%）	（▲43%）	（▲5%）	（+11%）

（注）生産性は正味収保／社員数

2 3メガ損保グループのセグメント別利益の構成割合：2019年度

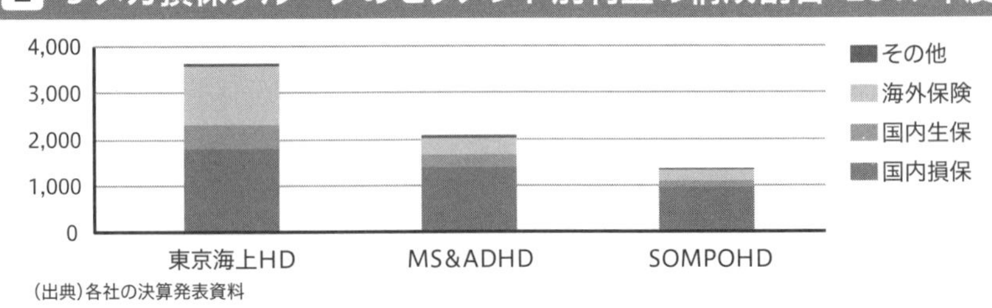

（出典）各社の決算発表資料

3 3メガ損保グループの「その他事業」への進出状況

東京海上HD	●自社グループが保有するデータを一元化して、"リスクデータプラットフォーム"を構築する。これを防災・減災やヘルスケア等に活用。 ●企業が進出先国の環境規制に対応するために必要な脱炭素リスクの算出事業を2022年度から開始
MS&ADHD	●MS&ADインターリスク総研を核として「リスク関連サービス」事業に注力する。 ●気候変動など環境変化に対応した新たなソリューション、ビジネスモデル開発
SOMPOHD	●健康・ウェルネス、モビリティ・プロパティなどの新事業の開発に注力する。これらの事業・領域に関するリアルデータから新たなプラットフォームを構築する。 ●介護／ヘルスケア事業では約1400億円の売上を達成している（2020年度）

左図１は、本書初版の執筆にあたって定点観測を開始した2007年度から2020年度の期間における現在の３メガ損保グループの国内営業体制の変化である。

4-6で触れたが、販売網の構造改革を進めた結果、３メガ損保の営業支社数はほぼ半減している。この間、会社によっては、傘下に営業支社を置かない支店（“支社レス支店”）を実験的に開始している。今後は、営業拠点にもさまざまな展開がありそうである。

これに対し、社員数のほうは会社によってまちまちの結果となっている。積極的に社員数を増やしているのが東京海上グループであり、８％の増加だ。損保ジャパンは５％の減員となっており好対照である。MS&ADは３％増と、ほかの２グループの中間に位置する。

損保事業は今後ますます専門性が必要とされる。その人材の確保と育成が大きな課題である。営業部門を圧縮し、他の専門分野に振り向ける動きが続きそうだ。

一方、国内損保市場が大きく成長することが見込めなくなったため、自由化突入後は、３メガ損保グループはこぞって事業領域の拡大に取り組んできた。図２がその成果である。なお、2020年度は新型コロナウイルスの影響から、特に海外保険の事業が通常年度とは異例の数字となっている。そのため、あえて2019年度の決算数字を使っている。

自由化後まず取り組んだのは子会社による生命保険事業である。医療保険、介護費用保険などで独自の商品戦略を展開し、一定の規模に成長している。

昨今、最も力を入れているのは海外保険事業である。東京海上HDでは、すでにグループの利益の約３分の１を海外保険事業で確保している。また、MS&AD HDとSOMPO HDにおいては、2019年度の海外保険事業の利益は全体の20％弱程度であるが、今後、MS&AD HDは、「中期的に50％」、SOMPO HDは「2022年度に30％以上」という目標を掲げている。

図２でみるとおり、事業領域の拡大のなかでは「その他事業」は現時点ではそれほど利益に貢献しているわけではない。しかしながら、図３で示したとおり、今後はDX（デジタルトランスフォーメーション）時代を迎え、この分野に相当のエネルギーを注入すると見込まれている。各グループとも損保、第三分野で蓄積したリスクデータの活用を事業の中核に置こうとしている。

4-12 拡大する海外ビジネス

1 海外ビジネスの変遷

伝統的ビジネス
▶日系物件（日本企業の海外進出先の保険引受け）
▶受再物件（外国再保険の引受け）
→ 苦い経験、失敗から学ぶ

ローカルビジネス
▶アジア／新興国市場開拓
▶再保険子会社による現地物件
→ 新たな飛躍を求めて

グローバルビジネス
▶欧米市場での本格展開
▶ロイズシンジケート、米国元受会社の買収
▶保険引受のシナジー効果創出や新たなビジネスモデルへの進出
▶海外事業体制の再編／事業の売却
→
- 資本効率の向上と収益の多角化
- 海外ビジネスを安定的・長期的な収益の柱に

2 海外事業に求められる人材

駐在員事務所の時代
- **海外展開初期▶** 再保険部門、貨物海上保険・海外PL損害調査部門

現法営業の時代
- **自前の営業体制▶** 企業営業部門、商品部門、損害調査部門、経理部門、システム部門、資産運用部門
- **ローカルビジネス進出▶** 自動車・生保等個人商品部門、自動車損害調査部門

M&Aの時代
- **グローバルビジネス展開▶** 事業企画部門、リスク管理部門
  買収会社の経営管理を行うシニアマネジメント層が不可欠

事業が多様化、経営管理人材の育成が急務

わが国損保の海外ビジネスの内容は時代とともに大きく変わってきている。

1960年代、現地の保険会社やブローカーを代理店として、海上保険等の引受けを開始した。1970年代は貿易摩擦の解消のため米国を中心に工場進出した重要得意先である自動車・家電産業等の企業保険引受けにシフトした。1980年代になると円高を背景に、消費地の近くや人件費の安い地域での生産拡大を目指した日系企業の進出は欧州、東南アジア等全世界に広がり、進出業種も増えていった。このような動きに呼応して日本損保は世界各地で支店設置や現地法人設立を行い、自前の営業体制を確立していった。

1990年代になると、日系企業案件中心のビジネスから変化がみられる。自前化した体制を維持・発展させるため、日本で培ったノウハウを生かすべくアジア等新興地域における非日系（ローカル）ビジネス、現地個人契約に注力していった。

2000年代半ば以降、海外ビジネスは大きく変わる。M&Aによる積極拡大であり、「金で時間を買う」取組みである。背景としてERM（統合的リスク管理）経営の推進がある。第１に、事業に存するリスクと自己資本をバランスさせて財務の健全性を維持するだけでなく、新たにリスクをとってリターン＝利益を拡大することを目指した。海外保険事業は国内保険事業とのリスク分散になる。第２に、少子高齢化により国内市場が伸び悩むなか、成長を海外に求めたことである。第３に、資産運用に係る市場リスク削減のため政策保有株を売却し、その再投資先を海外保険事業としたことである。その結果、わが国損保の海外保険事業は急速に拡大し、グループの利益の20%～40%程度を海外事業が占めるようになっている。

海外事業に求められる人材もビジネスの変遷につれ変化している。駐在員事務所の時代は、再保険や貨物海上保険の専門家が派遣されていた。日系企業ビジネスのため現地法人等での自前の営業体制を拡大した時代には、企業営業、商品業務、損害調査、経理、システムといった人材が海外で多く活躍するようになった。その後のローカルビジネスへの取組みにより、個人向け商品分野の専門家も海外に派遣された。M&Aが積極的に行われるようになってからは、事業企画やリスク管理部門の人材の重要性が増している。買収した会社の経営管理は肝要で、それを担当するシニアマネジメント層が不可欠である。ある損保は、買収した複数の会社を役員一人ひとりに担当させており、経営者育成もねらった好取組みといえる。

4-13 3メガ損保のグローバル展開

1 3メガ損保のM&A案件

年度	東京海上HD	MS&AD HD	SOMPO HD
2004		●アビバ社(英国)のアジア損保事業買収	
2005		●明台社(台湾)買収	
2007	●キルン社(英国)買収(1,061億円)		
2008	●フィラデルフィア社(米国)買収(4,987億円)		
2010	●生保出資(インド)	●ホンレオン生保(マレーシア)出資	●テネット社(シンガポール)買収 ●フィバシゴルタ社(トルコ)買収
2011	●デルファイ社(米国)買収(2,050億円)	●ホンレオンMSIGタカフル(マレーシア)に出資 ●シナールマスMSIG生保(インドネシア)に出資	●ベルジャヤ社(マレーシア)の子会社化
2012		●マックス生命(インド)に出資	
2013			●マリチマ社(ブラジル)の子会化
2014			●キャノピアス社(英国)買収(992億円) 2018年に売却
2015	●HCC社(米国)買収(9,413億円)	●BIG社(英国)買収	
2016		●アムリン社(英国)買収(6,420億円)	
2017	●メディカルストップロス保険事業(米国)買収	●ファーストキャピタル(シンガポール)買収(1,755億円) ●チャレジャー社(オーストラリア、生保)に出資(440億円)	●エンデュランス社(米国)買収(6,375億円) ●レクソン社(米国、保証保険事業)買収 ●A&A社(イタリア、農業保険代理店)買収
2018	●セイフティ社(タイほか)買収(426億円) ●ホラード社(南アフリカほか)出資(400億円) ●ミレニアム再保険会社(スイス/英国)売却	●リアシュア社(英、生保)に出資(236億円)	
2019	●英国日系ビジネスをHCC社傘下に ●カイシャ社(ブラジル)の新JVに出資(395億円) ●ピュアグループ(米国)買収 (3,255億円)		
2020	●生保タカフル子会社(エジプト)の株式75%売却	●BoComm社(中国、生保)に出資(654億円)	●ダイバーシフィールド社(米国、農業保険)買収 (400億円台との報道) ●W. Brown社(米国、航空保険総代理店)買収
2021			●ARA社(イタリア、農業保険代理店)買収

(出典)各社公表資料、( )内の買収金額は買収手続き開始発表時の公表取得価額

2 国内損害保険会社の海外連結子会社の正味収入保険料推移

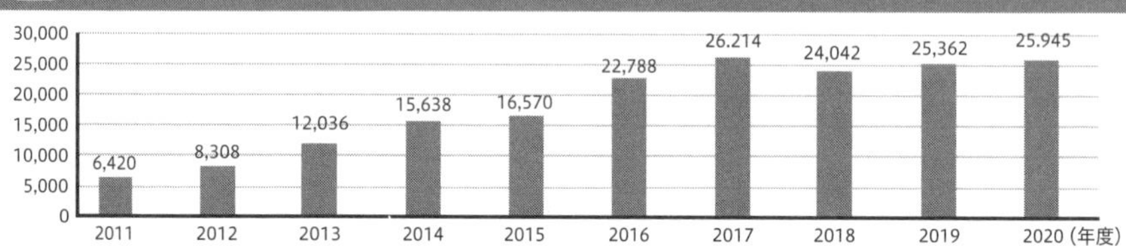

(億円)

年度	元受保険会社			再保険専門会社	合計
	北米・中南米	欧州・中東・アフリカ	アジア・大洋州		
2011	2,610	617	1,361	1,832	6,420
2012	3,439	859	1,703	2,307	8,308
2013	5,692	1,149	2,187	3,008	12,036
2014	7,442	3,353	2,705	2,138	15,638
2015	7,360	4,052	2,592	2,567	16,570
2016	10,271	7,375	2,381	2,761	22,788
2017	10,611	9,659	2,585	3,359	26,214
2018	10,372	8,957	2,913	1,800	24,042
2019	10,014	9,996	3,122	2,230	25,362
2020	9,965	10,939	2,774	2,267	25,945

(出典)日本損害保険協会発表資料

M&Aによる事業領域拡大、ノウハウ取得を積極化

M&Aによる事業展開は３メガ損保に共通する海外戦略であり、2017年までは欧米での大型買収が目立ったが、その後はM&Aの内容が変化している。形としては買収した会社によるさらなるM&Aや、事業対象としては特殊ビジネス専門の保険会社および総代理店、保険引受け以外の事業の買収である。収益拡大とリスク分散を目指す背景は変わらないが、新たなビジネスモデルへの進出、ノウハウ取得を目指す資本参加や戦略的提携も行われている。同時に、既存事業の効率向上のため、旧来の損保子会社と買収した会社との事業体制再編や一部の事業の売却を行っている。

３グループのM&Aの特徴は次のとおりである。

東京海上ホールディングス：キルン、フィラデルフィア、デルファイ、HCCと欧米での大型M&Aを重ねてきた。近年はアジア、アフリカ、南米と、買収対象の所在地域が広がっている。富裕層向けに特化した米国のピュアグループを買収し、米国ビジネスのウェイトが高いが、会社ごとに事業の内容は異なっている。デジタル技術をもとに個人保険を扱う米国レモネード社との戦略的提携が注目される。

MS&ADホールディングス：早くからアジアに広い基盤を有しており、アビバ社のアジア損保事業を皮切りに、アジアで生損保双方にわたる買収や提携を行ってきた。アムリンの買収により地域的にバランスのとれたポートフォリオとなり、再保険事業の拡大にもなっているが、同社の利益低迷に苦しんでいる。米国のインシュアテック保険グループヒッポ社との戦略的提携も注目される。

SOMPOホールディングス：当初はトルコ、シンガポール、ブラジル、マレーシアといった発展途上国市場の将来性に着目したM&Aであった。エンデュランスの買収により欧米のポートフォリオを拡大し、SOMPOインターナショナルに社名変更して、全世界の事業をその傘下に移行した。最近では世界各国で農業保険特化の保険会社・代理店の買収、提携を積極的に行っている。

本格的にグローバル展開した海外事業の課題は、グループとしていかにシナジー効果を出すかという点と保険引受事業以外にも多様化した事業の経営管理である。大型買収先自体が利益を出していないケース、特定の会社で想定外の損失を出しているケースがある。世界的パンデミックで事業の地域的分散がグループ全体としてのリスク分散とならない状況もある。さまざまな事業の経営をウォッチし、タイムリーに対応策を実施することが求められる。

4-14 経営指標からみた日本の損保

1 海外主要マーケットとの比較（2020年度）

順位	国名	元受保険料（百万ドル）	対全世界シェア（%）	対前年比（%）	対GDP比率（%）	1人当たり元受保険料（ドル）
1	米国	1,897,883	54.4	1.2	9.0	5,754
2	中国	308,330	8.8	4.4	2.1	214
3	ドイツ	151,995	4.4	2.5	4.0	1,827
4	日本	120,308	3.5	0.7	2.4	951
5	イギリス	99,430	2.9	0.8	2.3	949
6	フランス	94,736	2.7	-0.2	3.5	1,359
7	韓国	87,565	2.5	6.6	5.2	1,691
全世界合計		3,489,608	100.0	1.5	4.1	449

（出典）2020年GDP以外はスイス再保険の「SIGMA」、2020年GDPは、IMF「World Economic Outlook Database」

2 元受正味保険料構成割合（2019年度）：除く傷害、介護、医療

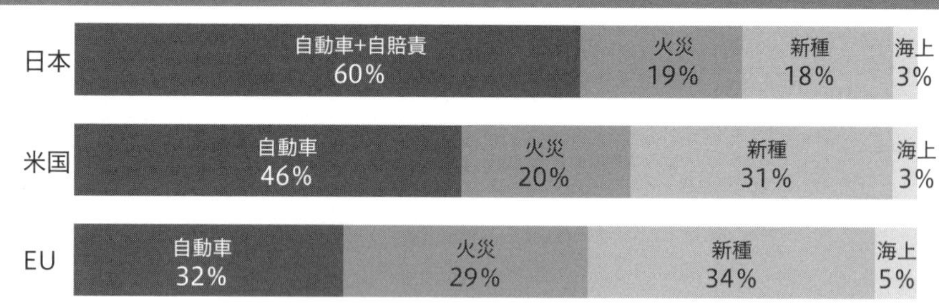

（注）海上には運送を含む
（出典）米国：I.I.I.「2021 Insurance Fact Book」、日本：損保協会ホームページ
EU：Insurance Europe「European Insurance Overview 2020」

3 諸外国の損害率・事業費率比較（2019年度）

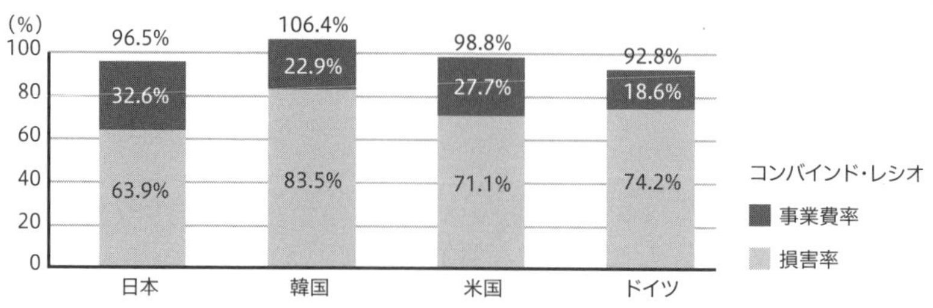

（出典）米国：I.I.I.「2021 Insurance Fact Book」、ドイツ：ドイツ保険協会（GDV）発行、Statistical Yearbook of German Insurance 2020、韓国：Korean Insurance Industry2020 by KIRI、日本：損保協会資料

自動車「一本足」経営の限界鮮明に

この章の締めくくりとして、わが国損保事業の特徴と今後の課題を総括しておきたい。左表１は、2020年度の元受損害保険料でみた国別損害保険マーケット規模のトップ７である。日本は世界第４位であるが、GDPに対する元受保険料の割合や１人当たり保険料は、米国はもとより、ドイツやフランスなどの欧州諸国だけでなく、韓国よりも低い。賠償責任保険など新種保険を中心にまだまだ普及の余地があるように思われる。なお、米国の世界シェアが54.4%と飛び抜けて高い。これは、2019年度以降、日本の公的健康保険制度にあたる米・医療・傷害保険（accident and health insurance）がこの統計を作成しているスイス再保社の判断で、損保の範疇に組み入れられたためである。

図２は、主要損保商品別の元受正味保険料の構成割合を米国、EUと比較したものである。日本は自動車保険＋自賠責保険の割合が60%と断トツに高い。これが、わが国損害保険市場の大きな特徴である。また、米国、EUともに、新種保険の構成割合が大きい。新種保険の構成割合が欧米に比較して小さいことも日本の特徴である。日本が自動車関係保険の「一本足」で立っているとすれば、米国やEUは、自動車、新種、火災保険という「３本足」で立っていることになる。ビジネスの世界では、特定商品や特定市場への極端な集中はリスクが大きく、避けるべき事態であるといわれている。

現在、新種保険を代表する売上最大の商品が賠償責任保険である。そのほかに、航空保険、機械保険や住宅ローン保証保険など20種類以上の商品が含まれている。主に、企業の抱えるリスクを担保する商品で構成されているため、補償対象となるリスクは多種多様であり、時に、火災保険を超える巨額支払いとなる。

1980年代に米国損害保険市場を震撼させた“賠償責任保険危機”の主因となったのはアスベスト*賠償である。推定最大10兆円もの被害額（賠償金とその関連費用）になっている。その大半が保険で支払われた。また、医療過誤賠償責任保険の支払いも大きかった。伸ばすべき分野ではあるがアンダーライティングが肝要である。＊石綿のこと。長年吸い続けると肺がんや中皮腫になることがある。

最後に、図３で海外の主要マーケットと損害率、事業費率を比較してみた。日本の事業費率は高い。ほかの国は損害率が70～80%と高くても利益が残せる構造である。日本の損保は事業費率のさらなる改善が今後の大きな課題である。

第5章

自然災害の激化と損保の戦略
―火災保険は自然災害保険

5-1 火災保険の特徴と課題

日本での誕生	保険の種類	普及のポイント等
•1887年「東京火災保険会社」(現損保ジャパン)が設立。火災保険の引受けを開始 (注)火災保険の誕生は、1667年の英国	**【2009年以前の主要商品】** ①住宅:住宅総合保険、住宅火災保険、など ②店舗・事務所:普通火災保険(一般)、店舗総合保険、など ③工場:普通火災保険(工場) ④倉庫:普通火災保険(倉庫) ↓ **【2010年以降の主要商品】** ①専用・併用住宅:すまいの保険 ②中堅中小企業(店舗、事務所、工場):企業総合保険 ③大企業向け:企業財産包括保険	•第二次大戦後の一定期間を除き、火災保険は2015年まで料率引下げの歴史 •順次、補償危険を拡大(爆発、落雷、風水災、水濡れ、など) •順次、費用保険金を導入(臨時費用、残存物取片づけ費用、失火見舞費用、地震火災費用、など) •2015年10月から一転して料率引上基調が継続(自然災害、水濡れ損害に対する保険金支払増が主要因) •以前は35年程度までの長期契約が可能であったが、現在最長10年、今後は最長5年

補償する危険	保険料の決定要素	今後の課題
①住宅用商品: •火災、落雷、破裂・爆発、風災・雹災・雪災、水災、水濡れ、盗難、破損などの損害と各種費用 **②企業用商品** •火災、落雷、破裂・爆発、風災・雹災・雪災、水災、水濡れ、盗難、破損、電気的・機械的事故などの損害各種費用 •事業中断の損害	•保険目的の物件種別(住宅、一般、工場、倉庫)ごとに料率の決定方法が異なる。 (例) **①住宅物件:構造(耐火、非耐火など)と所在地(都道府県)によって基本料率が決定** **②工場物件:工場種別ごとの作業工程(塗装など)と建物の構造級別(1～3級)に基本料率が決定** •「燃え」の要素(危険物等)と「消し」の要素(スプリンクラー設置等)から割増割引が適用される。	**①大規模自然災害などの巨大リスク発生に備えたリスク管理** **②魅力的な保険商品の提供** •家計分野:保険対象の建物・動産に即した自然災害に備えつつ、合理的な保険料 •企業分野: A地震利益/原材料、部品の仕入先等の供給停止による費用損害に対応する商品の提供 B自然災害に対する伝統的な保険商品以外の商品・サービスの提供

個人・企業の市場別商品に転換

わが国の火災保険は、1887年（明治20年）に創設された東京火災が売り出したのが最初である。当初の火災保険は文字どおり「火災」だけを支払対象としたものであったが、その後年月を経て、火災保険は破裂・爆発や落雷、風水災等に補償対象を広げてきた。火災保険の商品種類としては、顧客（契約者）の態様と補償対象の範囲により品揃えをしている。個人や一般企業を対象とした火災保険は、2009年以前は、保険料率が住宅、一般、工場、倉庫の４つの物件種別となっていることに対応した商品（普通保険約款）を販売していた。住宅火災保険、火災保険(一般物件用)、火災保険（工場物件用)、火災保険（倉庫物件用）と、住宅や店舗用に補償範囲を広くした住宅総合保険、店舗総合保険である。2010年に大手損保は４つの物件別商品の品揃えを抜本的にあらため、現在、火災保険は個人向けと企業向け（中堅・中小企業用／大企業用）とに大別される。個人向け商品は、選択肢はあるものの定型的な補償内容であり、大企業向けはオーダーメイドの保険設計ができ、中堅・中小企業向けはその中間で、パターン別の補償内容である。各社で商品内容に多少の差があり、各社ごとのペットネームが付されて販売されている。例：専用・併用住宅用：“すまいの保険”、中堅・中小企業用（店舗、事務所、工場)：“企業総合保険”、大企業用：“企業財産包括保険”など。旧来の４つの物件別保険商品は、一部を残している会社もあるが、実質的に売り止めとなっている。

火災保険は、契約時に保険金額を保険の対象である建物や家財の価額に見合ったものにしないと一部保険や超過保険となり、罹災時など契約者の納得が得られない面があった。また、時価を基準に保険金額を設定した場合は、罹災した建物などを新たに取得する金額に不十分となることがあった。そのようなトラブルを防止するため、現在の住宅用火災保険は、保険金額は新価（再調達価額）をもとにした評価済みとし、一部保険や超過保険を回避する仕組みが導入されている。

保険期間については、かつて住宅ローンの返済期間にあわせて最長35年程度まで可能であった長期の保険契約が、近年の自然災害増加により将来の妥当な保険料水準が見通しにくくなったことを理由に短縮され、現在は会社によっては最長10年間となっており、2022年10月以降は最長５年間となる見込みである。

自然災害に対する適切な保険商品の提供と地震による利益損害、他者からの供給停止による事業中断などへの対応が今後の課題である。

巨大火災事故による損害

火災事故と損害の概要

	アスクル倉庫 (埼玉県三芳町)	首里城 (沖縄県那覇市)	ルネサス半導体製造工場 (茨城県ひたちなか市)
発生年月日	2017年2月16日 •16日午前9時14分に火災発生を覚知、鎮火は12日後の28日午後5時	2019年10月31日 •31日午前2時35分頃に出火し、約11時間後に鎮火	2021年3月19日 •19日午前2時47分に出火し、午前8時12分に鎮火
火災の概要	•建物全体の幅約240m、奥行き約109m、延べ床面積が7万2,000㎡の3階建て大規模倉庫で火災、爆発も発生	•首里城正殿から出火し、隣接する北殿と南殿、書院・鎖之間、黄金御殿、二階御殿、奉神門も延焼	•那珂工場のN3棟(クリーンルームのある生産施設)の一部工程で火災
出火原因	•倉庫1階北西部廃棄用段ボール置き場から出火、原因は取引先の古紙回収業者のフォークリフトのタイヤが段ボールの上で空回りして出火	•不明(正殿の電気設備のトラブルが原因との説が有力、漏電/ねずみなどの更なる原因は確定できず)	•メッキ装置に過電流が発生したため(機器を納める箱とめっき槽は熱への強度が低く樹脂系部材に引火、過電流の原因は不明)
損害の状況	•2階、3階部分が激しく焼損 •4万5,000㎡(延べ床面積の62.5%)が焼損	•正殿、北殿が全焼、南殿もほぼ全焼、延べ4,800㎡が焼失 •美術工芸品は400点以上が焼失	•製造設備の一部および純水供給装置や空調設備などに被害、焼損面積は600㎡でクリーンルーム全体の約5% •仕掛品にも損害発生
損害の額、程度	•決算で112.5億円の特別損失を計上 •当該施設(物流センター)の法人向け通販に占めるシェアは9%(他に6つの物流センターあり)	•建物や美術工芸品の損害額は84.4億円(建物:75.9億円、美術工芸品など:8.5億円)	•約1ヵ月間の生産停止(火災の影響を受けなかった2階も停止) •N3棟の生産停止による売上高への影響は1月当たり約170億円
復旧	•2017年4月20日埼玉県内に新たな物流拠点を開設して出荷を開始	•2022年に正殿の復旧に着手し、2026年までに復旧させる予定	•自動車メーカーの支援を受け約1ヵ月で設備は復旧したが、出荷の回復には3～4ヵ月必要
その他への影響	•爆発発生のため、町は付近の住民に避難勧告 •商品の配送に遅れ		•自動車の走行制御機器用半導体「マイコン」の出荷停止で、トヨタ、日産、ホンダ、マツダ、SUBARUの生産に影響(ルネサスは世界のマイコンの2～3割のシェア)
支払保険金	(非公表)	•70億円の保険金支払い	(非公表)
施設のリスク	•倉庫は可燃物(いわゆる"燃え種(ぐさ)"がきわめて多い •随時開閉式の防火シャッターが用いられることが多い	•木造建築のため火勢が強く急速に延焼拡大した	•半導体工場は可燃性のガスや溶剤を使用するため、静電気など電気的な原因で火災が発生しやすい
消火活動	•消火器、屋内消火栓を使用したが鎮火できず。火災報知器は鳴動 •倉庫内は高温で白煙も消火活動を妨げ、外壁に穴を開け注水	•出火の約15分後に消防車が到着し放水を開始したが、消防活動は難航、風が強く、「火災旋風」と呼ばれる炎が渦巻き状に立ち上がる現象も発生	
防災設備・対策	•各階に消火器、屋内消火栓、自動火災報知器、誘導灯が設置、1階の一部にスプリンクラー設備が設置 •床面積1,500㎡以下ごとに防火壁と防火シャッターで防火区画されているが、2・3階の約6割のシャッターが正常に作動せず	•熱に反応するセンサー、火災報知器あり •スプリンクラー設備の設置なし	•設置されている消火設備とその稼働状況については情報なし

(出典)各種ニュース報道

近年、日本における火災は、件数も被害額も減少している。しかしながら、世間を驚かすような大火災は現在も発生しており、被害の状況などをみていきたい。

2017年に埼玉県で発生した大規模物流倉庫の火災は、鎮火するまでに12日間を要し、100億円規模の損害となった。段ボール箱が多くある場所から発生した火災は、消火器や屋内消火栓を用いた初期消火活動では消火できず、燃え広がった。建物が多くに区画されていて放水が届きにくく、建物外壁を壊しての放水も行った。倉庫には貯蔵物のほか、棚・パレットなどの可燃物が多いことや防火シャッターで有効に機能しないものが多かったことが大火災となった要因である。

2019年の首里城の火災は、7つの建物が全焼となり、建物および美術工芸品の損害に対し、約70億円の保険金が支払われた。本殿の電気設備のトラブルが出火原因であるが、詳細は確定できていない。燃えた建物や門は木造であり、そのため火の勢いは急速に強まるとともに広がり、いわば「燃えるに任せる」ような状態となって、燃えるものが燃え尽きた結果鎮火したという状況であった。

2021年に茨城県で発生した半導体製造工場の火災は、メッキ装置に過電流が発生したことが出火原因である。約5時間半で鎮火したが、半導体製造装置は高価なものが多く、仕掛品の損害も含め多額の損害額と推定される。しかし、世間を驚かせたのは、半導体の製造停止による自動車メーカーのへの影響である。罹災した工場は約1カ月で復旧したが、半導体の出荷が完全に回復するには3～4カ月を要し、日本の多くの自動車メーカーが自動車製造を減産せざるを得なかった。

これら3つの大火災の出火原因は異なるが、同種の建物や設備に起こりうる。大損害となったことには、何か防災対策の落とし穴といえるようなことがあったのか。消火で最も大切なことは初期消火である。倉庫や城の火災では、スプリンクラー設備がなかったり、一部にしかなく、設備があればもっと早く鎮火できたのではないかと思われる。スプリンクラー設置にはそれなりの費用がかかり、また、消防法令でも設置が義務づけられている建物は限られる。日本の消防法令は人命保護が主眼、義務づけられる消火設備は公設消防を前提としたもので、自らの消火設備のみで鎮火することを目指していないとの指摘がある。スプリンクラー設備等初期消火に有効な設備の設置を真剣に検討すべきではないだろうか。

5-2 火災保険の補償内容の変遷

現在の標準的な個人用火災保険の補償内容

損害に対する補償	
火災、落雷、破裂・爆発	基本
風災・雹(ひょう)災・雪災	
水災(床上浸水または一定以上の損害)	選択可
盗難	
水濡れ	
建物外部からの物体の衝突	
労働争議等に伴う破壊行為 等	
偶然な事故による破損・汚損 等	

費用に対する補償

- 臨時費用／災害緊急費用
- 残存物取片づけ費用
- 失火見舞費用
- 地震火災費用
- 損害防止費用

(注)各費用は、支払条件、限度額がある

特約(任意付帯)

- 冷暖房・給排水設備等の水災
- 借家人賠償責任
- 日常生活(個人)賠償
- 弁護士費用　ほか

火災保険の主な補償内容拡大の歴史

	保険種類(約款)	拡大した担保危険	拡大した費用保険金
1961年～62年	住宅総合、店舗総合	(総合保険を発売)風災・雪災を補償対象化	臨時費用保険金を導入
1973年	住宅火災	(住宅火災保険を発売)	残存物取片づけ費用を導入
1979年	店舗総合		残存物取片づけ費用を導入
1980年～84年頃	住火火災、普通火災	風災・雹災・雪災を補償対象化(20万円フランチャイズ)	
1981年	住宅総合、店舗総合		失火見舞金を導入
1984年	住宅火災、普通火災(一般物件)		失火見舞金を導入
1980年代	住宅火災、住宅総合		地震火災費用保険金を導入

(出典)東京海上火災保険「損害保険実務講座5　火災保険」

火災保険料率水準の変化

木造建物	1900年頃 明治30～40年	1935年 昭和10年	1981年 昭和56年	2007年 平成19年	2021年 令和3年
地域	全国	神戸市	神戸市	神戸市	神戸市
補償危険	火災	火災	火災、落雷、破裂・爆発	火災、落雷、破裂・爆発、風災、雹災、雪災	火災、落雷、破裂・爆発、風災、雹災、雪災
一般物件基本料率(‰)	20.00(東京の実例)	2.80～17.00(地域別)	1.90～5.00(地域別)	2.44～2.88(地域別)	
住宅物件基本料率(‰)	3.00(徳島) 3.00(三重) 9.00(福岡) 10.00(その他) (すべて実例)		1.60	1.78	1.59(実例)

(出典)米山高生『みちくさ保険物語』、瀧谷善一『火災保険料率論』、損害保険料率算定会料率表

自然災害の激甚化で補償を絞る動きも

火災が広い地域に広がる「大火」は、日本で火災保険が発売されて以降昭和の時代までは損害保険会社にとって保険金支払いが多額となる巨大災害であった。しかし、建物の不燃化や生活様式の変化により出火件数は減少している。消防庁発行の「令和２年度消防白書」によると、年間の建物火災の出火件数は、第二次世界大戦直後の1946年以降の年間１万５千件ないし２万件から増え続けたが、1973年の４万２千件がピークで、その後は減少が続いている（2019年２万１千件）。

出火件数の減少だけでなく、防災体制の充実化もあり、火災保険の保険金支払額も減少が続いた。そのような時代、火災保険はリスクが安定しており、保険会社にとって優等生の商品であったといえる。1960年代から1980年代にかけて、火災保険の補償対象となる危険（Peril）の拡大と火災などによる損害発生に伴う費用を支払対象とする各種の「費用保険金」の導入が次々と行われた。対象危険は、火災、落雷、破裂・爆発から、風災・雹（ひょう）災、雪災を含むようになり、床上浸水等の条件はあるものの水災をオプションとして補償するようになった。航空機の落下・車両の衝突による損害、盗難、労働争議等による破壊行為による損害、給排水管からの突発的な出水による水濡れも対象となった。費用保険金としては、火災発生時の移動・宿泊等に充てるための臨時費用、残存物取片づけ費用、隣接する建物が類焼した場合の失火見舞費用、地震による火災で建物が半焼以上／家財が全損になった場合の見舞金的な性格の地震火災費用等の費用保険金が導入された。それらは、災害発生時の契約者の損失を軽減するため、消費者のための商品改定であったが、同時に、損害率の低下による保険料率の引下げ、保険料収入の減少を小さくするためのものでもあった。

しかし、近年、台風、豪雨、洪水等の自然災害や建物老朽化による水濡れ損害への保険金支払いが増加したため、保険会社はかつて広げてきた対象危険や各種費用の補償を狭めたり、契約者の選択に委ねたりするという販売方法の変更を行っている。火災保険の保険料率は、第二次世界大戦直後は1947年頃まで引上げもあったが、明治時代の発売以降一部の商品を除き、ほぼ引下げがなされてきた。しかし、最近は一転して2015年10月に保険料引上げ（料率算出機構の参考純率で平均3.5%）が行われ、その後も2019年10月（同5.5%）、2021年１月（同4.9%）に引上げを実施、2022年10月の引上げ（同10.9%）も予定されている。

5-3 自然災害と損保経営

日本における近年の自然災害による保険金の支払額（金額順）

種類	発生年月	災害名	地域（主な罹災地域）	支払保険金（億円）			
				火災新種保険	自動車保険	海上保険	合計
風水害	2018年 9月	平成30年台風21号	大阪・京都・兵庫等（関西国際空港）	9,363	780	535	10,678
	2019年10月	令和元年台風19号	東日本中心（北陸新幹線車両基地）	5,181	645	-	5,826
	1991年 9月	平成3年台風19号	全国	5,225	269	185	5,680
	2019年 9月	令和元年台風15号	関東中心（ゴルフ練習場）	4,398	258	-	4,656
	2004年 9月	平成16年台風18号	全国	3,564	259	51	3,874
	2014年 2月	平成26年2月雪害	関東中心	2,984	241	-	3,224
地震	2011年 3月	東日本大震災	東日本中心	12,881			
	2016年 4月	熊本地震	熊本・大分	3,898			
	2018年 6月	大阪北部地震	大阪・京都	1,206			
	1995年 1月	阪神淡路大震災	兵庫・大阪	783			
	2018年 9月	北海道胆振東部地震	北海道	517			

＊地震による支払保険金には、地震保険のもの（企業地震保険、海上保険は含まない）
（出典）日本損害保険協会資料（2021年3月31日現在）

火災保険支払保険金の補償危険別内訳の推移

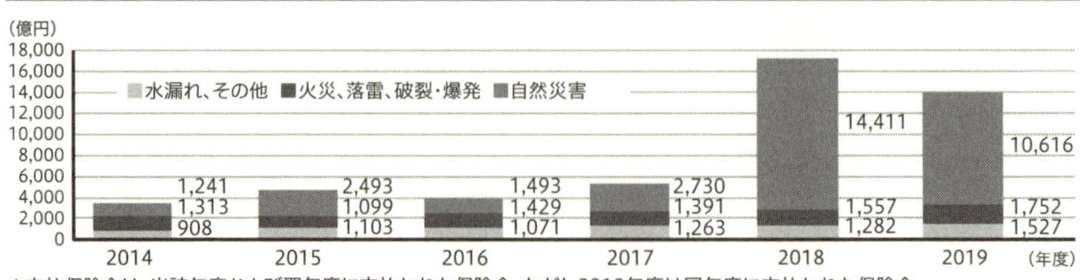

＊支払保険金は、当該年度および翌年度に支払われた保険金。ただし2019年度は同年度に支払われた保険金
（出典）損害保険料率算出機構『火災・地震保険の概況 2020年度版』より作成

火災保険の収支状況の推移

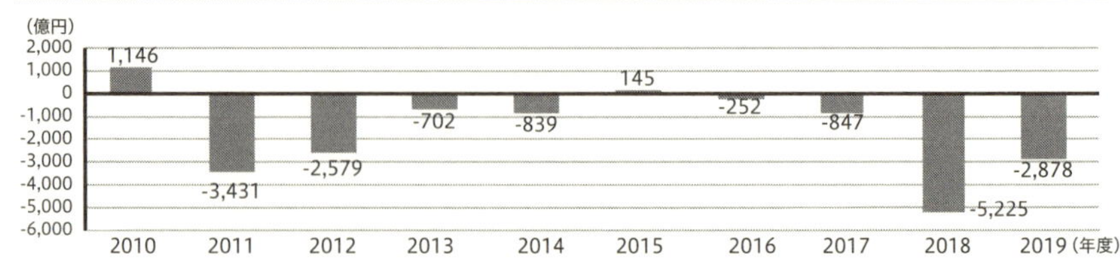

＊収支は火災保険正味収入保険料から正味支払保険金・損害調査費・事業費を差し引いた額（国内損保会社合計）
（出典）日本損害保険協会「火災保険における保険金支払いと収支の状況等」 2021年6月

“火災”保険の“自然災害”保険化が経営圧迫要因に

左表は風水害と地震（家計分野）による支払保険金の額を大きな順にランキングしたものである。2018年９月の台風21号では、関西国際空港における浸水がニュースになったが、広範囲に損害が発生して１兆円を超える保険金支払いとなった。北陸新幹線の車両基地内の車両が洪水で全損となった2019年10月の台風19号、千葉県等などで強風によるゴルフ練習場の鉄塔や送電線設備の破壊をもたらした2019年９月の台風19号は、5000億円規模の保険金支払いとなった。

損保各社に大きな打撃を与えたこれらの台風だが、気象学的には異常な勢力を示していたのではない。1959年の伊勢湾台風や1961年の第二室戸台風のほうが上陸時の気圧は低く、勢力は大きかったが、支払保険金としては大きくなかった。当時の火災保険では風水災リスクはほとんど補償対象から除外されていたのに対し、現在では広く補償され、また人口密集という集積リスクが大きいことが支払保険金の巨額化を招いている。

地震保険による保険金支払いの事例では、東日本大震災と熊本地震が阪神淡路大震災の損害額をはるかに上回っている。しかし、家計地震保険は毎年の収支残を積み上げてきた準備金と政府再保険により保険金を支払う仕組みが確立しており、損保会社の経営の安定を脅かす可能性は低く、制度の継続性を確保している。

現在、火災保険の危険別支払保険金の内訳として、火災ではなく自然災害が大きなウェイトを占めており、火災保険ではなく「自然災害保険」といってもよい。巨大リスクに対して、保険会社は経営安定化のため、異常危険準備金の積立、再保険の確保、CATボンドの発行など各種措置を講じている。また、自然災害のリスクには安定した統計データは存在しないため、リスクモデリング（**コラム2**参照）というコンピュータによるシミュレーションを行い、料率算出の基礎データの精度を高めていくことを行っている。しかし、直近10年間の火災保険の収支はほとんどがマイナスとなり、自然災害リスクが損保経営にとって最大の脅威となっている。

このような状況に対応するため、金融庁は、2021年６月に「火災保険水災料率に関する有識者懇談会」を設置し、保険料負担の公平性向上の観点から水災リスクに応じた火災保険料率の細分化について検討を行い、報告書を公表した。ただし、細分化は、洪水や土砂崩れの可能性の高い地域の保険料率が高くなり過ぎると保険を購入できなくなる人が出てくる、という問題をはらんでいる。

5-4 世界の自然災害による保険金支払い

世界の2000年から2019年までの巨大自然災害の保険金支払額（危険別）

対象危険	支払保険金の額
熱帯低気圧（ハリケーン、台風、サイクロン）	49.1兆円
激しい雷雨等*	39.5兆円
洪水	20.7兆円
地震	11.2兆円
干ばつ、日照り	8.8兆円
冬期の悪天候	6.8兆円
山火事	6.3兆円
欧州の暴風	5.2兆円
その他	0.1兆円

*雷雨、竜巻、雹を伴う嵐などの激しい対流性暴風雨およびそれらに伴う強風と洪水を含む
（出典）米国I.I.I.「2021 Insurance Fact Book」、2000年以降の支払保険金を2019年の額に換算
　　1ドル=110円

1970～2020年の災害による保険損害額

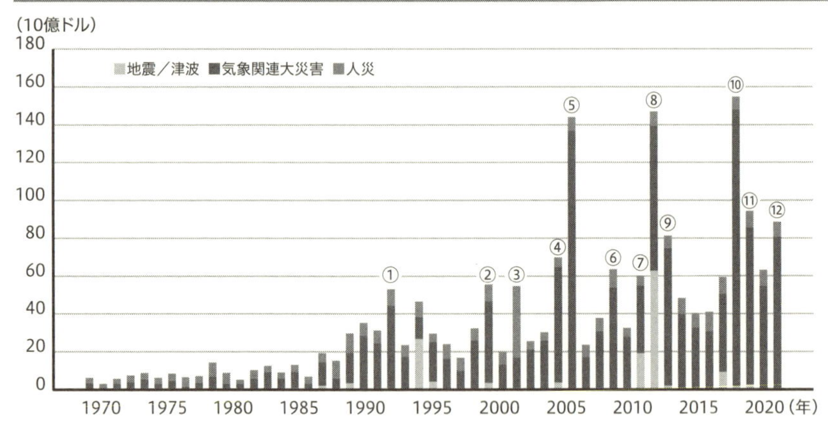

損害規模ランキング
①ハリケーン・アンドリュー（1992）　② 冬の嵐ロタール（1999）　③ワールド・トレード・センター（2001）
④ハリケーン・アイヴァン、チャーリー、フランシス（2004）　⑤ハリケーン：カトリーナ、リタ、ウィルマ（2005）
⑥ハリケーン・アイク、グスタフ（2008）　⑦チリ、ニュージーランド地震（2010）
⑧日本、ニュージーランドの地震、タイの洪水（2011）　⑨ハリケーン・サンディ（2012）
⑩ハリケーン・ハービー、イルマ、マリア（2017）　⑪キャンプ・ファイアー、台風チェービー（2018）
⑫ハリケーン・ローラ、山火事（2020）

*損害額は2020年物価基準
（出典）スイス再保険「sigma」

人口集中と気候変動で増加一方の支払額

左の表は、世界の2000年から2019年までの巨大自然災害の保険金支払額の累計を危険の種類別に示しており、ハリケーン・台風などの熱帯低気圧、暴風雨、洪水、地震が巨大な災害、巨額の保険金支払いをもたらしている。スイス再保険会社のレポートでは、人為的災害を含む災害事象に対する世界の全保険金支払額に対し、2018年は10.2兆円のうち9.2兆円を、2019年は6.6兆円のうち5.7兆円を自然災害による保険金支払いが占めている。厳しい気象災害および経済発展と都市地域の人口の増加が支払保険金の増加をもたらしている。

世界の損害保険業界では、次の５つが５大自然災害リスクとして認識されている。米国のハリケーン、カリフォルニア周辺の地震、欧州の暴風、日本の台風、日本の地震である。熱帯低気圧・暴風雨や地震といった自然災害は地球上の多くの地域で発生するが、経済的損失や支払保険金の額という観点では、人口が密集している地域、各種の産業施設が集積している地域で巨額の損失が発生しており、５大自然災害リスクが世界の損害保険業界の大きな脅威となっている。

下のグラフは、同じくスイス再保険会社による世界における過去50年間の災害事象に対する保険金支払額の推移であり、気象関連の災害に対する支払保険金の額は近年急激に増えている。米国大西洋岸を襲うハリケーンは、2020年の発生が30件（それまでの最高は2005年の28件）、沿岸部への上陸件数が12回（それまでの最高は1916年の９回）と記録を塗り替えた。海水温の上昇がそれをもたらしたといわれている。2020年の保険金支払額がそれほど大きくないのは、上陸した場所が人口の少ない地域であったことによる。

自然災害による支払保険金の額は、1970年から上昇傾向を続けており、それは今後も続くと予想される。人口の増加、危険にさらされる地域の資産価値の上昇、そして気候変動が上昇傾向の要因である。2020年は、中米のニカラグア、ホンジュラス、グアテマラにもハリケーンが来襲し深刻な被害が生じたが、保険の普及率が低いため保険金支払額はハリケーンの規模にしては少なかった。このことは、自然災害のリスクに関するプロテクションギャップを解消する必要があることを示している。また、雷雨、雹、竜巻、干ばつ、山火事などの頻度が高い中規模の自然災害については、暴風や地震ほど損害・支払パターンを細かいレベルでモニタリングし、モデリングすることが進んでおらず、その必要性が叫ばれている。

5-5 地球温暖化と気象災害

地球温暖化のメカニズム

太陽からのエネルギーで地表面が暖まる。地表面から放射される熱を温室効果ガスが吸収・再放射して大気が温まる。

二酸化炭素などの温室効果ガスの大気中濃度が上昇すると・・・

温室効果がこれまでより強くなり、地表面の温度が上昇する。

これが地球温暖化

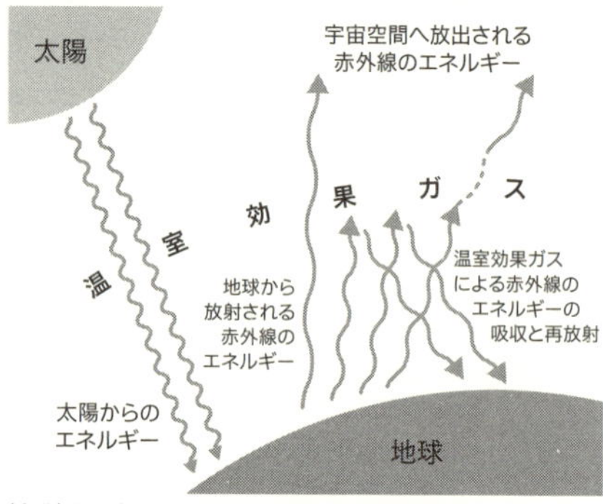

(出典)環境省「地球温暖化の影響・適応 情報資料集」

1850〜1900年を基準とした世界平均気温(年平均)の変化

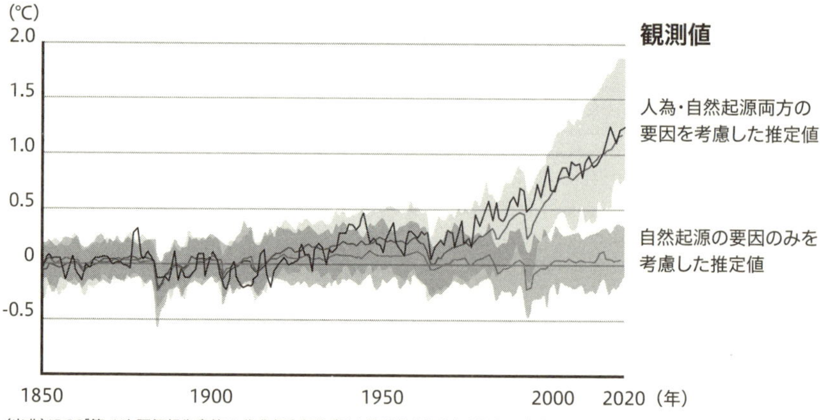

(出典)IPCC「第 6 次評価報告書第 1 作業部会報告書(自然科学的根拠)政策決定者向け要約」

地球温暖化による気象災害リスクの増大

温暖化		
	気温・海水温の上昇 →	台風など強い熱帯低気圧の発生が増加
	北半球中緯度の陸域で降水量増加 →	局地的なゲリラ豪雨の増加
	海面水位の上昇 →	高潮や洪水のリスクが増大

近年の台風や豪雨の増加・巨大化と関係か

地球温暖化とそれへの対応については、さまざまな観点から世界中で議論されている。ここでは、地球温暖化が気象災害をもたらすメカニズムをみていきたい。多くの人々が理解しているとおり、温暖化は、近年の人間の活動により発生する二酸化炭素などの空気中への放出量が増加し、それが「温室効果ガス」として大気中に滞留することが原因である。太陽から地球に降り注いだエネルギーが地表を暖めた後、かつてはより多く宇宙に放出されていたが、温室効果ガスのため地表から放出されにくくなり、地表に熱がこもり、地表の温度が上昇する。

地球温暖化は、どのような気象災害の増加をもたらしているのか。

熱帯低気圧：日本の南海上からハワイ周辺およびメキシコの西海上にかけては熱帯低気圧の発生頻度が高くなるといわれている。海水温が上がると海水の蒸発・上昇が増え、この上昇気流が強くなると低気圧が発生する。日本の南海の海水温上昇は台風の発生頻度や規模の巨大化を引き起こしているようである。過去発生の少なかった７月、８月でも台風の発生が増えている。ただし、地球全体では、熱帯低気圧の発生頻度が高くなったり、規模が大きくなったとの定説はない。

豪雨：気温が高くなると、空気中に溜められる水分量が増える。冷気団との接触等で降雨になると、溜まっていた水分が多いため降雨量も増える。日本で2018年７月に広島県等で災害をもたらした西日本豪雨や2021年７月のドイツを中心とした欧州の豪雨は、いままで起きることが少なかった地域で、堤防の決壊や土砂崩れなどの豪雨による災害を発生させている。

高潮、洪水：氷河が溶けた水などで海水面が上昇すると、台風で気圧が低くなった際に高潮になる、河川の水が海に流れにくくなる、といった原因で沿岸部・河口付近での洪水が増加する。東京、大阪、名古屋といった大都市沿岸部で洪水が発生すると大規模な損害発生につながる。

干ばつ、日照り：日本では少ないが、気温の上昇や低緯度地帯の降雨量の減少により、干ばつや山火事の発生頻度が高くなっており、各種被害が生じている。

このように、地球温暖化が各種の自然災害の発生を増加させていることは、多くの人々が認めるところである。異常気象の発生を抑えることはむずかしいが、異常気象の原因となる大気温や海水温の上昇を止める、少なくするために、二酸化炭素の排出を抑制することは人類全体にとって急務である。

5-6 家計地震保険の特徴と課題

保険の誕生	制度創設上の工夫	普及のポイント等
•1964年に新潟地震発生(M7.5) •1966年 6 月地震保険制度発足 →新潟県出身の田中角栄氏(後に首相に)が、大蔵大臣の時に誕生	①大数の法則に乗りにくい (採算性に疑問)⇒国家再保険制度 ②地域別に逆選択を招きやすい ⇒住宅用火災保険に原則自動付帯 ③損害の過度な集積 ⇒引受金額の制限、総支払限度額の設定	•居住用建物と生活用動産についての各種火災保険に原則自動付帯(付保しない選択は可能) •地域別世帯加入率(2020年): 宮城:51.9%、東京:37.7%、 愛知:43.3%、沖縄:17.2% 全国平均:33.9%(除く共済)

補償する危険	保険料の決定要素	直近の改定と課題
地震・噴火・津波による建物や家財の損壊、焼失を担保 <引受限度額> 主契約の30～50%に保険金額は制約され、かつ、 －建物　5,000万円限度 －家財　1,000万円限度 <総支払限度額> 12兆円 (2021年 4 月 1 日現在)	建物／家財の所在地と建物の構造により保険料率が決まる ①所在地: 都道府県別に全国を 7 区分 ②単建物の構造: イ構造(耐火構造、準耐火構造など)と口構造(それ以外)に区分、 (火災保険の構造による) ③4種類の割引制度あり (例)免震建築物割引(50%)、耐震等級割引(10～50%)、耐震診断割引(10%)、建築年割引(10%) (参考) 東京都、保険金額1,000万円、保険期間 1 年の年間保険料、 鉄筋コンクリート造:27,500円 木造:42,200円 (割引なしの場合)	•保険金の支払い 損害を 4 段階に区分して認定し、保険金額の一定割合を支払う(4 区分は2017年 1 月 1 日から) →全損:100%、大半損:60%、小半損:30%、一部損: 5 % ①個々に認定した区分による保険金の支払金額の合計額が「総支払限度額」を超える場合はその割合に比例して個々の保険契約の支払額が削減される →想定される巨大地震、南海トラフ地震や南関東地震に対する補償金額として十分か ②巨大地震後、迅速な段階別の損害認定、保険金支払が可能か ③普及率のバラつき

継続的な制度改定が不可欠

2011年３月11日、地震と津波で未曾有の被害をもたらした東日本大震災はあらためて地震保険の重要性を再認識させるきっかけになった。千年に一度という大震災の発生頻度は、損害保険の料率算出の基礎となる「大数の法則」という確率の適用が困難であることを意味している。今後、想定される南海トラフ地震、首都直下地震もその頻度は百年単位であることから精緻な統計記録は存在していない。しかし、多くの被災者を復興の軌道に乗せるためにも、自助・共助としての地震保険制度の確立、維持、普及は損保業界の使命として取り組む必要がある。損保業界はこれまで知恵を絞り、地震リスクに対して、「居住用火災保険への原則自動付帯」、「一軒当たりの保険金額制限」、「政府再保険」や「総支払限度額の設定」などの仕組みを取り入れることで運営可能な保険制度を整えてきた。

所在地、建物構造を基準とする料率設定には、損害保険料率算出機構が重要な役割を担っている。実統計が不十分であるハンディを克服し、リスクモデリングというコンピュータシミュレーションを用いて適正、妥当、公正な保険料を算出している。これをもとに、損保各社は独占禁止法適用除外の法令（「損害保険料率算出団体に関する法律」）のもと、同一の料率・条件での保険募集を行っている。

広域、多数の被災事案となる大地震時の課題は、迅速な損害調査と保険金の支払いである。そのため簡便な認定基準（全損・半損・一部損）を適用していたが、東日本大震災の経験から、顧客からの要望に応え、半損認定に２つの区分（大半損・小半損）を導入するなど、改善を図っている。しかしながら、どの区分に該当するかの判断には実地調査を要することもあり、被災者の罹災後の早期復旧のためには、より迅速な保険金支払いが望まれる。2011年の東日本大震災では、約82万件の契約に対する保険金支払いに１年近くを要した。予測される首都圏直下型地震や南海トラフ地震が発生した場合には、はるかに多くの支払件数になると予想される。迅速な損害調査、支払いは今後とも継続的に取り組むべき課題である。

東日本大震災時、5.5兆円であった総支払限度額は、現在、関東大震災規模に対応できるといわれる12兆円に増額された。とはいえ、東日本大震災（2020年度末で１兆2,881億円の支払い）や熊本地震（同、3,898億円）などの支払いが重なり、政府再保険への依存度を高めざるをえない状況にある。また、一軒ごとの引受限度額や総支払限度額の見直しを含め、制度の継続的な検討が必要であろう。

5-7 家計地震保険の仕組みと普及の現状

地震保険の再保険の仕組み

◆地震保険再保険スキーム

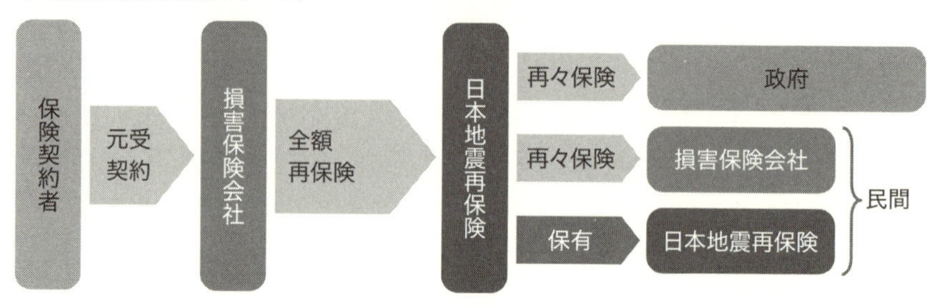

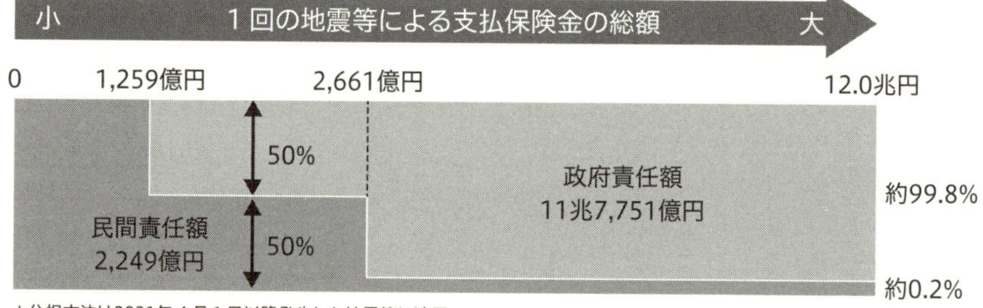

＊分担方法は2021年４月１日以降発生した地震等に適用
（出典）損害保険料率算出機構「火災保険・地震保険の概況」2020年度版（2021年４月発行）

地震保険の普及率・世帯別加入率の変遷

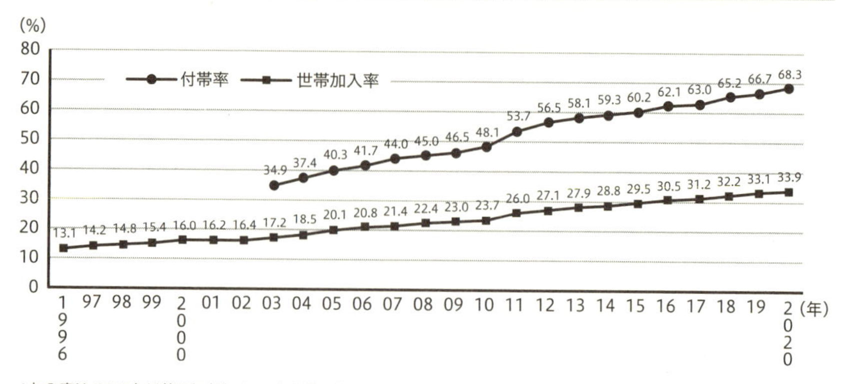

＊加入率は、2012年以前は年度末、2013年以降は年末の契約件数と世帯数より算出
（出典）日本損害保険協会「ファクトブック2021」（原典は損害保険料率算出機構）

政府再保険が大きな支え

地震保険制度がどのように運営されているのかをみてみよう。まず、元受損保社は顧客（契約者）から引き受けた地震保険の責任を日本地震再保険株式会社（以下、「地震再保社」）に対して全額を再保険に付す（出再する)。全リスクを引き受けた地震再保社は政府を再々保険者とする「地震保険超過損害額再保険契約」を締結し、保有損害を一定規模に収める再保険を手当てする。超過損害額再保険とは別名「エクセス・オブ・ロス再保険」といい、あらかじめ約定した損害額を"超過(エクセス)"した場合、超過分を再保険金として回収することができる契約である。地震再保社は政府に再々保険に付した残余の責任の一部を元受損保社へ再々保険する。ややわかりにくいが、左図の出再フローのとおり、元受損保社から地震再保社への再保険と地震再保社から政府および元受会社への再々保険によって運営されている。

政府へのエクセス・オブ・ロス再保険契約の発動を図示したものが「政府地震再保険スキーム」である。１件当たりの地震保険の支払保険金は約定した保険金額が最大の支払額であるが、広域に多数の保険金支払いが発生するため、１件１件の支払保険金の合計は巨額になる。これを集積損害というが、集積損害が1,259億円に達するまでは政府からの再保険金の回収はない。一方、この額を超えた部分の支払いに対しては再保険が発動し、集積損害が2,661億円まで50%分を回収することができる。さらに、2,661億円を超えれば、集積損害が現在の総支払限度額である12兆円となるまで、対象となる支払保険金の約99.8%を回収することができる。以上のとおり、巨大地震が発生し、地震保険の支払保険金が12兆円となる場合には、元受会社と地震再保社の正味負担額は2,249億円、政府の負担額は11兆7,751億円となる。地震保険制度は1966年の開始以降、これまで補償内容や総支払限度額の23回の改定が行われており、今後も見直しが予想される。

1995年１月に発生した阪神淡路大震災は「関西地方では地震は起きない」との思い込みを覆すものであり、その後全国での地震保険の普及率は、徐々にではあるが伸び続けている。東日本大震災のあった2011年の普及率はそれ以前より大きく上昇した。しかし、現在の世帯数に対する普及率（共済を除く）は３分の１程度である。地域的にも、現在、最高は宮城県の51.9%、最低は沖縄県の17.2%と地域的なバラつきが大きい。

5-8 企業向け地震保険の課題と企業の対応

企業向け火災保険の補償内容、地震危険補償特約

損害に対する補償

火災、落雷、破裂・爆発	財産の補償
風災・雹(ひょう)災・雪災	
水災(床上浸水または一定以上の損害)	
水濡れ	
建物外部からの物体の衝突	
航空機落下・車両衝突	
労働争議等に伴う破壊行為 等	
電気的・機械的事故	
偶然な事故による破損・汚損 等	
喪失利益・収益減少防止費用	事業中断の補償
営業継続費用	

費用に対する補償

- 臨時費用／災害緊急費用
- 残存物取片づけ費用
- 失火見舞費用
- 地震火災費用
- 修理付帯費用
- 損害防止費用

特約(任意付帯)

- **地震危険補償**
- 敷地外物件補償

阪神大震災、東日本大震災、熊本地震の経済損害額と保険金支払額

日付	地震名	発生時点の損害額	
		経済的損失額	支払保険金
1995年 1 月17日	阪神淡路大震災	1,000億ドル	30億ドル
2011年 3 月11日	東日本大震災	2,100億ドル	400億ドル
2016年 4 月14日、16日	熊本地震	320億ドル	62億ドル

＊支払保険金は、すべての保険・共済を含めた推計合計支払額
(出典)米国I.I.I.発行「2021 Insurance Fact Book」

保険以外の地震に対するリスクへの対応手段

リスクの保有
↓
自家保険
高自己負担額

ファイナンス・
金銭的備え

コミットメントライン
(キャッシュフローの確保)

リスクの転嫁

地震デリバティブ
CATボンド

地震リスクへの対応手段は多様化

企業の地震リスクに対しては、火災保険の特約としての地震危険補償特約がある。この特約の補償危険は地震・噴火やそれらによる火災・破裂爆発、地震による津波・洪水であり、建物、機械設備、什器備品、製品・原材料が対象である。

しかし、この地震危険補償特約は広く普及しているとはいえない。家計地震保険の世帯加入率が33.9%となっていることと比べ、正確な数字は公表されていないものの、企業向け地震保険の加入率はより低いと推測される。左表の地震による経済的損失額と対比では、支払保険金の額は少ない。東日本大震災に対する支払保険金を金融庁が発表しているが、企業向け地震保険の支払保険金は約6,000億円であり、加入率が低いことをうかがわせる。

企業向け地震保険が普及していない理由としては、補償金額が十分でないことや保険料が高いことがあげられている。現在、地震危険補償特約を付帯する場合、火災保険における建物や機械設備等の保険金額とは別に、地震１回当たりの支払限度額を設けるか、一定の縮小支払割合を定めることになっている。かつては、地域によっては縮小支払割合を定めることが必須で、かつその割合は15%や30%であった。現在は支払限度額による方法があるが、限度額が地震による予想最大損害額（Provable Maximum Loss, PML）よりかなり小さいものであるならば、保険付保の魅力は薄い。しかし、集積する地震危険の引受けは、再保険を手配していることが前提であり、日本の地震危険は世界の５大自然災害リスクの一つで再保険料も高いため、日本の損保が引受けに消極的にならざるをえない面がある。

そのような状況下、保険以外のリスク対応手段も活用されている。金融機関が（損保も）引き受ける地震デリバティブ、企業が手配した例のあるCATボンド、コミットメントラインによるキャッシュフローの確保である。前２者では実際の損害が100%補償されるとは限らないが（ベーシスリスク）、支払いに時間はかからないというメリットがある。取引先の罹災により生産活動を停止する場合の利益喪失等を補償する「敷地外利益保険」も地震については損保が積極的に販売していない。物保険で資産の損害を補償するだけではなく、地震による利益損失を補う、復旧資金を得るという対策も考慮し、保険と保険以外の手段を組み合わせるということも地震に対するリスクファイナンスとして有効である。

5-9 広域自然災害の損害調査

地震保険における損保業界共同調査

●共同調査の目的

航空写真を用いて、
損害程度が「全損となる地域」を認定
→各損害保険会社は、当該地域内の契約について立会調査を省略し、迅速な保険金支払につなげる

●共同調査の組織と要員

統括責任者（損害サービス部会長）

判定チーム

航空写真で被災状況確認
共同調査候補地域選定
・保険会社社員、損害保険鑑定人
・航測会社

現地調査チーム

共同調査地域の現場調査
・保険会社社員、損害保険鑑定人
・外部調査機関（リサーチ会社）

各社による広域災害時の立会調査と支払業務

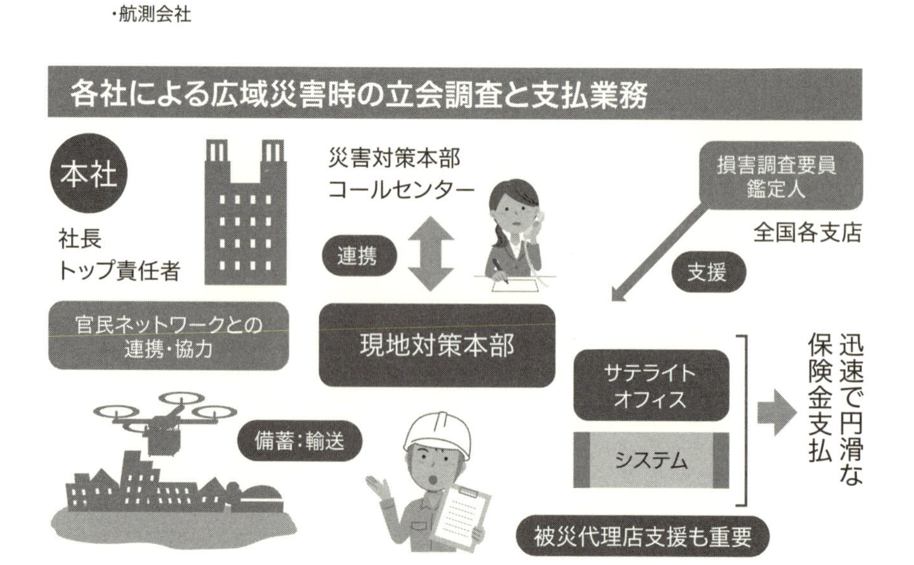

損保業界の共同調査、デジタル技術の活用

日本では、地震、台風などによる広域災害は避けられない。大規模な広域災害が発生した場合に、迅速な損害調査と保険金支払いが行えるように、平時からの備えが非常に重要である。以下、業界の共同取組みと各社の取組みを紹介する。

地震保険における損保業界共同調査

日本損害保険協会内に設置され、各社から派遣された社員で構成される共同調査団が、航空写真や衛星写真を用いて、損害程度が全損となる地域を認定する。このことを「地域全損認定」と呼び、この認定結果の提供を受けた各損害保険会社は、当該地域内の契約について、立会調査を省略して全損認定し、保険金を支払う。全損認定地域の範囲決定には、正確なデータ収集と客観的な分析が重要である。また、損保協会は各社が行う立会調査の効率化のため、業界共用タブレットシステム（地震アプリ）を開発し、各社がそれを活用している。

各社の取組み

各社は独自の広域災害対策を着々と進めている。「対策マニュアル」を作成し、本社での対応や被災地での運用、要員の全国手配などの計画を災害の規模に応じて策定し、実施している。広域災害発生時には、直ちに社長や役員をトップとする災害対策本部と専用のコールセンターを立ち上げ、被災地に現地対策本部、近隣にサテライトオフィスを複数設置する。全国各地からは、社員や外部の損害保険鑑定人を調査要員として派遣する。モバイル端末やドローンを活用した現地調査とリアルタイム、ペーパーレスのシステムで情報連携・共有を行う。損害調査では、被災者の負担軽減のため、被災者が作成した書類と写真で損害調査を行う「損害状況申告方式」や、マンションが損害を受けた場合に「共用部分の損害認定基準」を一律「専有居住部分の損害認定」に適用する簡易な方式をとっている。

新たな取組み

近年の損保各社の取組みは、デジタル技術とAIの活用である。広域自然災害は罹災する契約者が多いため、迅速かつ客観的基準による損害の認定が求められる。水災は、床上浸水、地盤面からの浸水の高さ、建物・家財の再調達価額の30％以上の損害が保険金支払いの要件となるため、人工衛星・ドローン・SNSで送信された画像を浸水した地域の範囲の認定や浸水の高さの測定に活用している。また、水災に限らず、AIを建物の修理費算定に活用するといった取り組みを進めている。

5-10 防災・減災への取組み

世界の保険業界の自然災害の防災・減災への取組み

防災・減災の取組み	取組みの概要
自然災害のリスク評価	●ハザードマップ提供（洪水、崖崩れ、津波、噴火、雹、竜巻などの地域特性のあるリスクを統一的な基準で評価して提供） ●建物・機械設備装置等のリスク評価（水災、地震など）
気象に関する警報	●災害が発生しそうな気象状況になった場合に、顧客企業などにアラートを出す
防災・減災対策のアドバイス	●自然災害がもたらす資産の損失、中断等事業に及ぼす影響の評価を行い、損失額の想定、防災・損失軽減を提案
事業継続計画（BCP）作成支援	●災害が事業に及ぼす影響の評価、復旧計画の策定、計画の有効性の検証、既存BCPのレビュー・改善提案
災害復旧サービス会社との提携による復旧支援	●火災、水災、地震などに罹災後、建物や機械設備を迅速かつリーズナブルな費用で復旧するサービスを提供

防災・減災に向けた国内損保のユニークな取組み

	東京海上日動	MS&ADインシュアランスグループ	損保ジャパン
取組み	地方自治体向け 水災危険度予測システム ●豪雨が発生した際の初動のタイミングにおいて、自治体の適切な意思決定をサポートし、住民の被害を最小限に抑える	衛星画像と気候モデルによる 河川洪水リスクの把握 ●地球温暖化で顕在化しつつある河川洪水リスク把握する	地方自治体向け 防災・減災費用保険 ●住民の生命・身体の保護するため「空振りをおそれない予防的な避難指示」をすることに資する
概要	●防水科学技術研究所が保有する過去の雨量データや降雨再現期間情報（大雨の稀さ情報）等、自然災害データをシステムに取り込むことで浸水エリアを即時に推定する、自治体の住民に対する避難誘導の緊急度が高いエリアを特定する（東京海上日動と東京海上日動リスクコンサルティングが防災科学技術研究所の協力により開発）	●数百万枚の衛星画像と河川の地形図から、洪水氾濫域の洪水発生や規模の増減傾向を検出する手法を開発（芝浦工業大学、東京大学、MS&ADインターリスク総研が共同）	●保険の内容：大雨、台風、風災、水災、雪災等の自然災害（地震・噴火・津波はオプション）またはそのおそれが発生し、自治体が「避難指示または高齢者等避難指示をした」ことにより、自治体等が負担する費用を補償（災害救助法の適用がない場合） ⑴避難所の設置 ⑵食品の供給 ⑶飲料水の供給 ⑷被服・寝具貸与　等
目的	●強靭で自然災害に強い地域社会づくりに貢献する	●企業や行政による洪水等の気象変動リスクの適切な分析を支援することで、温暖化被害の削減に貢献する	●災害救助法適用の場合は国庫からの補助があるが、法の適用基準に満たない場合は自治体の全額費用負担となるため、避難指示の早期発令等を躊躇させない

（出典）各社HP、内閣府防災情報のページ

損保ならではのリスク対策・被害軽減策

損害保険会社はリスクを引き受けて事故発生時に保険金を支払うだけでなく、各種の防災・減災対策を顧客に提供してきた。日本で最初に火災保険を販売した東京火災（現損保ジャパン）は私設消防組（消防隊）を組織し、火災発生時には契約対象や隣接の建物をとび口で破壊することによる鎮火・減災の活動を行っていた。現在、損保は火災・自然災害、賠償事故などのリスクの発生防止や削減に幅広く取り組んでいる。自然災害は、その発生を抑えることは困難であり、危険の事前認知、危険に対する脆弱さへの対策をとり被害軽減を図るといったものが多い。自然災害に対する世界の保険会社等が行っている取組みは次のとおりである。

自然災害のリスク評価：洪水、崖崩れ、津波、噴火、雹、竜巻などの地域特性のある危険を地図上に表示し提供するハザードマップが好例である。日本では、国土交通省や地方自治体による洪水のハザードマップがよく知られている。

防災・減災対策のアドバイス：自然災害が建物・機械設備等の資産に与える損害、中断・縮小といった事業に及ぼす影響を評価し、対応策を提案する。

事業継続計画（BCP）作成支援：BCPは自然災害に限定したものではないが、水害や地震が発生した場合は施設の大きな損壊となることがあり、重要である。

災害復旧会社との提携による復旧支援：火災や水害などの災害からの早期復旧を業務とする専門会社がある。リーズナブルな費用での復旧方法のアドバイスも行う。ドイツ発祥のベルフォア社、リカバリープロ社、米国のサービスマスター社などで、日本の損保はこれらと提携し、火災保険の付帯サービスとしている。

日本の大手損保は、同グループ内のリスク・コンサルティング会社や外部機関と連携するなどして各種取組みを行っており、そのユニークなものを紹介する。

東京海上日動：豪雨が発生した場合に浸水エリアを即時に推定し、それを地方自治体に提供することで、自治体の意思決定をサポートし、住民の被害を抑える。

MS&ADインシュランスグループ：河川洪水について、氾濫地域の洪水発生や規模の増減傾向を検出する。企業や行政に提供し、その適切な分析を支援する。

損保ジャパン：台風・水害などの自然災害が発生した場合、住民の被害が一定基準以上になると災害救助法に基づく国庫負担があるが、基準に満たない場合は補助がなく、自治体の費用で避難所設置等を行う。法適用が微妙な場合に自治体が避難命令・指示をためらうことのないよう、保険で避難に関する費用を支払う。

第6章

100年に一度の
自動車産業の変化と自動車保険

6-1 自動車保険の特徴と課題

保険の誕生	日本での誕生	普及のポイント等
•1896年にイギリスで誕生（ロンドン－ブライトン間の自動車競走を引受） •アメリカでは火災保険の特約として誕生（財産保険）	•東京海上社（現東京海上日動）が、1914年（大正 3 年）に認可取得	•モータリゼーションの進展と車の割賦販売（債権保全） •賠償金額の高騰に伴う社会的要請（被害者救済） •損害率の安定化と採算性の確保（保険経営）

補償する危険	保険料の決定要素	今後の課題
①対人賠償 ②対物賠償 ③人身傷害補償 ④搭乗者傷害 ⑤車両 （注）多様な特約補償（保険会社毎の商品によって異なる） •弁護士費用特約 •地震・噴火・津波補償 •車両搬送費用補償特約 •対物超過修理費特約	**1. 参考純率型** 「フリート契約（10台以上）」と「ノンフリート契約（10台未満）に大別される ①基本保険料（補償項目ごとに、被保険自動車の用途・車種、料率クラス（自普乗、自小乗の場合）、年齢条件等で決定） ②過去の保険事故歴による割増割引（メリット・デメリット制度）：フリートとノンフリートで異なる ③その他の割増割引（安全装置など） **2. リスク細分型** ①年令、②性別、③運転歴、④使用目的、⑤地域、⑥使用状況、⑦免許種別、⑧安全装置、⑨所有台数の9種類にリスク区分が規制、料率の幅にも制限* *性別・地域は1.5倍以内など	•テレマティクス自動車保険 クルマに搭載した測定器を使い、走行距離や運転動向を把握し、保険料の算定に利用する仕組み。 •自動運転自動車の登場に伴い、自動車の運転リスクを、誰が、どう担うべきかという大きな問題が浮上 ↓ 被害者救済費用等補償特約 （例） •完全自動運転自動車の場合、責任はすべて製造者に帰す、という考えがある（製造物責任に変わる） •自動車保険市場全体が縮小する可能性

運転リスクが変われば保険も変わる

自動車保険の誕生については諸説あるが、英国では1896年に「幹線道路上の蒸気自動車に関する法律」が制定され、速度制限が４マイル（6.5km）から12マイル（19km）に緩和されたことを祝ってロンドン―ブライトン間で記念走行が開催された際に、はじめて保険の引受けがなされた。同じころ、米国オハイオ州で自動車運転に対して第三者賠償責任の保険をつけたという記録がある。

日本での自動車保険は、世界からそれほど遅れることなく、1914年〈大正３年〉には認可されてはいたが、その後の発展は欧米とは少し異なる。自動車は高価であり、自動車保険は、対人賠償よりもむしろ自動車そのものがもつ財産としての価値を事故による損失から守る財産保険（車両保険）に重きを置き（割賦販売業者の債権保全など）、保険の設計思想そのものが車両（クルマ）を主体とする用途・車種別料率体系を中心として発展してきた。

その後、ヒトの要素も年齢条件や事故の有無による割引・割増制度（等級制度）などが導入され、より精緻で安定的な料率体系が生まれたが、クルマとヒトの要素を組み合わせたため、商品が複雑化した。さらに、自由化、規制緩和が進み、競争が激化するなか、各社は独自性を打ち出すべくさまざまな特約を付加した結果、さらに複雑なものになり、当事者の認識の範囲を超えて、商品だけが独り歩きするという弊害が生まれた。2005年～2007年にかけて相次いで発覚した自動車保険の「保険金不払い問題」にはこうした背景があると考えられている。

ヒトとクルマの要素を十分に取り込み、細分化した最適な料率設計に立ったわかりやすい自動車保険がいま求められている。テレマティクス自動車保険（**3-7**、**6-5**参照）が登場し、搭載したデバイスを使って走行距離や運転動向を顧客自身が把握し、保険会社の保険料の算定に反映できる商品として存在感を高めつつある。この仕組みは、個人向けだけではなくもともとタコグラフという車載器を使って運行管理している企業用自動車においても利用されている。通信環境も整備され、装置自体の性能も向上し、より正確な運転動向が計測できるようになった結果、事故率低下など、フリート自動車の保険料に反映されている。

保険会社は来るべき自動運転時代に備え、事故原因に関わらず被害者保護を最優先する特約（被害者救済費用等補償特約）の導入など適切な保険商品の改定、開発に余念がない。

6-2 自賠責保険

保険の誕生	自賠責固有の商品内容・制度	普及のポイント等
•「自動車損害賠償保障法」が制定（1955年７月） •自賠責保険営業開始（1955年12月）* •保険付保義務化（1956年２月） →被害者救済を目的とする強制保険 *出典：「東京海上百二十五年史」	①免責は悪意の場合のみ（保険会社は支払義務） ②被害者の重大過失があった場合のみ20～50%の減額 ③被害者からの直接請求 ④保険会社の営利を認めず（ノーロス・ノープロフィット）	①自賠責を付けないと車検を通らない。いわゆる「車検リンク制度」をとっている ②無車検・無保険の自動車は運行の用に供してはならない（道路運送車両法58条、自賠法５条）。違反した場合の罰則 •無車検車運行は６カ月以下の懲役または30万円以下の罰金（道路運送車両法108条） •無保険車運行は１年以下の懲役または50万円以下の罰金（自賠法86条の３）
補償する危険	**保険料の決定要素**	**今後の課題**
他人の生命もしくは身体を害し、法律上の損害賠償責任を負担する場合の損害 •発足当時の限度額 死亡（30万円） 重傷（10万円） 軽傷（３万円） •現在の限度額 死亡（3,000万円） 後遺障害 （常時介護4,000万円） （その他3,000万円） 傷害（120万円）	•車種と保険期間による（車検証の有効期間を充足する必要がある） •本土用、本土離島用、沖縄本島用、沖縄離島用の４種類の料率テーブル （例） 本土の自家用普通自動車： ・37カ月＝27,770円 ・36カ月＝27,180円 ・25カ月＝20,610円	①原付自転車の付保率拡大 ②ダイレクト販売（通販）の検討 ③将来の車検制度の改革への対応 （注）保険料改定の経緯 ①2013年４月１日：平均13.5%引上げ ②2017年４月１日：平均6.9%引下げ ③2020年４月１日：平均16.4%引下げ ④2021年４月１日：平均　6.7%引下げ

「交通戦争」時代に誕生した被害者救済制度

1955年（昭和30）７月、「自動車損害賠償保障法」（以下「自賠法」）が制定された。当時、わが国の自動車保有台数は約150万台、交通事故による死者数は約6,000人にのぼっていた。その後、高度成長期に入り、年間交通事故死が２万人、「交通戦争」と呼ばれる最悪の状態に陥るのであるが、この法律制定は、被害者救済が喫緊の課題と見据えた政治的慧眼であった。ちなみに、現在の保有台数は8,000万台を超え、死者数は3,000人を切っている。

自賠法制定時、自動車保険はすでに存在していたが、**6-1**でみたとおり、車両損害に対するがニーズが中心で、対人賠償の普及率は10%程度ときわめて低く、ヒトの値段が重くみられていない時代であった。自賠法の制定により、対人賠償をすべての自動車に付保するという加入義務を課した強制保険が誕生したのである。

この法律では、被害者救済を目的とするため、自賠責保険の強制加入によって基本補償を確保することのほか、加害者側にほぼ無過失責任（加害者に過失があったことを被害者が証明する必要がない）に近い賠償責任を負わせること、また、ひき逃げや盗難車など保険がついていない自動車による対人事故に対して自賠責保険と同様の補償が受けられる「政府保障事業」などに特徴がある。特に、運行供用者（自己のために自動車を運行の用に供する者であり、自動車の運行を支配し、かつ運行によって利益を得る者）は、加害者ドライバーの責任範囲を超えて広く使用者の責任まで踏み込む画期的なものであった。

基本補償である自賠責保険の限度額は、時代にあわせて増額されてきたが、昨今の賠償責任訴訟等の事例では４億円以上の認定額が数多く出ていることから、対人賠償の上乗せ補償を提供する任意自動車保険の付保はドライバーにとって必須条件である。なお、自賠責保険は、損害保険料率算出機構の料率をもとに各社一律の営業保険料で募集を行い、営利を求めない保険である。

6-4でみるように、ASV（先進安全技術）により交通事故は減少するなか、自動運転による事故に対する賠償責任のあり方が大きく変化することも予期され、自賠責の制度変更などの検討も進められている。

6-3 通販型自動車保険

1 通販型自動車保険の収保推移

●ダイレクト損保社の市場占有率推移

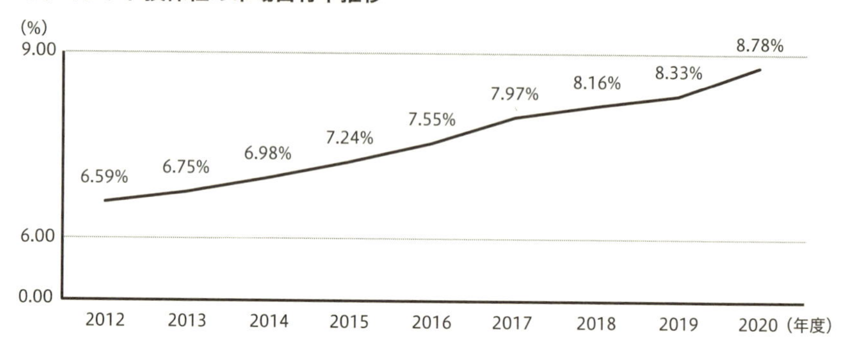

●自動車保険ダイレクト損保 9 社の収保推移

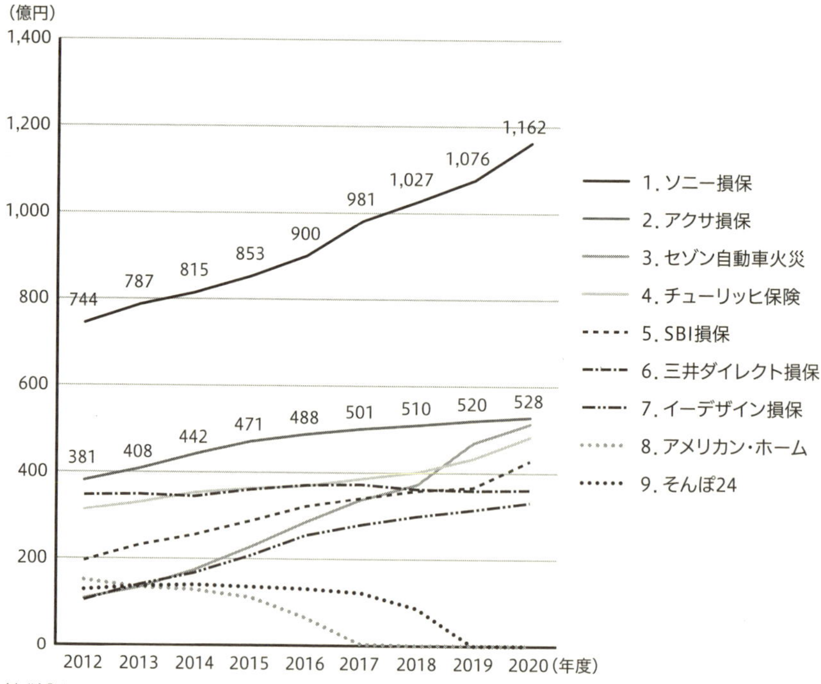

（出典）「インシュランス統計号、日本損害保険協会発表」資料から筆者作成

伸び悩むマーケットシェア

1985年、英国のダイレクトライン社が電話による自動車保険通販を開始した。同社の企業ロゴ（赤い電話機）はテレビや新聞の広告に載り、代理店や保険ブローカーの仲介料が不要なので、その分格安の自動車保険だと一世を風靡した。たしかに仲介手数料を省くメリットはあるものの、初期段階では広告媒体には莫大な費用がかかったこともあり、喧伝されるほどの効果はなかった。実は、格安保険料を提供できる理由は、ドライバーの年齢、性別、住所、使用目的、走行距離などのデータを精査し保険料を算出するリスク細分化料率の導入にあった。事故が少ない契約者層へアピールする当初のアプローチを経て、やがて全契約層に対するきめ細かい対応によって瞬く間にシェアを拡大した。その後、規模の拡大に伴い、広告費の逓減にも奏功し、英国保険協会によれば、個人の自動車保険では通販型が60％余の市場占有率までに達したという。

IT技術の進歩に伴い、電話による取引よりインターネット経由の申込みが普及した結果、自動車保険市場は、単純なダイレクト一辺倒の段階から、アグリゲーター（比較サイトの運営事業者）の登場など、仲介業者を介在させても、割安で競争力のある保険を提供できる会社も加わり複雑な市場に変貌している。

日本では1996年にリスク細分化料率が導入され、それまでの用途・車種・型式・年齢条件などの保険料算出方式とは別に、年齢・性別・運転歴・使用目的・使用状況・地域・種別・安全装置の有無・所有台数の追加の危険要因が採用されている（保険業法施行規則第12条）。外資系損保が通販でこの料率を採用して以来、ほかの多くの保険会社が採用し広く普及している。

通販型の自動車保険は、当初、英国のように急激に拡大することも想定されたが、直近10年余の状況は、着実に増加しているものの微増にとどまり、８％程度のマーケットシェアとなっている。外資系損保に加えて、異業種からの参入や既存損保の別働隊的な通販専門会社も参戦し、最大種目である自動車保険でしのぎを削っている。しかし、大宗を占める代理店経由の自動車保険契約は、副業保険代理店を兼ねる自動車ディーラーや整備工場業者が大きなウェイトを占めている。今後、CASE（C：コネクテッド、A：自動運転、S：シェアリング、E：電動化）と称されるDXと自動車の融合が自動車産業や付随する自動車保険販売にいかなる影響を及ぼすかの見通しはいまだ不透明である。

コラム 8

官民ITS構想・ロードマップと自動運転レベル

1 官民ITS構想・ロードマップ

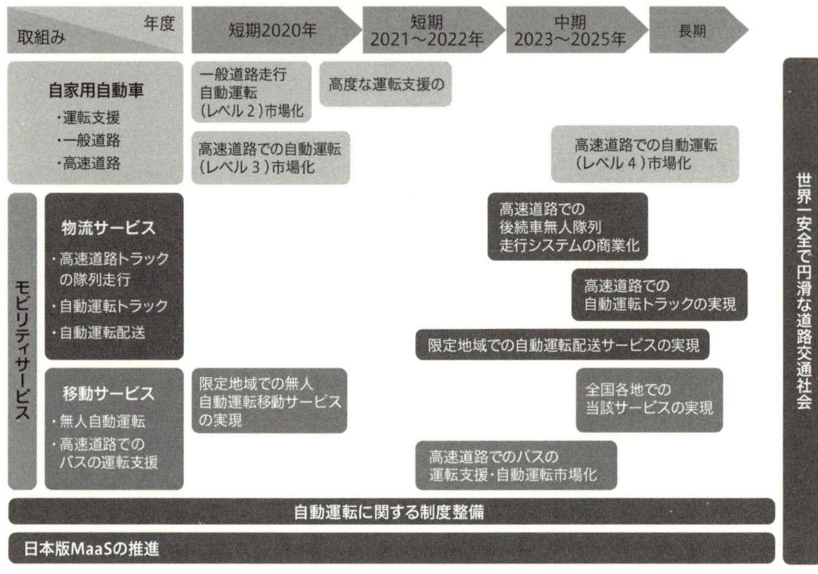

(出典)「官民ITS 構想・ロードマップ」高度情報通信ネットワーク社会推進戦略本部・官民データ活用推進戦略会議資料 2021年6月15日から抜粋作成

2 自動運転レベル

レベル		概要		操作の主体
レベル0	運転自動なし	運転者が一部またはすべての動的運転タスクを実行	●運転者がすべての動的運転タスクを実行	運転者
レベル1	運転支援		●システムが縦方向または横方向のいずれかの車両運動制御のサブタスクを限定された運行設計領域において実行	運転者
レベル2	部分運転自動		●システムが縦方向または横方向両方の車両運動制御のサブタスクを限定された運行設計領域において実行	運転者
レベル3	条件付き運転自動	自動運転システムが(作動時は)すべての動的運転タスクを実行	●システムがすべての動的運転タスクを限定された運行設計領域において実行 ●作業継続が困難な場合は、システムの介入要求等に運転者が適切に応答	システム(作業継続が困難な場合は運転者)
レベル4	高度自動運転		●システムがすべての動的運転タスクおよび作業継続が困難な場合への応答を限定された運行設計領域において実行	システム
レベル5	完全自動運転		●システムがすべての動的運転タスクおよび作業継続が困難な場合への応答を領域の限定なく実行	システム

ITS（Intelligent Transport Systems（高度道路交通システム））とは、最先端の情報通信技術等を用い人と道路と車両とを一体のシステムとして構築することにより、ナビゲーションシステムの高度化、有料道路等の自動料金収受システムの確立、安全運転の支援、交通管理の最適化、道路管理の効率化等を図るものである。1995年に政府の関係５省庁で本格スタートしたが、その守備範囲は広く、社会課題（少子高齢化、エネルギー・環境問題、経済成長の鈍化、安全・安心）のみならず、個人視点での創出すべき価値まで取り上げ、現在第４期中期計画（2021-2025）を開始しているところだ。

一方、官民ITS構想・ロードマップには、政府の戦略として官民が一体となって情報、方向性の共有化を図るという目的があるが、これまでの自動運転の進化だけでなく、地球温暖化の進行、コロナ感染症の蔓延など深刻化する社会環境の変化に即して、MaaS（マース：Mobility as a Service）やSociety5.0の実現を意識した多軸的な展開を目指している。

2030年の目標を「国民の豊かな暮らしを支える安全で利便性の高いデジタル交通社会※を世界に先駆け実現する」とし、具体的には、①「安全・安心」（交通事故・コロナ・防災・減災・個人情報セキュリティ）、②「利便性」（スムーズ・快適・移動時間の活用）、③「環境」（低炭素・エネルギー効率）、④「自由な移動」（いつでも・どこでも手軽に・移動の楽しみ）、⑤「ヒトとモノの移動のDX」（効率性・産業競争力）を掲げている。鍵となるのはデジタルモビリティプラットフォームの構築であり、政府のデジタル庁の取組みだ。

損害保険ビジネスは、当然この枠組みのなかにあって、自家用自動車、物流サービス、移動サービスなどすべての分野において重要な役割を果たすことが求められる。とりわけ、自動運転レベルが着実に発展し、近い将来完全自動運転の時代が到来するときには、損害保険業界の構造そのものが変貌することは論をまたない。したがって、損保各社は、このロードマップに対して自らの役割を明確化し、積極的な参画が不可欠である。

※デジタル交通社会（AIやIoT技術等を駆使した情報連携により生み出されるさまざまなモビリティサービス（交通サービス含む）と自動運転等のモビリティによる革新的移動社会）

6-4 先進安全技術の普及と自動車保険

1 ASV（先進安全自動車）は急激に普及

●乗用車生産台数に対する先進安全技術（ASV）装着率*の推移

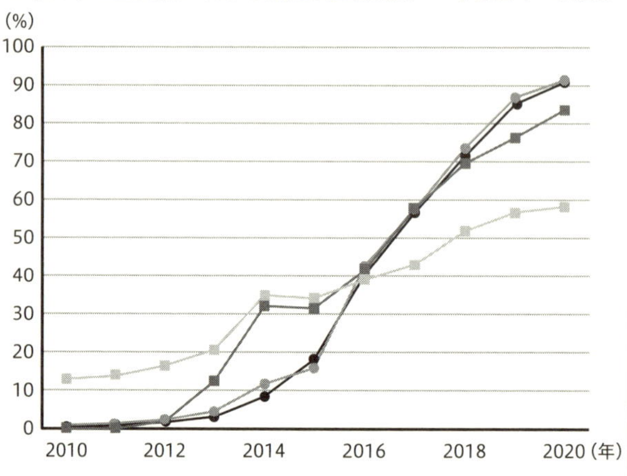

車線逸脱警報装置　ペダル踏み間違い時加速抑制装置　前方障害物衝突被害軽減制動制御装置（衝突被害軽減ブレーキ）　後退時後方視界情報提供装置（バックカメラ）

＊装着率＝装着台数÷総生産台数
（出典）「ASV技術普及状況調査」国土交通省資料から筆者作成

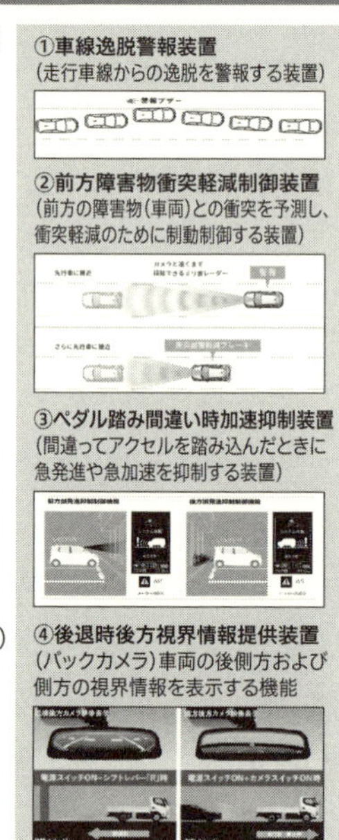

2 自動車保険金支払いの減少傾向が顕著に

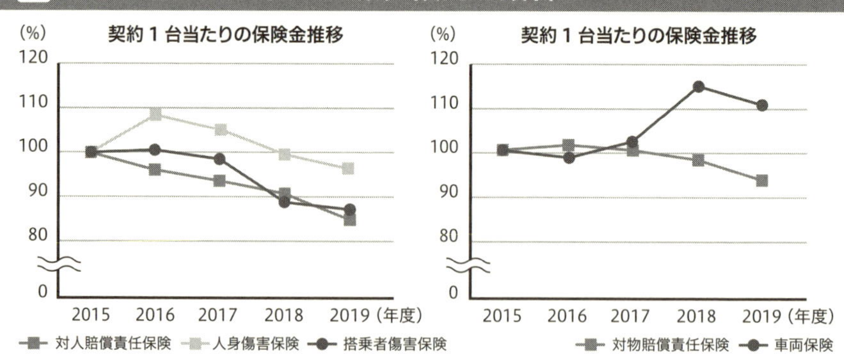

＊インカード・ベイシスによる数値
（出典）「自動車保険の概況　2020年度（2019年度統計）」損害保険料率算出機構

事故の減少に多大な効果

コラム8でみたITSの進展とともに、ASV（自動車の先進安全技術）は、いまや長足の進歩を遂げ、さまざまな装置が開発、実装されている。左図に代表的な４つの装置を取り上げてみた。いずれもこの５年間で新車の装着率が著しく伸びていることがわかる。

第１は、「車線逸脱警報装置（走行車線からの逸脱を警報する装置）」である。ふらつき注意喚起装置とともに、長距離ドライブの疲労による集中力の欠如や横見運転などから、車が蛇行し車線をオーバーすると、警報が鳴り運転者に注意喚起してくれる。第２の「前方障害物衝突軽減制御装置（前方の障害物（車両）との衝突を予測し、衝突軽減のために制動制御する装置）」は、渋滞の高速道路などでの「うっかり衝突」などへの防止効果が高い。第３は、「ペダル踏み間違い時加速抑制装置（ブレーキと間違えてアクセルを踏み込んだときに急発進や急加速を抑制する装置）」だ。急発進し、道路沿いの建物に飛び込む事故の防止を図るもので、これがあればあのいたましい池袋母子死亡事故（高齢ドライバーの暴走）は避けられたかもしれない。政府も、後付けの装置を含め普及促進のキャンペーンを展開している。第４の「後退時後方視界情報提供装置（バックカメラ）」は、車両の後側方および側方の視界情報を表示し、バックミラーでは不十分な視界を運転者に提供するとともに危険を知らせる装置である。このほかにも、「緊急制動時シートベルト巻き取り制御装置」や「自動防眩型前照灯」、「後退時接近移動体注意喚起・警報装置」、「ドライバー異常時対応システム」、「道路標識注意喚起装置」等々数多くの安全装置が交通事故の予防、軽減に大きな効果をもたらしている。

ASVが交通事故の減少に大きく寄与していること明白である。事故の減少は自動車保険金支払いの減少につながり、すでに、対人賠償や傷害保険金の契約１台当たりの保険金は2015年と比べて大きく低下している。一方、対物賠償は漸減、車両保険では自然災害の影響や、安全装置付き車両の価額は値が張ることから保険金が上昇している。全車両に占める先進安全自動車の占有率は、今後ますます上昇するのは間違いない。さらにその先には、安全装置の普及よりも、もっと安全な自動運転車の登場と普及が視野に入る。そのころには、事故の減少と自動車保険料の値下げは避けて通れないだろう。それにより自動車保険の大幅の減収が進めば、損害保険業の屋台骨が揺らぐのではないかという懸念が現実味を帯びてくる。

6-5 テレマティクス保険の仕組み

1 テレマティクス自動車保険への連携

（出典）国土交通省「自動車関連情報の利活用に関する将来ビジョン検討会資料」から筆者作成

2 テレマティクス自動車保険商品

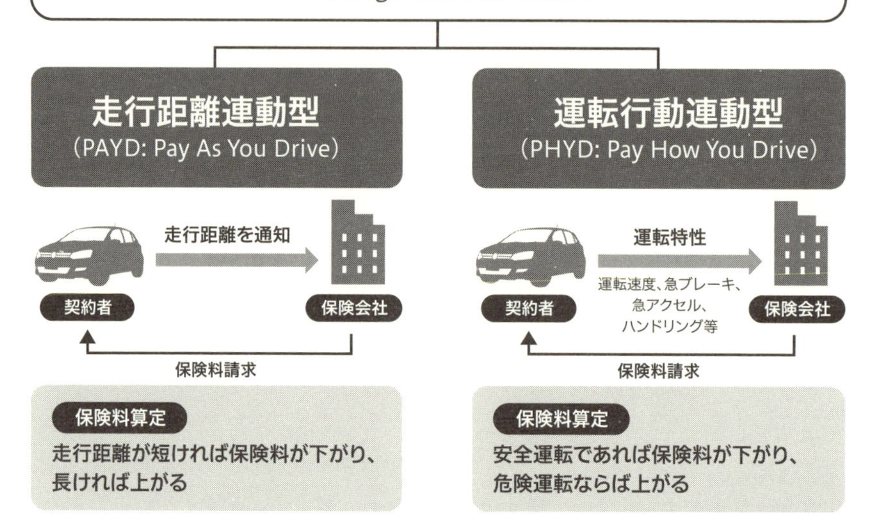

車載端末が集めたデータが保険料を決める

テレマティクスとはテレコミュニケーション（Telecommunication＝遠隔通信）とインフォマティクス（Informatics＝情報工学）からつくられた造語である。自動車などの交通乗用具（移動体）にセンサーと情報通信機器を設置し、さまざまなサービスを提供するものだが、特に、自動車に乗る人に、安全、安心やサービス提供など利便性を高める目的がある。このシステムを利用して、車両から得られる情報を保険に適用したのが、テレマティクス自動車保険だ。

米国有数の保険会社、プログレッシブが1992年に研究・実証実験を開始して以降、世界に広まった。日本では、2004年にあいおい損害保険がテレマティクス自動車保険を販売したのが最初である。車載器を使って保険料算出に紐づける考えは、日本でもある電子機器メーカーが70年代に特許申請をしたが、当時は夢物語としか考えられなかったことが、いまや現実のものになった。

自動車に設置された端末機（テレマティクス通信ユニット）から運転情報、位置情報、車両情報などが通信システム経由でデータセンター（運行管理センター）に送られ、そこで分析、加工されたデータは、保険会社によって保険料算定に必要な基礎データとして利用される。現在、走行距離と連動して保険料が決まる「走行距離連動型（PAYD＝Pay As You Drive)」と運転特性（速度・急ブレーキ・急発進・ハンドル操作など）と連動した「運転行動連動型（PHYD＝Pay How You Drive)」の２種類のテレマティクス自動車保険がUBI（Usage-based Insurance）として普及している。

個人向けの自動車販売台数は、若者の自動車離れやシェアリングカーの台頭などで、今後確実に減少していく。同時に、コネクテッドカーの割合が飛躍的に伸びる。自動車保険を経営の軸としてきた損害保険会社には困難な道程が待っているなか、コネクテッドカーの顧客に絞り込んだテレマティクス自動車保険戦略は正鵠を得たものである。自動車ビジネス自体パイの縮小という状況にあって、唯一、拡大・成長する市場に注目し生き残りを賭けた試みともいえよう。

注目すべきは、車載器からの情報を収集、分析するセンターの役割である。これらの情報は保険料算出用のデータ以外にも、自動車自体の故障や不具合の有無や運転者が利用した車外とのサービス利用情報など、多種多様な貴重な情報が含まれ、それらをどのように生かしていくのか、次頁に続けて述べる。

6-6 テレマティクス保険の発展

1 CASE時代のテレマティクス自動車保険

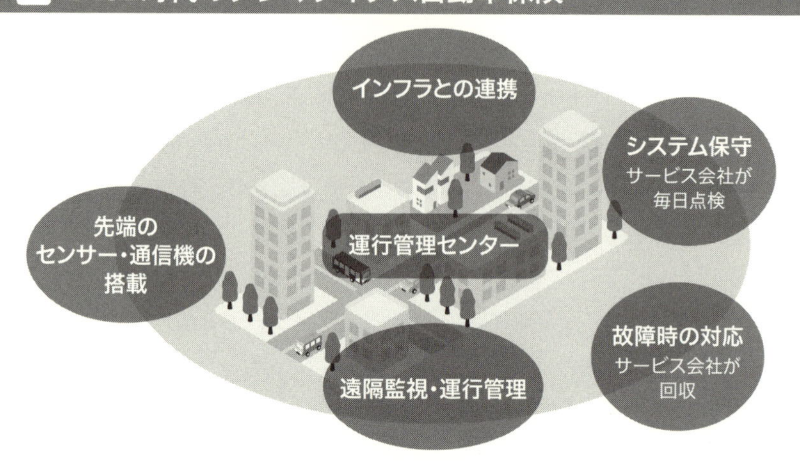

2 テレマティクス自動車保険の収保推移と世界市場

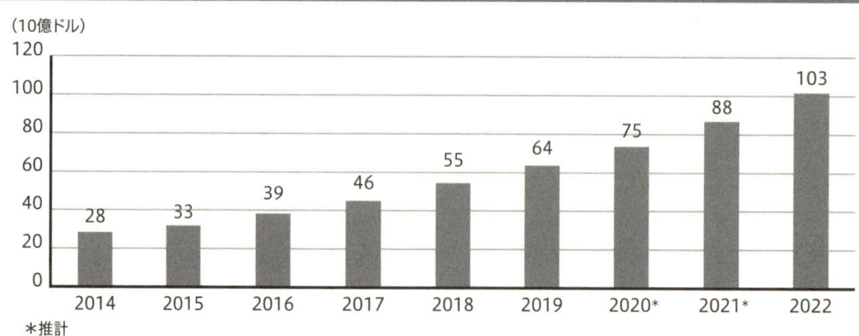

＊推計
(出典)Telematics in India : Trends and Opportunities

●地域別テレマティクス保険市場の
成長性(2019-2024)

Regional Growth Rate
■高い
■平均的
■低い

(出典)Mordor Intelligence

カギ握る運行管理センター

百年に一度という自動車をめぐる大きなパラダイムシフトは、自動車保険に重大な影響を与える。**6-5**で運行管理センターについて触れたが、だれが、どんな企業がこのセンターを所有、運営するのか。このことは損害保険ビジネスの進む方向を考えるうえで避けては通れない重要な問題である。端的にいえば、自動車メーカーがつくったセンターを使うのか、保険会社が独自のセンターを設置し各種サービスを提供するのか、それともGAFAM（「Google」「Amazon」「Facebook（現Meta)」「Apple」「Microsoft」）と呼ばれる巨大プラットフォーマーが運営管理の主体となるのかによって、保険会社の状況は異なるものになる。

運行管理センターは、顧客（運転者）を囲み、自動車メーカー、カーディーラー、自動車整備工場、通信事業者、損害保険会社、ロードアシスタンス業者、警察、消防、カーナビ業者、そのほか各種サービス業者等々、たくさんのステークホルダーが関わるプラットフォームの要となるものだ。自動車保険に関する情報だけを扱うのであれば、損害保険会社のコンタクトセンターが担うのが妥当だが、自動車ディーラーにとっては、自己の顧客の車両管理やアフタマーケットサービスには、車載情報を握る自動車メーカーの運行管理センターが頼りとなる。通信事業者は、コネクテッドカーから得られる顧客のサービス利用情報や購買情報をタイムリーに分析、加工して利活用したいと考えるであろう。中古自動車販売業者や自動車整備工場は、潜在顧客の特定や入庫促進のために保険会社の情報に依存するかもしれない。いずれにせよ、自動車顧客情報をめぐって運行管理センターを軸とするプラットフォームは今後多様な進化をたどることは明白であり、顧客中心主義に基づくプラットフォーム覇権をめぐり熾烈な展開が予期される。

テレマティクス保険は、欧米を中心に興隆してきた。若年層のドライバーや価格に敏感な契約者層に人気のダイレクト自動車保険が大勢を占めるマーケットである。今後、アジア・オセアニアでも着実に発展していくことは確実とみられる。その結果、Mordor Intelligenceの調査によると、世界のテレマティクス自動車保険の市場規模は2022年には110兆円を超えるという。損害保険の最大種目である自動車保険が、先進安全自動車、自動運転、EV化、コネクテッド、シェアリングなど自動車市場の変化に即して、テレマティクス自動車保険でいかに対応していくのか目が離せない。

6-7 自動運転の法的課題と損害保険

1 自動運転と法的(損害賠償)責任

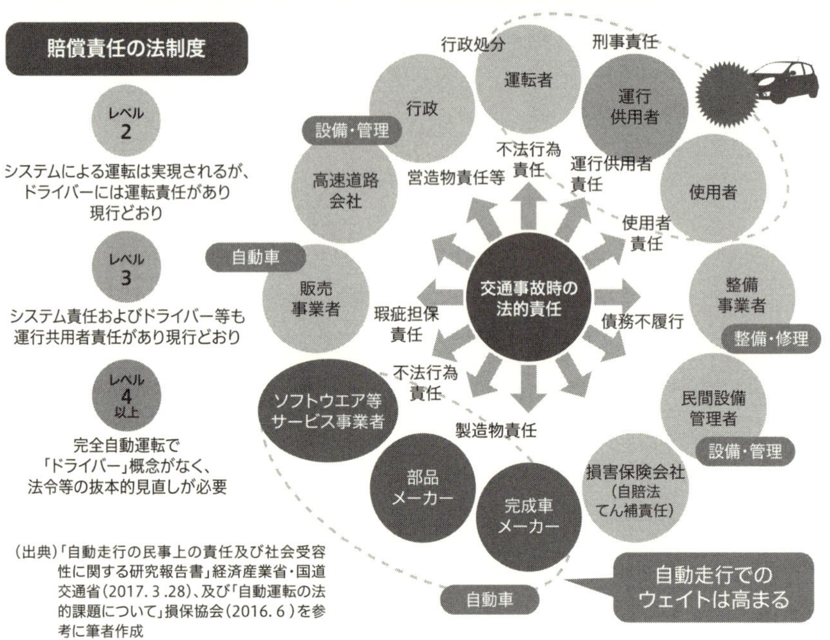

(出典)「自動走行の民事上の責任及び社会受容性に関する研究報告書」経済産業省・国道交通省(2017. 3 .28)、及び「自動運転の法的課題について」損保協会(2016. 6)を参考に筆者作成

2 自動運転と損害保険商品

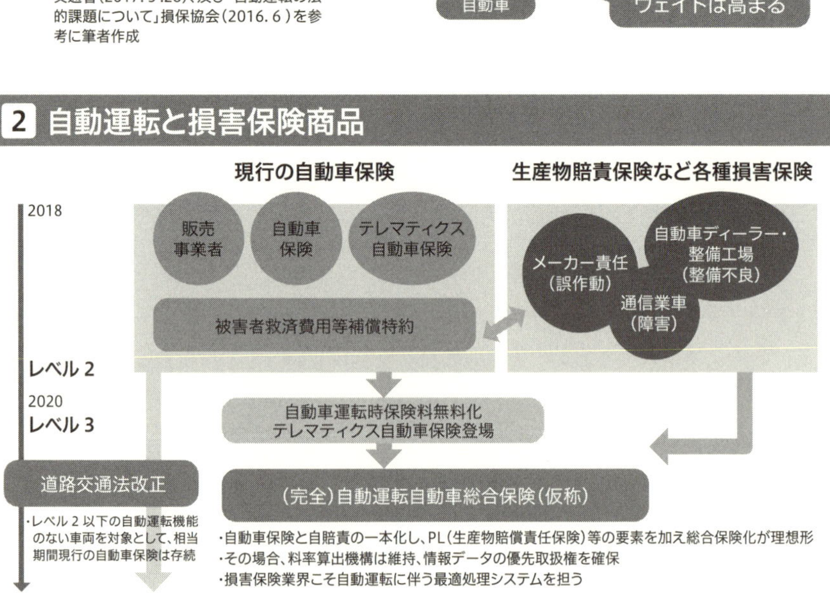

メーカー、ソフト提供者に広がる事故時の法的責任

完全自動運転車の登場はまだしばらく先のこととしても、自動車走行の自動化は着実に進んでいる。条件付き運転の自動化（レベル３）は新車の多くが採用し、高度自動運転（レベルの４）のクルマの市場投入も現実のものとなりつつある。

自動車による交通事故の法的責任については、刑事責任（自動車運転処罰法上の罰則）、行政上の責任（道路交通法上の処分）そして民事責任（民法および自賠法上の責任）の３つがあり、民事責任に関するリスクを補償する仕組みとしての損害保険、すなわち自動車賠償責任保険（強制保険）と自動車保険がその機能を担っている。

自動運転車が条件付きあるいは高度自動運転で走行する場合、はたして現行の法的責任の枠組みで対応することが可能であるのか。自動走行の具体的な実像が明確になるにつれ、現行の枠組みでは機能しえないことが明らかになってきた。政府や損害保険業界団体の有識者研究会などは、交通事故の法的責任は自動運転の発展段階によって異なることに着目し提言を策定し、今後の本格的な法整備に向けて地ならしを行っている。2020年４月に改正された道路運送車両法および道路交通法は、自動車の自動運転の技術の実用化に対応するための規定の整備として、自動運行装置の定義、使用する運転者の義務、作動状態記録を規定している。

自動運転は、単に運転者や使用者・保有者を含む運行供用者というこれまでの範疇を超えて、自動車メーカーなど多くの関係者が関わり機能し、その法的責任の領域は、生産物責任、請負業者責任など広範囲に拡大する。端的にいえば、交通事故の加害者の可能性の範囲がこれまでと異なるということである。そのため、既存の自動車保険の仕組みでは、十分対応できるとは考えられず、新しい複合的な要素に即して、それに適合させたものである必要がある。運転者の責任外とみなされる自動運転装置の不具合やシステム・ソフトウェアの誤作動あるいは通信インフラの障害等々は製造物責任等の範疇で責任が問われる可能性が高い。こうした自動運転の発展過渡期にあって、損保各社は既存の自動車保険に、①被害者救済費用等補償特約（製造物責任が生じた場合、保険会社が被害者救済後求償）や②自動運転時保険料無料化などを追加付帯して当面の対応をしている。今後、法制度の整備に連動して自動車保険も大きく変貌する可能性を秘めている。

6-8 自動車関連産業の事業環境

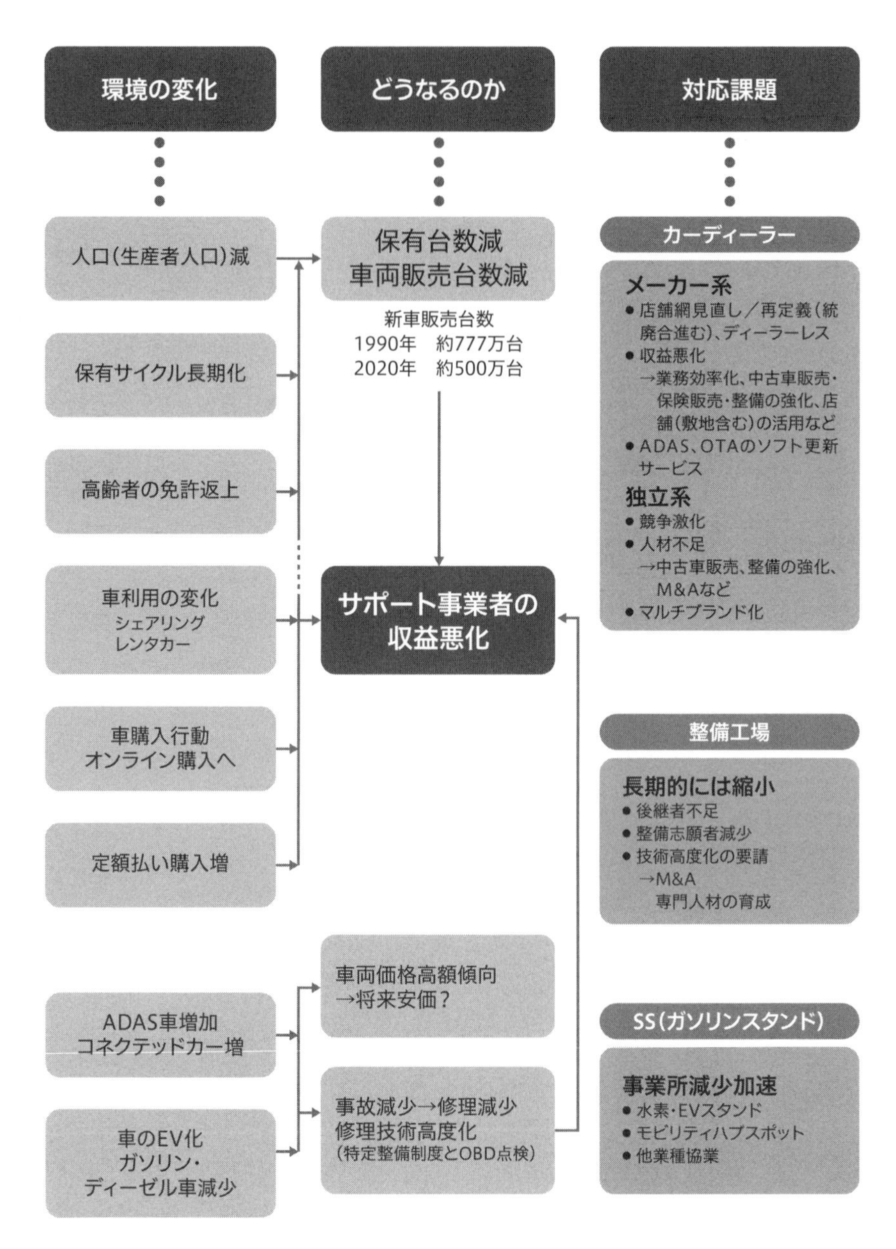

(注)ADAS:先進運転支援システム、OBD:車載式故障診断システム

車利用の変化、人材不足の逆風強まる

わが国の自動車保有台数は2021年３月末で約8,249万台あり、このうち乗用車は約6,215万台であったが、2030年には5,555万台（2020年比11％減)、2035年には5,362万台（同14%減）に減少するとの予測が出ている（現代文化研究所HP掲載2020年12月22日付け自主研究レポートより)。地域別にみると北海道・東北地方および中国・四国地方が、保有台数の減少率が大きく、関東地方および中国地方が、減少率が緩やかという地域差が出ている。減少の一番の理由は人口減であり、かつ後期高齢者の増加や若い世代の車離れと推測できるが、それに伴う免許返上者の増加や車利用の変化（**6-9**参照）などを考慮するとさらに促進することが考えられる。また、新車販売台数も1990年の777万台をピークに減少に転じ、近年は500万台前後で推移している。車両販売やメンテナンスなどで収益を確保しきた車両販売、整備、サービスステーション事業者は、年々強まる逆風の直撃を受けることになる。

車両販売ディーラー：すでに一部のメーカー系ディーラーは、直営系を中心に車種統合や事業体統合を進め、店舗網の整理に着手しているが、統廃合で１店舗当たりの収益を確保しながら効率化を徹底していくことになる。業務のシステム化も最近は相当進んできてはいるがRPA導入などもキーになる。それに加えて安定的で継続的な収益につながる整備と保険販売強化が必要である。特に整備は車両や部品の電子化が進むほどディーラー依存が高まるため、人材を含めて強化すべきポイントとなる。独立系ディーラーはさらに厳しい環境にあり、M&Aとマルチブランド化で企業基盤を大きく、MaaSの地域発信拠点となることが目指す方向になる。

SS（ガソリンスタンド)：店舗の多角化・大型化と地域密着度を高めるしかない。水素・EVスタンド化や中古販売、整備、保険、コンビニ経営、他業種連携・協業などにより地域になくてはならない存在になることが生き残る道である。

整備工場：相当数の整備工場が経営者の高齢化と若手人材不足で先が見通せない環境にある。さらに2024年から車検時に車載式故障診断装置（OBD）の検査が義務づけられることになっており、外部故障診断機（スキャンツール）の設置も必要になる。EV化の進展とともに、検査・整備機器の投資と高い専門的な知識をもった技術者の確保も急務である。M&Aにより事業体としての規模と経営能力をもつことにチャレンジしていくべきではないだろうか。

6-9 MaaSで変わる車社会

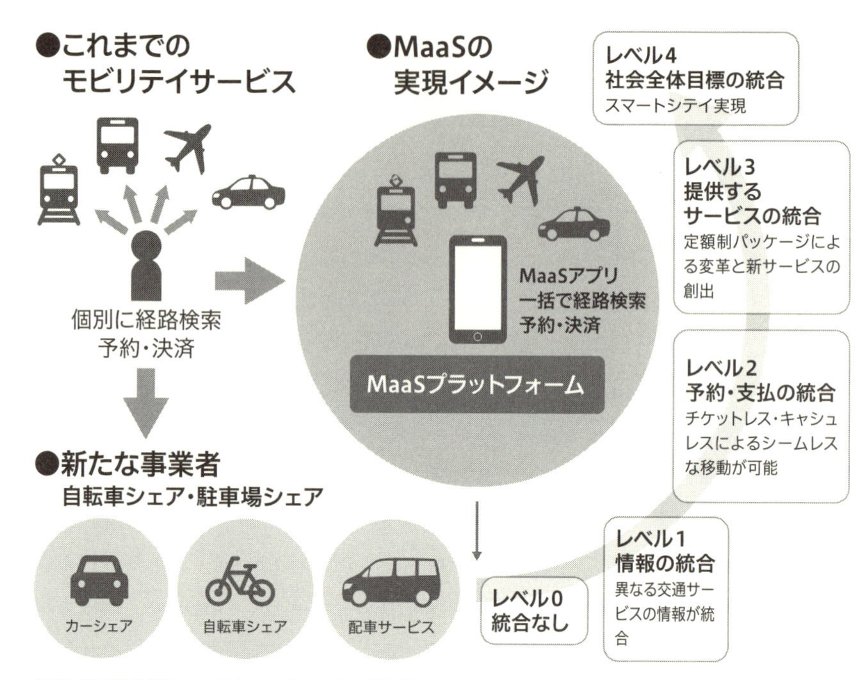

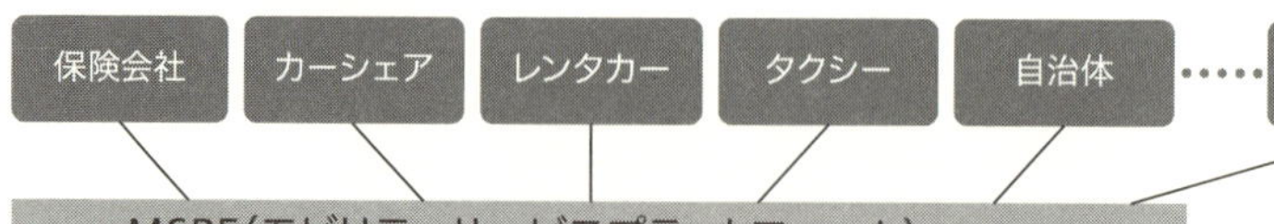

（出典）日高洋祐他著『Beyond MaaS』p40、p43を一部筆者加工

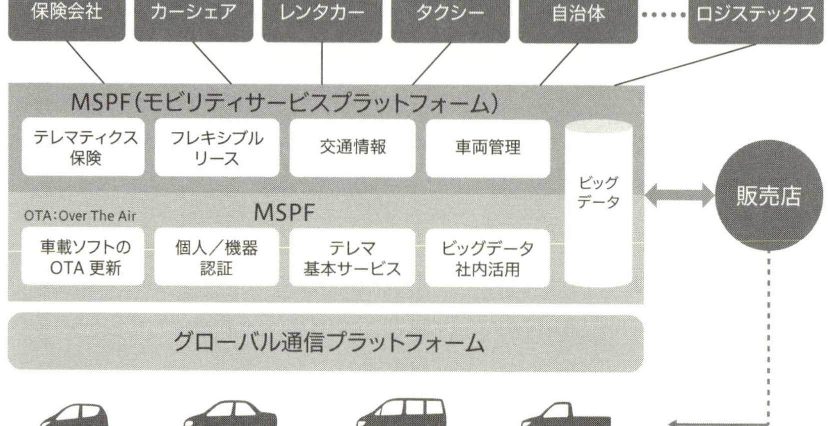

（出典）トヨタ発表資料から筆者作成

新ビジネス創出、地方創生の切り札になるか

2021年２月23日、トヨタ東富士工場跡地（静岡県裾野市）でWovenCityの地鎮祭が行われた。WovenCityはトヨタがヒト、モノ、情報のモビリティにおける新たな価値と生活を提案する実証実験の町で、トヨタの戦略の中核となるMaaSに自動運転、パーソナルモビリティ、ロボット、スマート技術、AI技術などを導入・検証することを目的としている。

MaaSは2016年にフィンランドで始まった「最先端の情報通信技術を使って移動を効率化すること」の実証実験から世界に広まった概念で、あらゆる交通手段の統合・最適化から予約・案内・決済までをシームレスに実現する。自動車だけではなく、鉄道やレンタサイクルなどの移動手段を含めて交通サービスを一括して提供する。MaaSは左図に示すように、統合レベルによって４段階に分類できる。現状、欧米と中国がレベル２以上のサービス提供で先行し、日本はまだレベル１の段階にとどまっている。導入するメリットして、「車の所有からの解放」、「効率的な移動ができる」、「交通渋滞の緩和」、「環境汚染対策」などがある。

日本でMaaSが実現すると、どのような変化が期待できるのだろうか。一番大きな期待は、地域社会課題の解決と地方創生である。多様な移動手段を呼び出し利用可能となり移動難民の解消につながることだ。地域の交通インフラの融合により地域経済の活性化が期待できる。車移動を前提とした町づくりが根本的に変わり、交通手段の多様化により渋滞の減少や交通事故も減らせる。ほかの産業との連携により新たなビジネスチャンスの創出につながり、損害保険にもシナジーが広がっていく。

このMaaSを自社の戦略の中枢に置いているトヨタは、車をつくる会社からモビリティ・カンパニーにモデルチェンジにすると宣言し、すべての車をコネクテッド化し、オンデマンドモビリテイサービスプラットフォーム（MSPF）を介して新たなモビリテイサービスの創出を行うと発表している。左図下段に示したMSFPの役割は、外部と車両とのデータ送受信と収集されたビッグデータを安全、セキュアに管理する基盤であり、一般のサービス事業者はこのMSFPを介してトヨタ車にサービスを提供する。MSFP上で車両・走行データ、テレマティクス保険などの情報を共有して、安全かつ効率的なサービスを実現するのだ。

コラム 9

自動車産業、自動化・電動化の将来

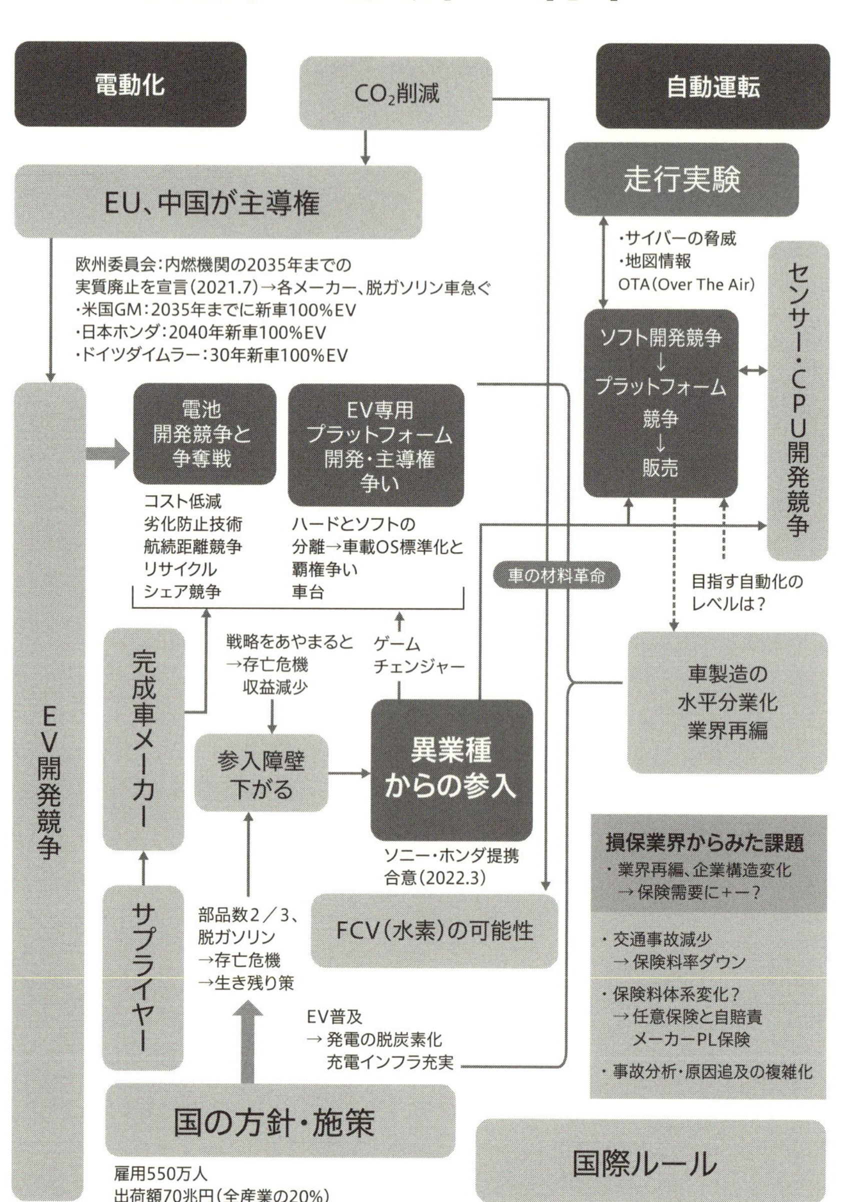

いま、EVの大波が怒涛のように押し寄せてきている。2016年、ドイツ・ダイムラー社がパリーモーターショウで表明したCASE（C：コネクテッド、A：自動運転、S：シェアリング＆サービス、E：電動化）に象徴される自動車大変革が、さらに自動車産業の土台から揺るがす事態になっている。そのダイムラーが2021年９月、2030年には新車販売のすべてをEVにすると発表したのだ。

２カ月前の７月、EUの欧州委員会は、内燃機関車（ハイブリッド車含む）の新車販売を35年までに実質的に禁止する方針を示した。その後、各生産者メーカーからのEVの発表が雪崩のように続いた。その背景は欧州を中心に巻き起こったカーボンニュートラル（温室効果ガス削減）ではあるが、社会、消費者からの環境車へのシフト要求に対し、EVしか競争力をもちえない欧州完成車メーカーの事情があると推測される（日本のハイブリッド技術が進んでいることの証明）。

EVの問題は大きく２点ある。一つはEVの電池である。車の製造原価の30%～40%を占めるといわれており、その電池コストをいかに引き下げるかが競争に勝つ必須条件となる。EVのネックとされる航続距離競争もキーになるが、最近の電池技術の進化をもってしても一気に解決する技術はみえていない。コストダウンの解決策として、現時点では巨大電池工場の建設によるスケールメリットしかないが、一方、それは巨大電池メーカーの寡占を生み、EV生産車メーカーの電池争奪戦が始まることにもなる。

２点目は車の電動化による車体構造改革である。部品点数はガソリン車の３分の２程度に減り、モーター、インバータなどEV制御に必要な中核電子部品・装置は汎用品からの転用・改良が可能であることから、自動車完成車メーカー以外の異業種の参入障壁も低くなる。さらにEVの電子制御には専用の制御OSと車載ソフト群が必要になり、それらを一体化したEV専用プラットフォームの開発競争とシェア争奪（スタンダードをとる）競争も始まっている。

自動運転はレベル３以上になると技術困難性はあるが、走行実験は着々と進んでいる。さらに自動運転ソフトと車体プラットフォーム構築の開発競争が激しくなってきている。車の水平分業化が進むことで産業構造の変化や業界再編が現実になるにつれ、損害保険会社の商品・サービス戦略はますますむずかしくなってくる。

第7章

グローバル化とデジタル革命がもたらす新たなリスク

7-1 グローバル化とDXがリスクを変える

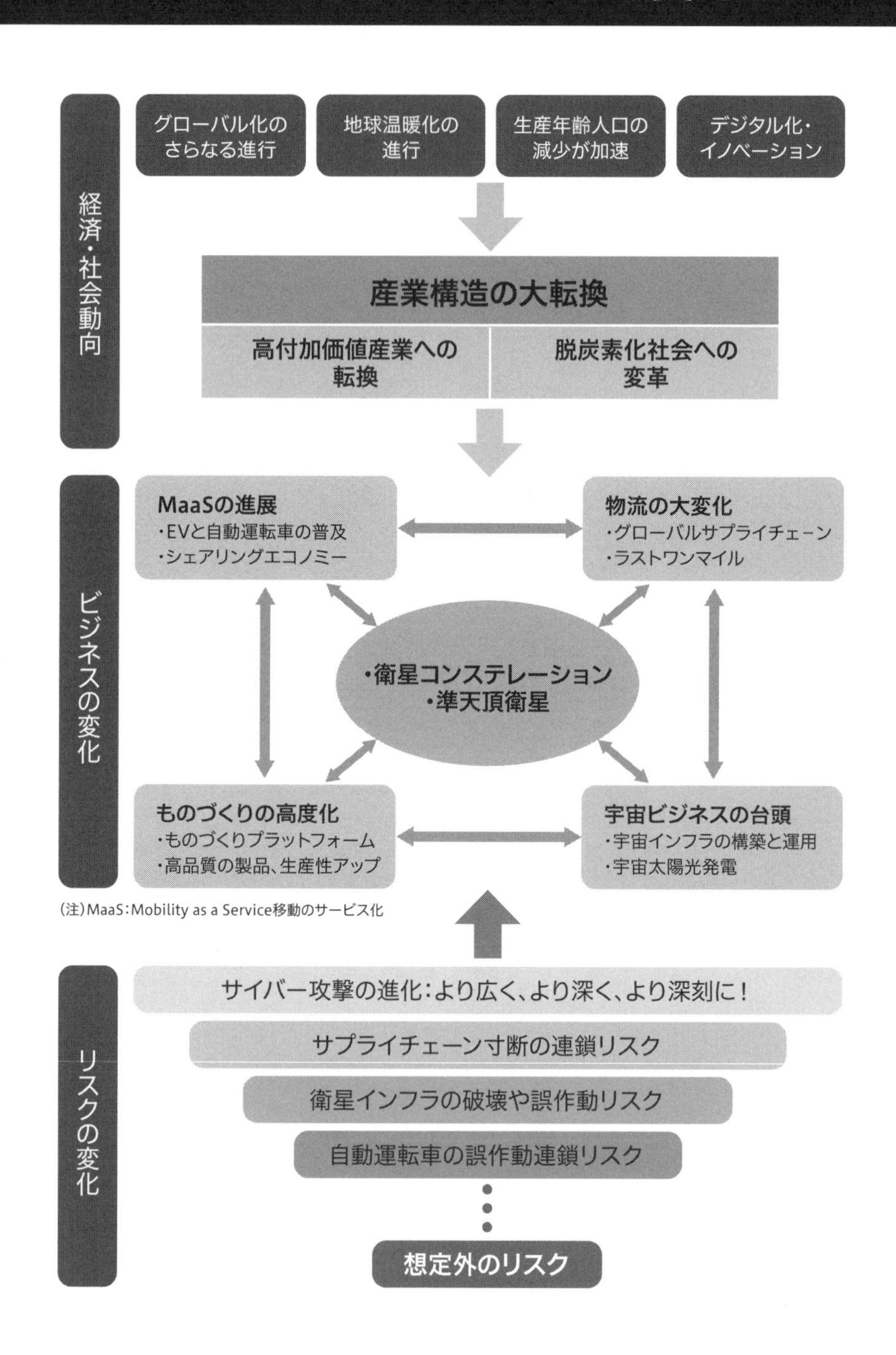

（注）MaaS：Mobility as a Service移動のサービス化

“想定外”のリスクにどう備えるか

損害保険事業は「リスク」の存在によって成り立っている。一方、リスクの「質」や「量」は産業の変化によって大きく変わる。過去の歴史を振り返れば、産業構造の変革につれてリスクの態様が変わり、主要損保商品も変わってきた。

左上段図は、日本を取り巻く経済・社会動向の変化を受け、今後のビジネスがどう変わり、それにつれてリスクがどう変わるかを概観したものである。

経済・社会動向の変化については、まず、「生産年齢人口（15歳～64歳）」の減少が産業に与える影響が大きい。総務省が発表した「平成30年（2018年）情報通信白書」によれば、今後の生産年齢人口は、2020年の7,400万人超が、2030年には6,900万人弱となり、2040年には約6,000万人と約２割も減少する。そこに、「地球温暖化の進行」が押し寄せるのである。わが国も、脱炭素化を強力に推進しなければならない。

これらは、わが国産業構造に大転換を迫っている。国内産業を高付加価値なものに変え、さらに、脱炭素社会を実現するためには、「経済のグローバル化」をいっそう進展させ、デジタル化・イノベーションの力に頼るしかない。

産業構造の大転換の結果、日本のビジネスがどう変貌するかをみたのが真ん中の図である。今後のわが国産業を支える強力で効率的なインフラとなるのが準天頂衛星や衛星コンステレーションといった“宇宙インフラ”である。イーロン・マスク氏のスペースＸ社は、４万２千個もの小型衛星の打上げを目論んでいる。宇宙インフラは、自動運転などによってもたらされるMaaS（移動のサービス化）を支え、自動車と自動車関連産業を劇的に変えていく。また、今後は船舶運航も自動化される。船舶の運航や積載貨物の管理や監視にも衛星インフラが利用されるのである。

一方、企業の枠を越えた「ものづくりプラットフォーム」構想が実現しつつあり、産業間の水平連携が進んでいく。また、宇宙ビジネスは2040年代には、世界全体で関連ビジネスまで含めると160兆円もの市場規模に成長すると見込まれている（文部科学省「将来宇宙輸送ロードマップ検討会」資料より）。

以上の結果、わが国のリスクはますます複雑化、巨大化すると見込まれている。サイバー攻撃の進化など、「想定しうる」リスクの変化の一部を列挙してみたが、むしろやっかいなのは「想定外のリスク」である。リスクマネジメント（R/M）の腕の振るいどころである。

7-2 サイバーリスクとは

サイバーインシデント／サイバー攻撃

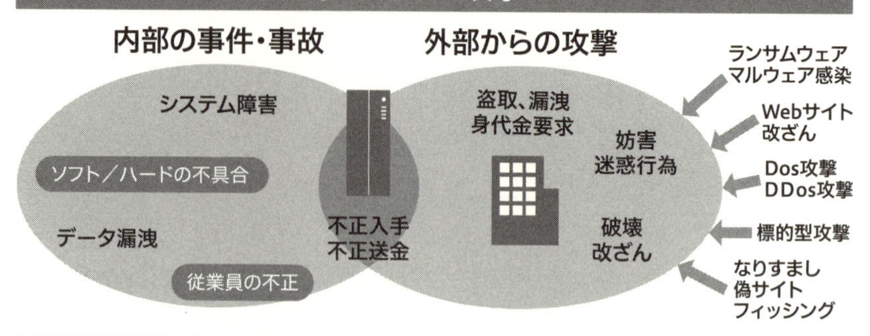

ランサムウェア：ファイルを暗号化したりシステムをロックすることで「身代金」を要求する攻撃

マルウェア感染：ウイルス等悪意のあるソフトウェアに感染させ、ソフト・データの破壊や情報の流出を引き起こす攻撃

なりすまし：取引先や経営者になりすまし、偽の送金先を指示して金品を搾取する攻撃

偽サイト／フィッシング：正規企業になりすましてメール送信し、ID・パスワード・口座番号等を入力させて金品盗取等に不正使用する攻撃

Webサイト改ざん：企業や組織のWebサイトに侵入し、サイトの内容を書き換えてしまう攻撃

Dos攻撃/DDos攻撃：通信ネットワークに対し大量のデータを送付し、インターネットサイト等の通信障害を起こす攻撃

標的型攻撃：特定の企業や個人をねらい、メールの添付ファイルを開く等によりマルウェアがシステムの停止や情報の流出を起こす攻撃

サイバー攻撃の被害・損失事例

時期	サイバー攻撃事例	被害・対応の概要
2015年12月	ウクライナ電力会社３社	変電所が「トロイの木馬」の攻撃を受け、約23万世帯で6時間の停電が発生
2018年１月	コインチェック	不正アクセスにより仮想通貨「NEM」が約580億円分流出、全通貨の出金停止
2020年12月	米国ソーラーウィン社	同社のネットワーク管理ソフトに有害なコードが埋め込まれ、200以上のユーザーが「バックドア」を通じて各種情報に不正アクセスされた
2021年３月	米国CNA（金融グループ）	ランサム攻撃を受け、4,000万ドルの身代金を支払う
2021年５月	米国コロニアル・パイプライン	“ダークサイド”がデータをロック、6日間にわたる操業停止の後440万ドルの身代金を支払う
2021年８月	東京海上シンガポール子会社	ランサム攻撃によりファイルが暗号化され、一時証券の印刷ができなくなった

高度化・悪質化する手口

システムやネットワークの機能が損なわれるサイバーインシデントには、ソフト／ハードウェアの不具合によるシステム障害、人為的ミスによるデータ漏洩もあるが、近年サイバー攻撃の手口が高度化・悪質化しており、世界中でサイバー攻撃の脅威がますます高まっている。サイバー攻撃の種類としては、ランサムウェア、標的型攻撃、なりすまし等がある。特定の企業や組織を標的として機密情報を盗取する、システム停止による被害を引き起こすという手法だけでなく、ネットワーク監視ソフトから機密情報にアクセスするという手法が出てきた。ランサムウェア攻撃では、データを暗号化して利用できないようにするだけではなく、盗取情報を公開すると脅し、情報主体から被害企業に身代金の支払いを要請させる手口もある。業務停止が社会に大きな影響を与える公共サービス事業を標的にした攻撃も増えている。新型コロナウイルスによるパンデミックという状況に乗じ、医療機関へのランサムウェア攻撃、セキュリティ対策が弱いリモートワークをねらった攻撃、コロナウイルスに関連する偽のウェブサイトへの誘導が増えたと報じられている。

ここ数年間に世界で発生したサイバー攻撃の事例をみてみよう。

2020年12月、米国ソーラーウィン社がサイバー攻撃を受け、同社のネットワーク管理ソフトに有害な命令コードが埋め込まれた。このソフトのユーザーである200以上の政府機関や企業が「バックドア」と呼ばれる内部データの抜け道をつくられ、そこから各種情報が不正にアクセスされた。

2021年３月、米国金融グループCNA社がランサムウェア攻撃を受けた。攻撃者が米国政府の指定する経済制裁対象国・団体・個人ではなかったため、身代金4,000万ドル（約44億円）をサイバー保険の保険金で支払ったとの報道がある。

2021年５月、ハッカーの“ダークサイド”が米国コロニアル・パイプラインのシステムを乗っ取ってデータをロックし、身代金の支払いを要求した。パイプラインを停止せざるをえなくなったため、米国東部の広い地域でガソリン不足が発生し、６日間にわたる操業停止の後、それ以上停止させるわけにはいかないとの経営判断で440万ドル（約４億8,400万円）の身代金を支払ったと報じられている。

身代金を保険で支払うことは、身代金をねらったランサムウェア攻撃が増えるおそれがあることに加え、そもそも支払いにより直ちに損害が100%復旧できるとは限らないはという論もあり、保険による身代金支払いはむずかしい課題である。

7-3 サイバーリスクによる被害と対策

日本におけるランサムウェア攻撃の被害状況

●企業・団体等における
ランサムウェア被害の報告件数

年次	2020年下期	2021年上期
件数	21	61

●要求された金銭支払方法

方法	件数	割合
暗号資産	26	90%
ドル(USD)	3	10%
合計	29	-

●感染経路

経路	件数	割合
VPN機器からの侵入	17	55%
リモートデスクトップからの侵入	7	23%
不審メールやその添付ファイル	4	13%
その他	3	10%
合計	31	-

●被害の規模別報告件数

企業・団体等	件数	割合
大企業	17	28%
中小企業	40	66%
その他	4	7%
合計	61	-

●復旧に要した期間

期間	件数	割合
即時～1週間	19	43%
1週間～1カ月	12	27%
1カ月～2カ月	3	7%
2カ月以上	2	5%
復旧中	8	18%
合計	44	-

●調査・復旧費用の総額

総額	件数	割合
100万円未満	8	21%
100万円以上500万円未満	13	33%
500万円以上1,000万円未満	3	8%
1,000万円以上5,000万円未満	14	36%
5,000万円以上1億円未満	1	3%
合計	39	-

(出典) 警察庁「令和3年上半期におけるサイバー空間をめぐる脅威の情勢等について」

サイバーリスク対策

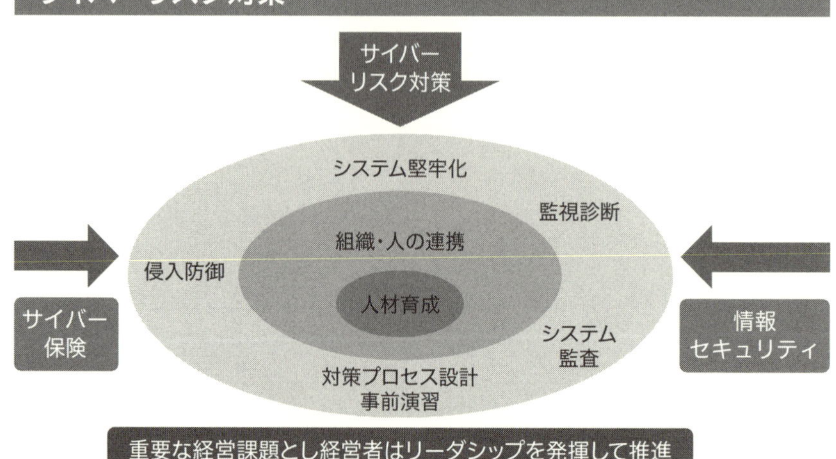

脅威を増すランサムウェア攻撃

情報通信研究機構によると、国内のネットワークに向けられたサイバー攻撃関連通信は、2020年には約5,001億件にものぼっている。サイバー攻撃の件数は増加の一途をたどり、攻撃対象は企業の規模や業種を問わず広がっている。

サイバー攻撃を受けると、その被害はさまざまな形で現れる。情報漏洩や事業の阻害に対する取引先からの損害賠償、原因の調査・広報・関係者対応等の各種の事故対応費用、システムやメールの停止による納期の遅延・営業機会の損失、社会的評価の低下による顧客の流出、事業の中断による損失が発生する。

サイバーリスクのなかでも脅威の高いランサムウェア攻撃の日本における直近の被害状況は左表のとおりで、2021年上半期の報告件数は前半期の約３倍に急増している。大企業だけでなく、中小企業もターゲットになっており、対象業種は製造業、建設業、サービス業、卸売・小売業と幅広い。攻撃経路としてはVPN（仮想私設通信網）機器とリモートデスクトップが多く、リモートワークがねらわれたことを示している。復旧に長期を要するケースも多く、調査・復旧費用の総額については、1,000万円以上を要したものが約40%を占めている。日本については公表されていないが、米国パロアルトネットワークスの調査では、2021年上期の世界の企業１社当たりの身代金支払額は57万ドル（約6,270万円）であった。

世界規模での損害額については、2021年にマカフィー社と米国の戦略国際問題研究所（CSIS）が共同レポートを出し、サイバー犯罪が世界のGDPの１%超に相当する１兆ドル（約110兆円）以上の経済損失を与えているとしている。

企業はサイバーリスク対策を行っている。日本損害保険協会が2020年に行った企業のサイバーリスク意識・対策実態調査（回答1,535件）では、93.9%がなんらかのサイバーリスク対策を行っており、具体的な対策としては、「ソフトウェア等の脆弱性管理・ウイルス対策ソフトの導入」（87.4%）、「アクセス権限・ログの管理および制御」（54.1%）、「社員教育（研修・訓練の実施）」（33.5%）等である。ただし、「現在行っている対策が十分なのかわからない」、「対策をする人手が足りない」、「対策の効果測定がむずかしい」という課題もあげられている。企業経営者は営業秘密保護や事業継続の観点からもサイバーリスクを重大なリスクとして認識しているが、サイバーリスクへの対応策については十分とはいえない点もあり、リーダーシップを発揮して対策を推進していくことが望まれる。

7-4 日本のサイバー保険の内容と課題

サイバー保険の補償内容

サイバーインシデント
個人データ・機密情報漏洩、データの消失・破壊、システム障害・停止、
ネットワーク使用不能、著作権・人格権の侵害、事業の中断

サイバー保険

第三者への賠償責任に関する補償
- 第三者の損失に対する賠償金
- 裁判等の争訟費用

営業継続のために必要な費用の補償

事業中断による損失の補償

事故への対応費用の補償
- 原因/被害範囲調査費用
- 被害拡大防止費用
- 見舞金/見舞品費用
- 広告宣伝費用
- 法律相談費用
- 再発防止費用

ランサムウェア攻撃の身代金/
行政上の罰金は補償の対象外

世界各地域におけるサイバー保険の推計総収入保険料(2018年)

地域	推計総収入保険料
米国	約3,520億円
欧州	約550億円〜約1,100億円
アジア大洋州	約275億円〜約550億円
世界全体	約4,400億円〜約5,500億円

*1ドル=110円で換算
(出典) 損保総研レポート第134号(2021年1月)
「米国を中心とするサイバーインシデント・サイバー保険市場の動向」

日本におけるサイバー保険の課題

- 企業がサイバー保険の存在を知らない、保険の提案を受けたことがない
- 企業が保険の補償内容を十分に理解していない、保険の販売者が保険の対象となるリスク・損害、補償範囲を顧客に十分説明できていない
- 平時・事故発生時の付帯サービスが十分周知されていない
- 契約時に詳細なリスク情報・データが求められ、セキュリティ担当者以外では対応しにくい
- 補償の範囲/金額が十分かサイバーリスクの変化・実態に合っているかの検証と見直し

現状、ランサムウェア攻撃の身代金は補償対象外

日本のサイバー保険は主に企業向けに販売されている。サイバー保険で補償される損害・損失は、他人の情報漏洩やネットワークの使用不能による他者の業務阻害を原因とする第三者への賠償責任、事故対応のために必要となる各種費用、営業継続のために必要な費用、事業中断による損失である。海外では補償対象となっているケースもあるランサムウェア攻撃の際の身代金や行政機関から課される罰金等は保険での支払対象となっていない。身代金については、保険で支払うことがサイバー攻撃を増加させるという懸念もあり、保険化すべきか否かはむずかしい課題である。なお、サイバー保険には、平常時のサイバーリスク診断やサイバーセキュリティ強化、事故発生時の障害の復旧、原因・影響範囲の調査、再発防止策策定、広報や外部対応の支援等のサービス提供もなされている。

サイバー保険は海外でかなり普及しており、地域ごとの2018年の推定保険料規模は左表のとおりで、近年保険料は急激に増加している。米国では保険加入率が2020年で47%（会計検査院公表）となっているが、ランサムウェアによるものを中心に支払保険金も急増しており、同年のサイバー保険のコンバインドレシオは115%を超えたという報告もある。それにより、現在、サイバー保険の保険料は大幅に上昇し、支払限度額は半分以下になったと報じられている。

日本損害保険協会の企業調査によると、「サイバー保険を知らない」との回答が40%を超え、知っていても保険の名前だけで、「内容をよく知っている」との回答は11.5%にすぎない。サイバー保険に「加入している」と回答した企業は、全体の7.8%であり、大企業は9.8%、中小企業は6.7%であった。日本で普及率が低い理由としては、サイバー保険や付帯サービスがよく知られていない、保険の提案を受けていないことがあげられている。他方、保険の販売者が保険の対象となるリスクや補償される範囲を顧客に十分説明できない、契約時に詳細なリスク情報が求められ、セキュリティ担当者以外では対応しにくいといった事情もあると思われる。最近、情報処理やネットワーク関連業務を行わない企業、中小企業向けに、詳細な調査項目への回答を求めない損保会社が出てきている。このような取組みはサイバー保険の普及に有用であろう。補償内容については、補償範囲、保険で支払われる限度額がサイバーリスクの現状に照らして妥当かの検証が必要と思われる。サイバー保険の普及拡大に向け、保険会社のいっそう踏み込んだ取組みが求められる。

7-5 総合物流施策と損害保険

1 物流事業の規模

●物流事業の概況（2018年度）

	営業収入（億円）	事業者数	従業員数（千人）
トラック運送事業	163,571	62,068	1,940
JR貨物	1,355	1	5
内航海運業	9,138	3,408	69
外航海運業	33,360	192	7
港湾運送業	10,611	861	51
航空貨物運送事業	2,909	22	41
鉄道利用運送事業	2,841	1,133	7
外航利用運送事業	3,311	1,069	4
航空利用運送事業	7,131	203	12
倉庫業	22,448	6,557	112
トラックターミナル業	305	16	0.5
合計	256,980	75,530	2,249

（出典）国土交通省資料から抜粋

●運輸業界の営業収入（2017年度）

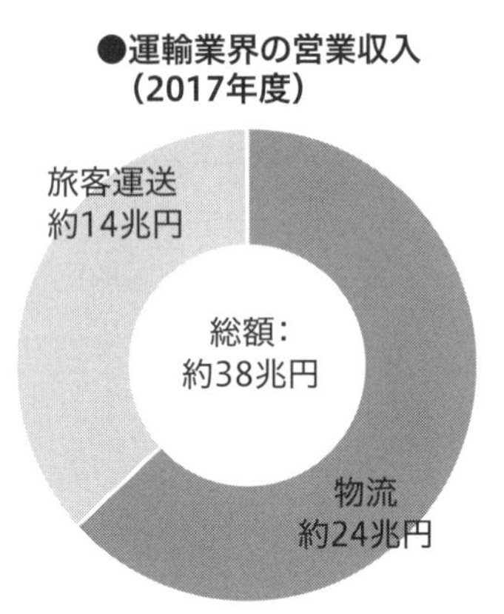

2 総合物流施策と技術革新

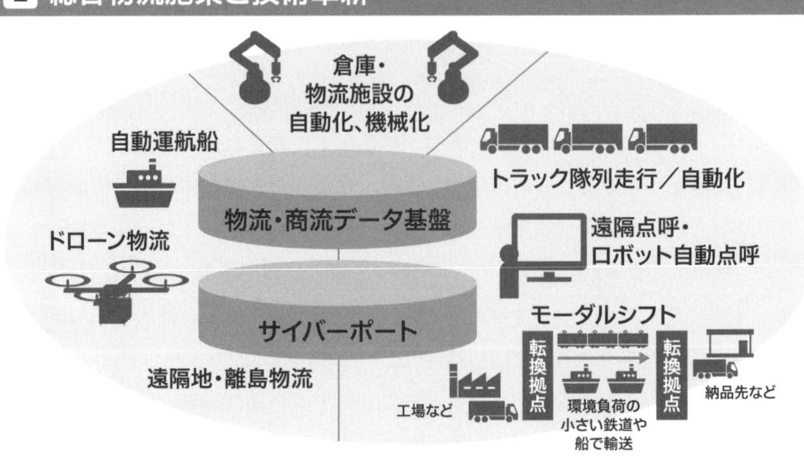

（出典）「総合物流施策大綱（2021年度～2025年度）概要」国土交通省資料を参考に筆者作成

人手不足、激甚災害に脅かされる日本経済の“血管”

物流は、社会経済における重要な社会インフラでありいわば「血管」の役割を果たすものといわれる。政府の統計によれば、物流自体の営業収入は約24兆円（2017年度）で全産業の売上高の３％を占めるにすぎないが、すべての関係する法人・企業・個人への波及効果は計りしれないものがある。製品、原材料、農水産物、廃棄物をも含めありとあらゆる物資が陸海空の多種多様な移動体によって日々大量に輸送されているとは知りつつも、私たちの日常生活にあっては、「また宅配便が届いた」程度にしか思わない。しかし、東日本大震災や新型コロナウイルスの世界的大流行など異常事態によってサプライチェーンが寸断され、生産が滞り、製品が届かないなどの事態に直面したとき、驚くだけではなく、実は、日本が抱える基本的課題である人口減少や労働力不足、自然災害の頻発化、激甚化などが血管であるこの物流をすでに蝕んでいることを忘れてはならない。

政府は、物流をめぐる危機的状況をふまえて、2021年６月、今後５年間のわが国の物流政策の指針となる「総合物流施策大綱（2021年度～2025年度）」を閣議決定した。施策の柱として、①物流DXや物流標準化の推進によるサプライチェーン全体の徹底した最適化（簡素で滑らかな物流）、②労働力不足対策と物流構造改革の推進（担い手にやさしい物流）、③強靭で持続可能な物流ネットワークの構築（強くてしなやかな物流）の３つを掲げている。鍵となるはデジタルであり、AI、IoT、機械化、電動化、標準化、持続可能性など社会のパラダイムシフトに関係する技術革新の要素を土台に個別具体的な施策を展開している。たとえば、運転者に対する遠隔点呼・ロボットによる自動点呼、トラックの隊列走行／自動運行船、共同輸送、倉庫シェアリング、ラストワンマイル配送円滑化・持続化（貨客混載バス、ドローン物流等々）、モーダルシフト（環境負荷の少ない輸送手段へ転換）、さらに、港湾物流手続きを電子化、物流・商流データ基盤の構築などがあげられている。最後の２つの項目については**7-6**と**7-7**で詳しく説明する。

すそ野の広い物流事業は、移動に伴うリスクだけでなく、財物、賠償責任、労災・傷害、費用、利益など枚挙にいとわないリスクとともに成り立っており損害保険による補償が裏付けとなり開発、発展する事業であり、急速に進展する動きに鋭敏な対応が焦眉の急となる。

7-6 ブロックチェーンと貨物海上保険

●貿易取引の現状

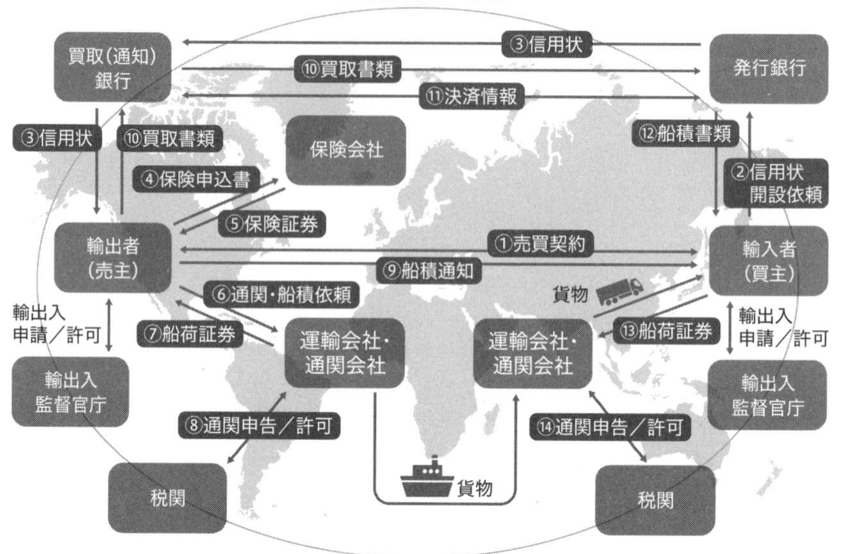

●ブロックチェーンを使った新しい貿易取引

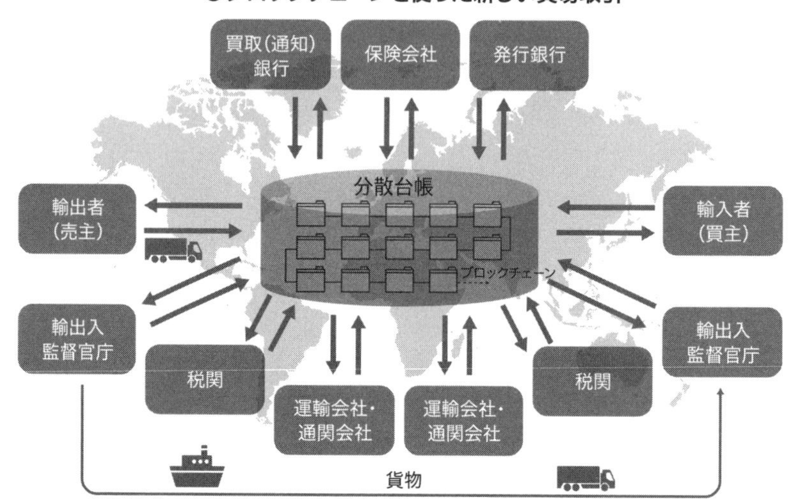

(出典)「保険証券のブロックチェーン適用実証実験結果」東京海上日動・NTTデータより

貿易取引の迅速化・コスト削減が期待される

貿易取引は「物流（ロジスティクス、部品・製品の物理的な流れ)」、「金流（資金決済の流れ)」、「商流（受発注の流れ)」の３つの区分で構成される。ここでは貿易取引の流れを、順を追ってみていきたい。

輸入者（買主）と輸出者（売主）の間で商品の購入契約が成立すると、買主は、代金決済などに必要な信用状（L/C）の開設を発行銀行に依頼し、売主側の買取銀行を通して代金が決済される。一方、当該商品の輸送のため、運輸会社に通関手続きや船積の依頼をするとともに、保険会社対して外航貨物海上保険の手配を行うこととなる。商品によっては、輸出入監督官庁への申請／許可が必要な場合もある。無事、航海を経て、買主の国に到着後、通関申告や監督官庁への申請手続きを終えれば、現地の運輸会社を通じて商品が買主に届く仕組みである。

売主、買主、保険会社、銀行、運輸会社、通関業者、税関、輸出入監督官庁など「物流」、「金流」、「商流」にからんだ多くのプレーヤーが介在するとともに、それぞれの役割に応じて、インボイス、信用状、保険証券、船荷証券など、この工程に必要不可欠な書類もまた、多種多様な形で存在する。各書類の記載内容には重複する項目がいくつもあるが、このため記載ミスは一定頻度で発生しうる。その訂正作業はやっかいであり時間がかかる。

貿易は、有史以来、とりわけ350年の歴史をもつ海上保険に支えられ確立された仕組みであり、それなりに安定したものであるが、国際物流が巨大な規模に拡大、発展した今日、大きな転換期にあることは否めない。

注目すべきは、先進IT技術であるブロックチェーン（分散型台帳）を使って問題を克服しようとする動きである。ブロックチェーンの特徴であるデータの透明性・トレーサビリティ、改ざんの困難性、記録の不可逆性、時間の制限がないこと、時系列でデータ内容が把握できることなどから、各プレーヤーが個別に情報を管理する仕組みを一新して、情報連携の高速化、取引情報の整合性の維持、書類送達コストの削減など、大きな効果が期待されている。保険会社も貿易の主要なプレーヤーとして積極的に実証実験に参加し、保険証券発行時間やチェック時間の短縮やコストの削減などを確認している。損害調査や保険支払いの迅速化も含め、今後世界的な規模で新しい貿易の仕組みが誕生する日も近い。

7-7 サプライチェーンのリスクと損害保険

サプライチェーンの商流・物流・情報流の最適化

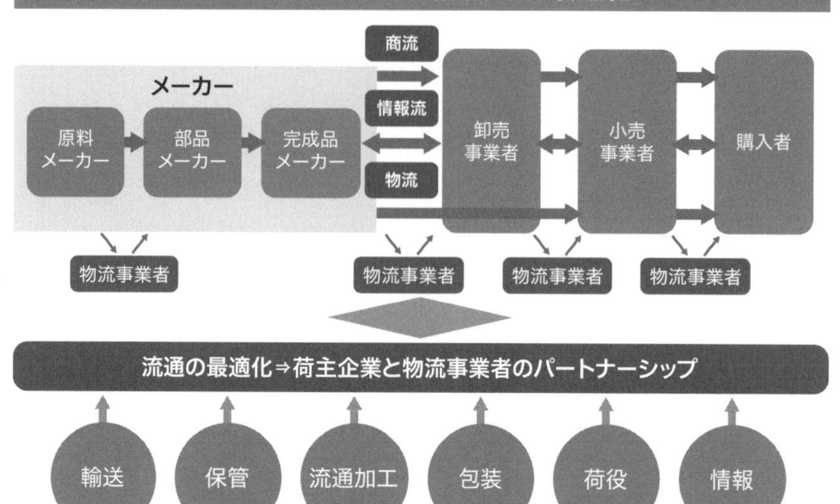

サプライチェーンのリスクと損害保険

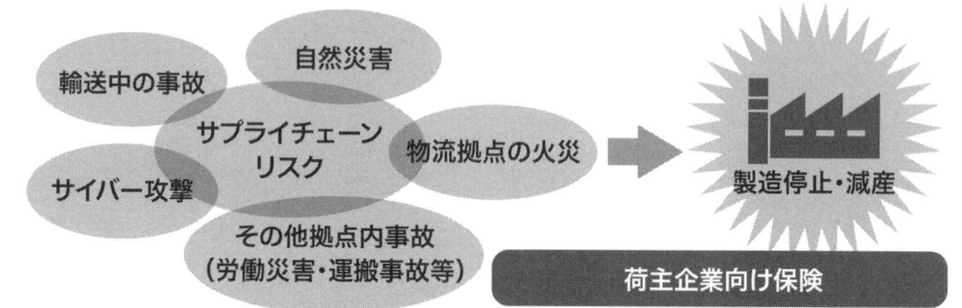

荷主企業向け保険

- 外航貨物海上保険（輸送・保管・据付等）
- Stock Throughput Insurance*
- 国内貨物運送保険（輸送・保管・加工・据付等）
- 物流事故に伴う逸失利益保険
  (Marine Business Interruption)
- Cargo Owner's Liability Insurance
  （危険物輸送に関わる賠償責任等）
- その他

*原材料の調達から製品の販売まで、流動資産の輸送中・保管中を含め一貫してカバーする保険プログラム

物流事業者向け保険

- Forwarder's Liability Insurance
- Charterer's Liability Insurance
- コンテナ保険、シャーシー保険
- 倉庫オペレーションに関わる賠償責任の保険等
- 国内運送受託貨物賠償責任保険
- その他

（出典）損害保険各社および国際ブローカー各社資料を参考に筆者作成

R/Mの立場から事業中断リスク対策に貢献

経済のグローバル化に伴い物流網が広域に拡大し、迅速かつ正確に製品、物資が配送、管理されていることに驚きを禁じえないが、同時に複雑、多岐にわたる工程には、配送に支障をきたす事故、事件、災害などリスクが伴うことは明らかである。いかに効率的に物流リスクをコントロールするかが求められている。**7-6**でみたブロックチェーンを使った貿易工程、一元管理の取組みはその典型的な事例である。

ロジスティクスという言葉はサプライチェーン・マネジメントの一部であるが、介在する多くのプレーヤー間の最適化を指す。物流には輸送、保管、流通加工、包装、荷役、情報の区分があり、それぞれサプライチェーンの重要な役割を有している。現代の流通の特徴的なものとして、複雑多岐にわたる工程を整理し、最適化するため登場したのが3PL（サードパーティー・ロジスティクス：3rd Party Logistics）である。これは、ファーストパーティーをメーカー、セカンドパーティを卸売業・小売業といった買い手側とみた場合に、ロジスティクス機能を担う第３の勢力を意味し、物流事業者が、単に輸送手段や保管機能を供給するだけでなく、「荷主に対して、物流改革を提案し、包括して物流業務を受託する新しいサービス」（国土交通省　総合物流施策大綱）を提供するものである。

リスクマネジメントの視点からみれば、サプライチェーンには、多種多様なリスクが存在し、それらを認識し、防災、減災を含め、必要な措置を講じる必要がある。損害保険各社や保険ブローカーは積極的にこの工程において、保険の提供にとどまらず、リスクマネジメントサービスの提供を含め、大きな役割を果たしている。その意味で、優秀な物流事業者とのコラボレーションは大きな柱ともいえよう。しかしながら、3PLのもとでは、物流事業者や損保会社へ責任と問題を丸投げする事例も無きにしもあらず、解決すべき課題はなお山積している。

サプライチェーンのリスクに応じて、さまざまな保険が開発、提供されている。東日本大震災や台風・洪水など自然災害、流通倉庫や半導体工場の火災事故などは、輸送中の単独の事故よりもはるかに大規模な事業中断を余儀なくさせる事象であり、最適な補償を顧客に提案、提供し、事業の復旧、再開に結びつける損害保険の役割はきわめて大きい。

7-8 宇宙ビジネスの今後の展望

政府の宇宙基本計画(2020年6月30日改定)の概要

(1) 多様な国益への貢献

①宇宙安全保障の確保

- 準天頂衛星システム
- Xバンド防衛衛星通信網
- 情報収集衛星
- 即応型小型衛星システム
- 海洋・宇宙状況把握
- その他

②災害対策・国土強靭化や地球規模課題の解決への貢献

- 気象衛星
- 温室効果ガス観測技術衛星
- 災害対策・国土強靭化への衛星データ活用
- 資源探査センサ
- その他

③宇宙科学・探査による新たな知の創造

- 宇宙科学・探査
- 国際宇宙探査への参画
- 国際宇宙ステーション
- その他

④宇宙を推進力とする経済成長とイノベーションの実現

- 衛星データの利用拡大
- 政府衛星データのオープン
- JAXAの事業創出
- 異業種企業等の宇宙産業への参入促進
- その他

(2) 産業・科学技術基盤をはじめとする我が国の宇宙活動を支える総合的基盤の強化

①基幹ロケットの開発・運用
②将来の宇宙輸送システムの研究開発
③衛星開発・実証を戦略的に推進する枠組み
④衛星関連の革新的基盤技術開発
⑤有人宇宙活動のあり方の検討
⑥スペースデブリ対策　他

(出典)内閣府「宇宙基本計画の概要」より抜粋

準天頂衛星システムと社会インフラへの活用

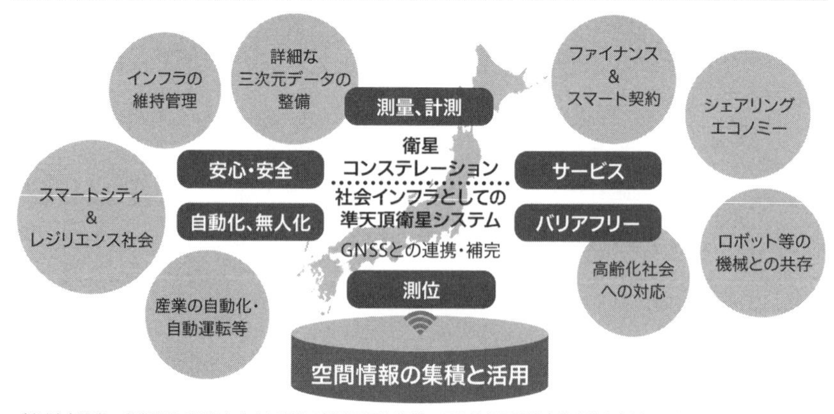

(出典)内閣府　宇宙利用の現在と未来に関する懇談会配布資料　日本情報経済社会推進協会資料より作成

民間活力を支える損保商品の開発を

2020年12月に小惑星「りゅうぐう」から帰還した宇宙航空開発機構（JAXA）の「はやぶさ２」のミッション成功は明るいニュースであったが、政府は2020年６月30日「宇宙基本計画」を改定し、自立した宇宙利用大国を目指す方針を示した。宇宙活動の自立性を支える産業・科学技術基盤を強化し、官民の連携を図りつつ、①宇宙安全保障の確保、②災害対策・国土強靭化、③宇宙科学・探査による新たな知の創造、④宇宙を推進力とする経済成長とイノベーションの実現を図るとしている。

宇宙関連ビジネスのすそ野は広大であり、全地球測位システム（GPS）や「準天頂衛星システム」を担う測位衛星「みちびき」はカーナビシステムの域をはるかに超えて、航空、海上、鉄道、自動車などの運行管理にとどまらず、とりわけ、5G通信技術と相まって自動走行時代に欠かせない役割を担う。また、気象衛星は、天気予報ばかりでなく、農林水産業での利用が進んでいる。他方、物流、エネルギー、通信、金融サービスなどへの影響も計りしれない。英国ロイズの報告書によれば、欧州のGDPにGPSが関与する割合は７％に相当するという。そして、衛星ビジネスの規模は、3000億ドル（2018年）、2040年には１兆ドルにのぼるという。（米国の衛星事業協会（SIA））

宇宙を推進力とする経済成長には、民間の力が鍵となり、広範囲な産業に及ぶが、当然そこには、さまざまなリスクが発現する。衛星ロケットに関わるリスクには、打上げ前の製造段階、輸送段階、発射、軌道投入と続き、その後運用開始後、衛星寿命を終えるまでの運用期間の各段階で財物損害や落下や爆発による第三者賠償責任など多くの異なったリスクが想定され、必要な損害保険が開発された。衛星保険は、1965年インテルサット１号機の打上げ前の財物リスクを引き受けたロイズが最初である。衛星保険の保険料収入は、2019年度で約５億ドルと大きな規模ではないが、同年には、４億ドルとか２億ドルといった規模の大きな損害もあり、舵取りのむずかしいビジネスであることも事実である。しかし、上述のとおり、今後宇宙ビジネスは成長、拡大することは確実であり、損害保険は、まず、新しい技術に即した衛星保険の商品サービスの拡充を急ぎ、さらに、新規事業として、関連産業における未知のリスクをいち早くとらえ、適時・適切な保険カバーを開発し、顧客に提供していく責務がある。

第8章

損害保険の業務とシステム

8-1 損害保険会社業務の機能

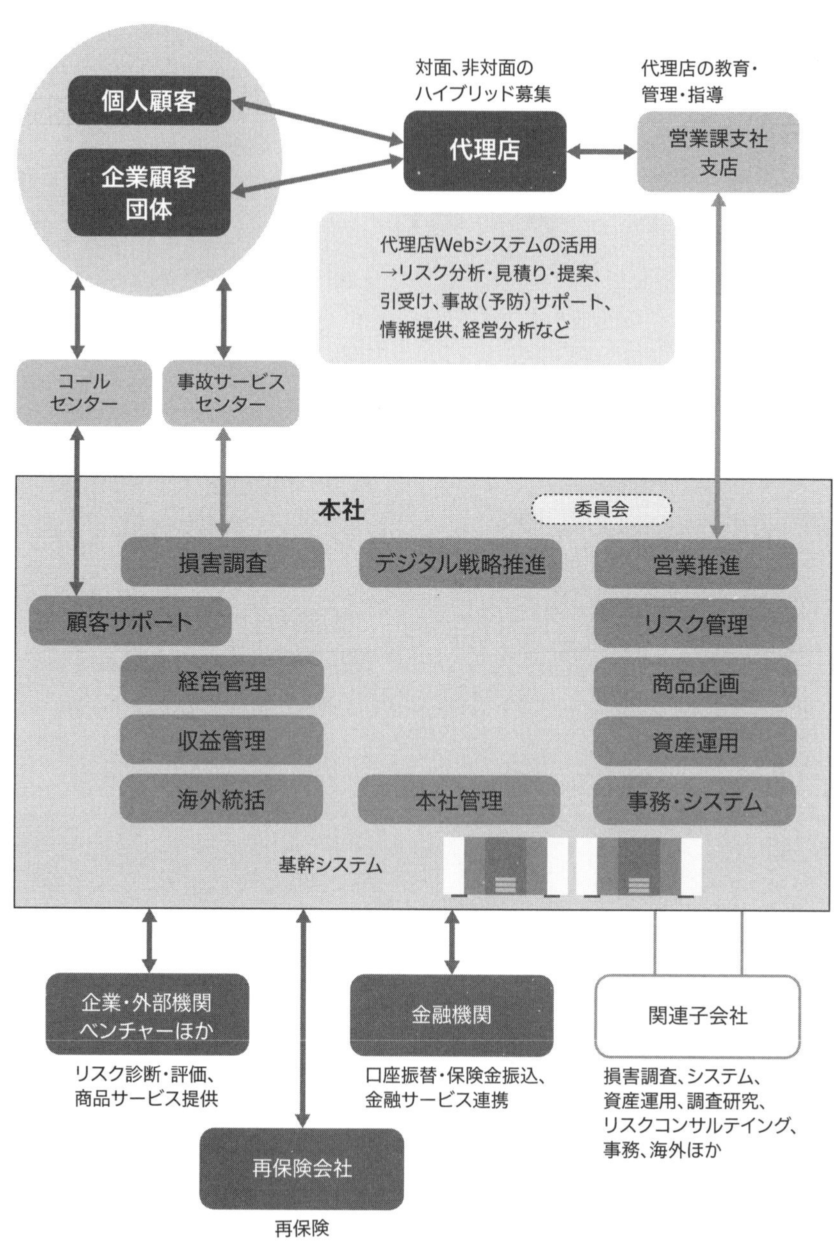

(出典)大手損保の例を参考に筆者作成

デジタル活用による対顧客直接サービスが進展

日本の損害保険会社は、大手社で約４万～５万店の代理店に委託して、2,000万人に及ぶ顧客の保険契約を取り扱っている。このため、全国に広く営業と保険事故調査のための店舗を展開している。保険商品開発から日々の顧客対応までの業務を正確・迅速・安定的に行う高い業務品質が求められる。

顧客接点に関わる業務：代理店は、顧客のリスク診断を代理店Webシステム（**8-5**参照）のAI機能などを使い、最適な保険を提案する。この代理店の販売管理・育成・経営指導を担うのが、全国350～500カ所に展開している営業部門の役割である。加えて業務の大きな位置を占めるのが地域および企業契約でのマーケットシェア向上であり、顧客の開拓と深耕である。顧客接点強化のため、ここ数年各社はコールセンターの充実を進め、最近ではAIによる自動応答サービスなどを導入するなど直接サービスを強化している。さらに、非対面でオンライン商談を行いながらシームレス・ペーパーレスに契約申込みを完結する仕組みが一気に進んでいる。事故通知もスマホ、ドライブレコーダーなど顧客の身近なデジタル機器を使うことが当たり前になってきている。

本社の基幹業務：上記の保険販売と顧客に関わる業務を統括し、営業部門や損害調査業務部門の支援施策や会社の収益管理などを担うのが本社の基幹業務である。損保固有の業務について以下ポイントを説明する。

- 契約・保険金データや顧客のリスク情報などを収集・分析して、保険商品の改定や新商品・サービスの開発を行う。リスクデータや情報は契約引受や顧客の防災・減災のために活用される。
- 大手社はAIなどを活用し、これまでなかった新しい商品・サービスの創造や事業領域を広げることに力を注いでいる。そのため、デジタル関連組織の強化と人材育成に力を入れるとともに、海外を含めベンチャー・フィンテック企業などとの業務・資本提携を積極的に進めている。
- 営業推進は、代理店などの販売チャネル管理や「保険販売の推進と顧客対応」戦略などを担う。代理店との業務の二重構造の解消が常に課題である。

そのほか、最近急激に拡大している海外展開と海外保険ビジネスを統括する海外統括機能の強化も進んでいる。

8-2 損害保険会社システムの機能

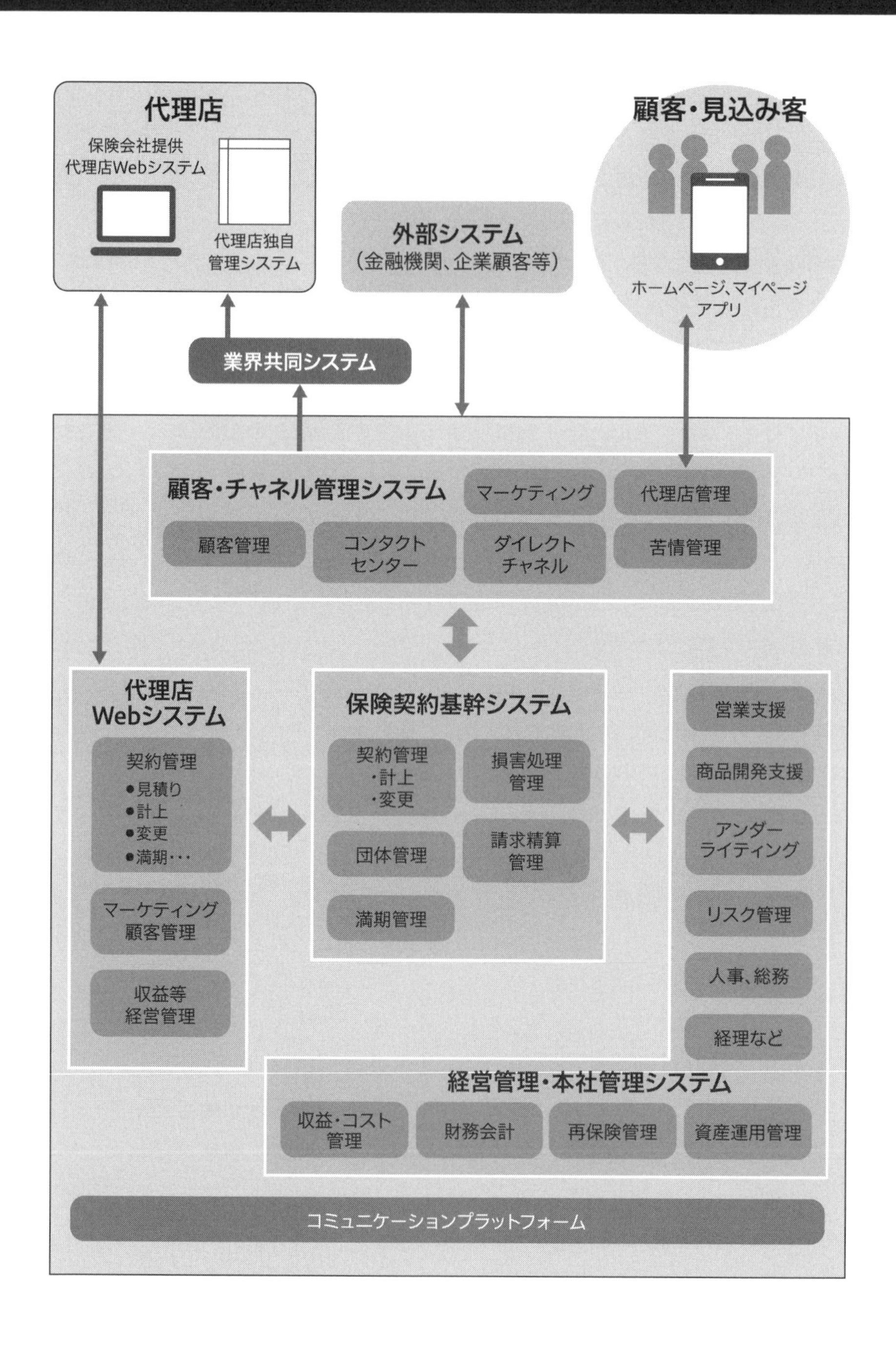

5つの機能コンポーネントで構成

左図は、損害保険会社システム全体の機能モデルの一つの例である。システム全体がどのような機能コンポーネントで構成され、それぞれがどのような関連をもっているかを表している。全体システムは５つの大きな機能コンポーネットに分けられ、その基盤はホストコンピュータやクラウドで構築されている。

保険契約基幹システム：図の中央は、保険契約の管理を行う基幹となる「保険契約基幹システム」である。契約の計上から満期までの契約管理や保険事故の発生から保険金支払いまでの一連の業務を担う損害処理管理を行うための業務システム群などで構成され、巨大なDB群を保有するシステムである。肥大化し複雑になり、新たなサービスへの機動的な対応を阻害している面もみえてきており、その構造改革の取組みが始まっている（**8-6**、**7**、**8**参照）。

代理店Webシステム：顧客と契約との接点機能を担うシステムである。保険会社との業務の二重構造の解消や新たな顧客接点改革のためのソリューション強化が進められている。実際、AIなど最新のDXで大幅な機能・サービスの高度化を図っており、顧客のさまざまな状況に対応できる代理店の提案力強化に資している。

顧客・チャネル管理システム：図の上部は、保険会社が行う顧客管理、代理店管理および関係する金融機関・企業（個人含む）等と連携するためのインターフェース機能とその処理を一元的に統括する業務システム群である。API（**コラム11**参照）、AIやクラウドシステムなどにより、顧客と直結した革新的なサービスを担っている。

経営管理・本社管理システム：損害保険経営の基幹業務を担うさまざまな業務システム群である。ERM経営を進めるなかで、戦略に沿ったサービス機能の発揮と各サブシステムには俊敏なビジネス展開を支えるスピードと柔軟性が要求されている。

コミュニケーションプラットフォーム：メールや社内の情報共有・連携のためのコミュニケーション基盤である。

損保基幹オンラインシステムは、顧客—代理店—外部連携のため、24時間無停止の高い信頼性が求められる。さらに大規模広域災害時の迅速な損害調査と保険金支払いのため、基幹システムの一部機能を代替する有事バックアップシステムがある。

8-3 損害保険のDX革命

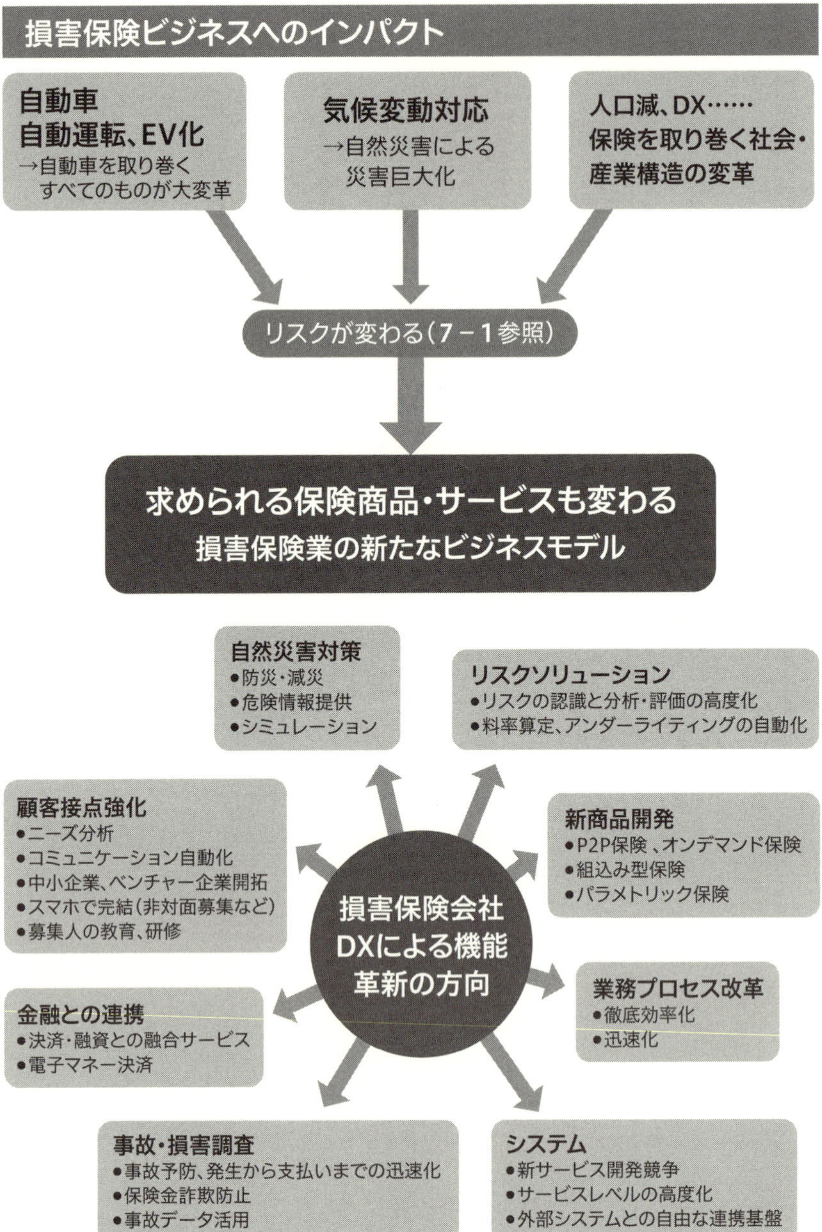

損害保険ビジネスへのインパクト

自動車
自動運転、EV化
→自動車を取り巻く
すべてのものが大変革

気候変動対応
→自然災害による
災害巨大化

人口減、DX……
保険を取り巻く社会・
産業構造の変革

リスクが変わる(7－1参照)

求められる保険商品・サービスも変わる
損害保険業の新たなビジネスモデル

損害保険会社DXによる機能革新の方向

自然災害対策
- 防災・減災
- 危険情報提供
- シミュレーション

リスクソリューション
- リスクの認識と分析・評価の高度化
- 料率算定、アンダーライティングの自動化

顧客接点強化
- ニーズ分析
- コミュニケーション自動化
- 中小企業、ベンチャー企業開拓
- スマホで完結(非対面募集など)
- 募集人の教育、研修

新商品開発
- P2P保険 、オンデマンド保険
- 組込み型保険
- パラメトリック保険

金融との連携
- 決済・融資との融合サービス
- 電子マネー決済

業務プロセス改革
- 徹底効率化
- 迅速化

事故・損害調査
- 事故予防、発生から支払いまでの迅速化
- 保険金詐欺防止
- 事故データ活用

システム
- 新サービス開発競争
- サービスレベルの高度化
- 外部システムとの自由な連携基盤

ビジネスモデル改革を加速させる

DX革命が個人、社会、企業、行政、国家など各領域で世界的に進行している。

7-1で、われわれを取り巻くリスクはますます複雑化、巨大化の進行が進み、損保商品・サービスに新しい変革が加わるという事例を紹介している。リスクが変われば当然、新たなリスクを含めその分析・評価が必要になる。求められる保険商品・サービスも変わってくる。

左図は、現在損害保険会社が挑戦中の、または挑戦計画中のテーマを列挙している。どれも従来の分析方法や発想ではなかなか解がみえにくいテーマである。左図のなかで「リスクソリューション」のなかの「リスクの認識と分析・評価の高度化」について、元受収入保険料の約55％弱を占めている自動車保険を例に考えてみよう。自動運転車の増加が進みMaaSの進展（**6-9**参照）によりシェアリングサービスが広がっていけば、事故率も下がり保険料収入の減少は避けられない。一方、自動運転の高度化により、ドライバー不足が解消され物流経済が活況を向かえば保険料の増収が予見される。このように評価する視点の違いによって保険料収入の減収も増収も予見される「自動運転の影響度」は、保険会社のデータだけでさまざまなシナリオを描いてシミュレーションすることには無理がある。外部データとのマッチング＆フュージョンと最適なツールアプリのコラボレーションが必須となる。すでにDXで成果をあげているのが自動車事故調査である。AIによる「車両損害額の査定」の実用化が進み、車両の損傷状態の写真を過去の膨大な事故例の写真分析により、数分以内で損害額を算出できるレベルに達している。

損害保険会社としてもう一つの大きなテーマ、気候変動対応について考えてみよう。自然災害の保険を引き受けている損害保険会社は気候変動が顧客や社会全般にどのようなリスクをもたらすかを分析し、事業展開する必要がある。データ分析によりリスクを予測して防災・減災に役立てることができるし、万一の災害時には保険金支払い後のアフタフォローまでの一貫して対応できる商品・サービスの提供が可能となるはずだ。

DXのテクノロジーを武器に大手異業種からの保険業参入も聞こえてくるなか、既存保険会社はDXにより自らの業務の進化と革新を加速させ、顧客への新たな安心と安全の価値観を提供していく責任がある。

モバイル機器による顧客接点の革新

サービス競争
付加価値

迅速な
情報入手

顧客に近く
安心を届ける

いつどこでも保険
利便性向上

事故を減らす
事故・災害時のサポート

保険料見積りから
契約手続き・管理
保険料見積り・試算
ワンコイン保険
リスク分析・提案
ペーパレス契約、決済
契約内容確認、変更手続き

運転力診断
(運転傾向の分析・診断)

モバイルノート
タブレット

安全運転支援
(ドライブレコダーとの連携)

約款・保険証券管理

事故時、緊急時ナビ
(事故時位置情報、通知、
写真電送、事故状況把握、解決策
過失割合他)

保険金自動算定
保険金支払い
決済サービス

緊急地震速報時の
家族の居場所の
自動通知

AIによる
自動車事故分析と
自動修理費見積り

リスク情報提供

津波・浸水想定区域

災害体験AR

(出典)各社ニュースリリースより筆者作成

保険会社にとって、いつの時代にあっても多様なチャネルでの「顧客接点をもち強化していくこと」は最重要テーマである。このため、保険会社はお客様との直接のコミュニケーションのため、顧客のスマホ向けに情報提供や簡易な契約締結と事故手続きのアプリを提供してきた。特に各保険会社が力を入れてきたのは自動車の安全運転支援と事故時の早期対応のアプリである。一方、契約手続きについては、特にコロナにより代理店が対面での保険募集に制約を受ける状況となったことで、一気に非対面で保険手続きを行う仕組みが実現した。

現在、損害保険業界にとって気候変動リスクは業界あげての最大の課題である。気候変動を原因とする自然災害発生によって被災者救済や補償の提供など重要な役割を果たすことこそが損保の存在価値といえる。保険を提供するだけでなく自然災害を含めて、リスクを予測して防災・減災のためのソリューションを提供することに、損保だからこそのものがあるはずである。

自然災害関連のアプリを２つ紹介する。

まず、三井住友海上火災の「スマ保災害時ナビ」は、災害時に危険地域を確認しながら安全なルートで避難所に行けるよう、「災害時ナビ」の地図上に重ねて津波浸水想定区域を表示する（38都道府県可：内陸県などの９県を除く）。また、安否情報の登録、確認については、最大３グループまで可能になる。事前に親族や従業員等を登録しておくと、災害時の安否を速やかに確認することができる。さらに、スマートフォンの使用言語の設定に応じて、英語、中国語（簡体字、繁体字）、韓国語、ベトナム語、タガログ語、ポルトガル語も対応する。

もう一つは、東京海上日動の「災害体験AR」だ。AR（Augmented Reality、拡張現実）技術を活用し、スマホのカメラ機能を通じて水災発生時の浸水や土砂災害の状況を可視化する。また、全国から収集した国管理河川の想定浸水深を地理情報システム（GIS）上で集約し、TDR（東京海上ディーアール社）が独自に整備したハザードマップ情報と連携することができる。

8-4 損害調査システム

自動車損害調査システムの概念図

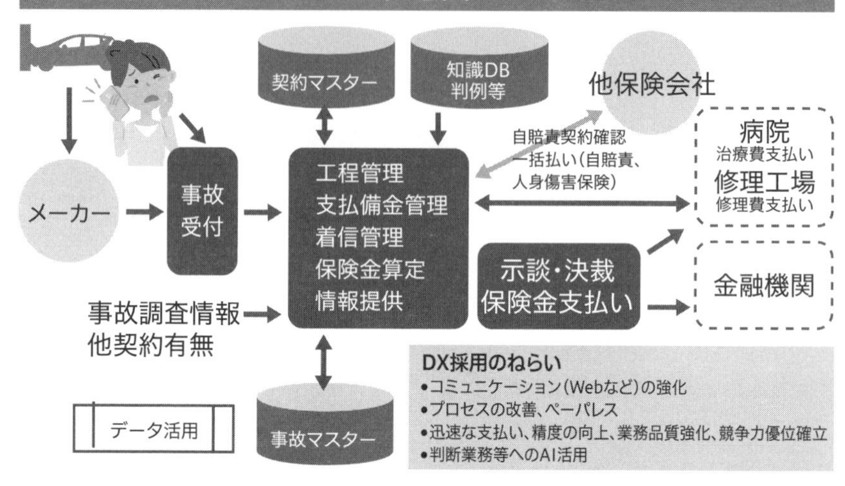

自動車損害調査システムの機能

行程	業務処理	機能
事故発生・通知	車載器から自動通知 高度道路交通システム（ITS） 顧客スマホ・モバイル機器 初期対応 有責判断	事故予測 異常検知 初期対応 自動通知 事故登録
事故調査	担当者決定、備金計上 情報・データ収集・分類 写真等データ分析 病院・整備工場データ写真分析 経過管理	担当者決定 位置情報検出・状況把握 備金自動計上 行動・経過管理 AIによる分析・評価
保険金算定	過失割合認定 損害額算出・評価	知識・判例DB 事故例DB、部品等DB
	不正請求チェック 一括払い	AIによる損害額算出 AIによる不正請求チェック
保険金等支払い	決済、振込	自動即時払い
データ活用 情報提供	料率検証→商品規定・開発 顧客サービス 業務改善、体制改善	料率検証 顧客分析 データ分析 →AI、各種アプリ

AIをはじめDXの活用進む

損害調査とは、損害保険契約における“保険金の支払い”のことである。事故発生以降の事故原因調査、損害物の確認、有無責など約款判断、損害賠償責任の法的判断、損害賠償の範囲や金額の算定、示談交渉など、その業務は複雑で広域・多岐にわたるが、現在、その工程のほとんどがAIなどDX活用システムで行われる。

損害調査業務の本質は“適正な保険金の支払い”にある。約款に従って有無責の判断を行い支払保険金の額を算定する。損害調査の仕事は常に公正で、損害額の認定や賠償責任の判断が社会通念に照らし妥当・適正であることが求められる。

損害調査業務のもう一つの大きな任務は“顧客満足度の向上、顧客サービス”である。契約者や被害者に納得してもらえる支払いを、しかも迅速に行うことが重要である。事故処理のなかで得られる悪質事故、多発事故などの情報は契約引き受け時に活用される。また、著しく損害率が高い契約者や代理店、営業店について、ロス分析・改善などの踏み込んだアドバイスを行う。また、事故・損害に関する情報は、商品改定や新商品開発における商品内容・料率検証や会社のリザルト・損益管理に資する情報として活用される。

自動車事故を例とした損害調査の工程は左図の流れであるが、他の保険種目の事故も大幅な違いはない。注目すべきDXの活用事例を紹介する。

①自動車事故の連絡・受付は、主に各社が設置している「24時間事故受付コールセンター」や契約者のスマホから入ってくる。しかし、ドラレコ型自動車保険加入者の場合、専用ドライブレコーダーから送信される映像データや速度、位置情報などをAIが自社の車両挙動に加えて相手車の車両挙動まで数分程度で分析し、事故状況を文章や図で自動生成する。事故時の手間や時間を大幅に短縮して迅速な解決につながる。

②保険金請求時の不正請求は、手口が複雑化・巧妙化し社会問題にもなっている。膨大な過去の保険金支払データをAIにより分析し、不正請求と相関関係の高い事故データをスコア化して検知する。請求に関わる当事者等の隠れた関係性をネットワーク図にして可視化する機能も備えている。また、2020年４月に運用開始した損害保険協会の保険金不正請求早期検知システムとも連携することで、複数の保険会社間などを横断した不正請求の検知が可能となる。

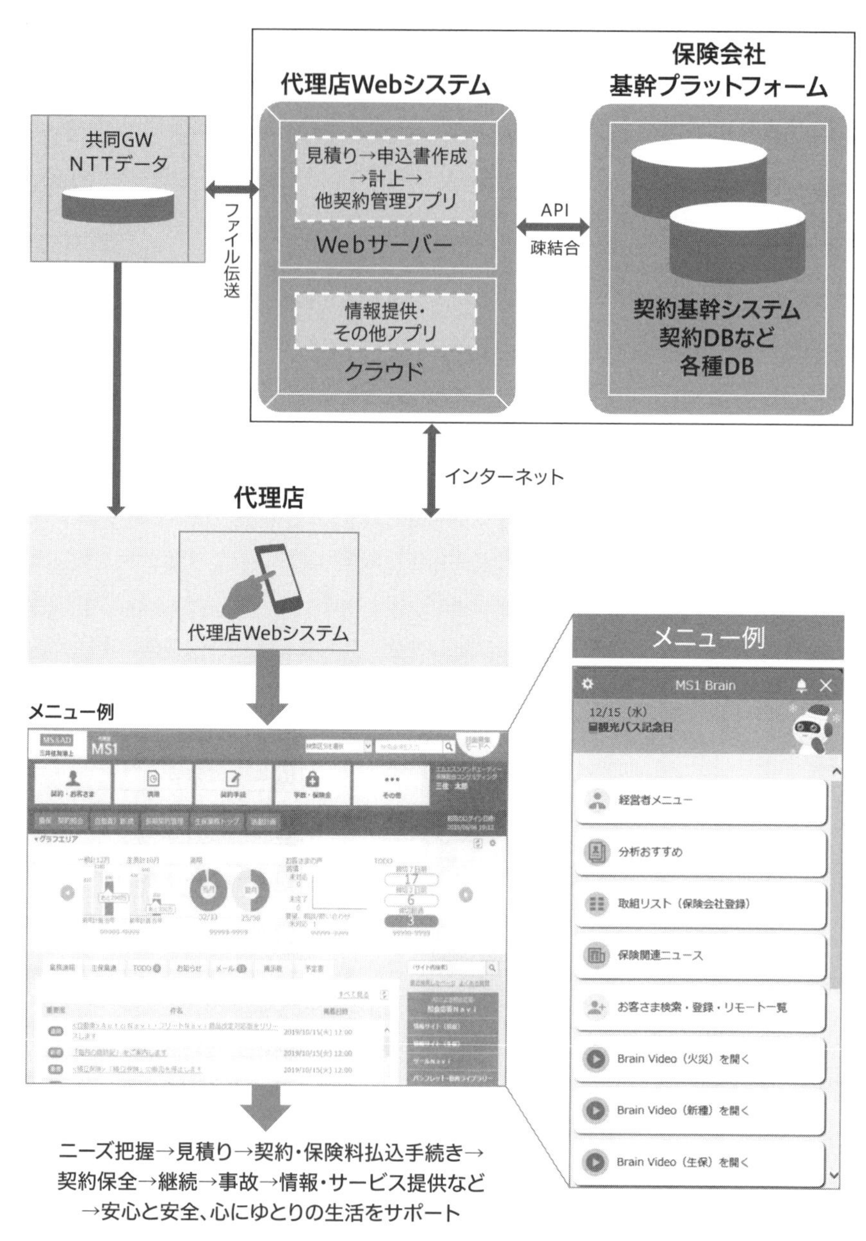

（出典）三井住友海上への取材をもとに筆者作成

三井住友海上のAIソリューション

保険会社が提供する代理店Webシステムは、保険会社と200万台以上の代理店端末がオンラインでつながる、日本有数規模の業界システムに発展している。

システム全体の仕組みは左図のとおり、代理店と保険会社のオンライン接続はインターネットで、契約データなどの大量ファイル伝送は共同GW（ゲートウェイ：NTTデータ社）で接続される構成である。代理店は一つのIDとパスワードで、すべての保険会社と通信ができる（シングルサインオン機能）。

以下、三井住友海上火災保険が提供するAIを導入したソリューションに特徴がある先進的Webシステムを例に機能の紹介をする（会社によってサービスメニューの構成や内容は異なる）。

対顧客手続き・コミュニケーションのためのメニュー：

- ニーズ予測分析：顧客の種々の情報とニーズや環境変化などAIによるビッグデータ解析から、顧客の補償内容の見直しや、新たな保険商品等を最適なタイミングで提案できる高いコンサルティン力を提供する。
- オンライン商談：顧客のスマホでWeb（オンライン）面談機能やメッセージ機能により非対面で契約、保険金請求などの手続きをペーパレスで完結する。
- パーソナライズド動画：AIが導き出した最適なプランを理解してもらうため、個々の顧客にあわせたパーソナライズド動画を作成する。

代理店の経営や活動を支援するメニュー：

- 募集人へのネクストベストアクションの推奨：募集人の活動を分析して、顧客への最適なアクションをAIが提示して、募集人をナビゲートする。
- 経営者サポート：AIが代理店の保有マーケットや販売実績を分析して経営計画の策定を助言するほか、活動指標や募集人の活動状況を管理するなど、代理店経営者をサポートして代理店のガバナンス強化と経営品質の高度化を支援する。

AI、ブロックチェーンなどDXを活用したサービスメニューの充実はますます進む。今後は、特に中小企業向けのリスク診断・予防機能など、保険にとどまらないソリューションの強化が期待される。なお、大型乗合代理店のなかでは、自社のマネジメント方針に沿った独自機能をもったシステムを開発し、経営管理、営業管理や顧客サービスに実績をあげているケースも増加している。

8-6 基幹システム

基幹システムの構造改革
→新プラットフォーム革新へ

- オープンシステム
  クラウド
- アジャイル開発
  ノーコード・ローコード開発

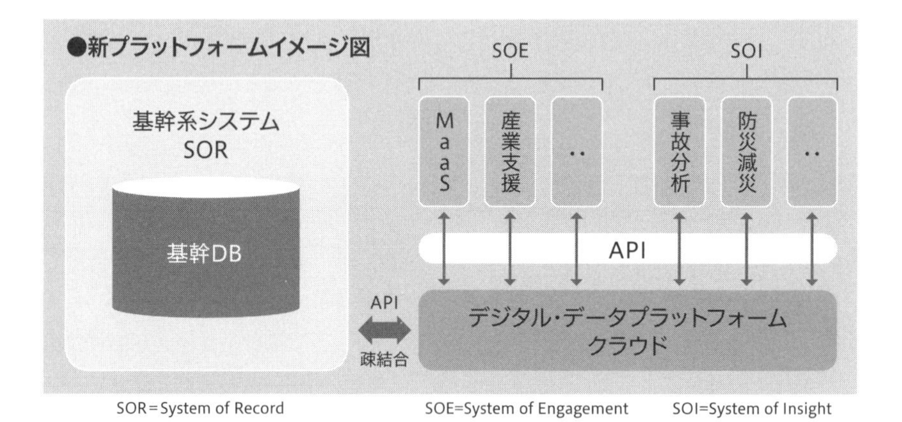

SOR=System of Record　SOE=System of Engagement　SOI=System of Insight

金融庁が進める「金融機関システム・フロントランナー・サポートデスク」

背景

堅牢・複雑化した基幹系システム

- 開発・運用に膨大なコストを要する
- 機動的な対応を阻害

迅速な更新、外部サービスとの機動的な接続、新たなサービスの創造を実現可能とするものに進化させていく必要がある

評価基準

- 社会的意義
- 先進性
- 利用者保護
- 遂行可能性

（出典）金融庁ホームページ、第一生命ニュースリリース

既存メインフレームにクラウドを融合

DXによるイノベーションは、顧客接点や保険営業体制をサポートするシステムに新しい価値を創造する。膨大な顧客、契約などのデータ管理を担っている保険基幹システムの仕組みも連動して進化、高度化していく取組みが必要になる。

金融庁は、金融機関のDXを後押しするための枠組みとして、2021年３月、金融機関の基幹系システムの開発や更改を支援する「基幹系システム・フロントランナー・サポートハブ」（現「金融機関システム・フロントランナー・サポートデスク」）を設置した。この第２号支援案件に保険業界初めて、第一生命の基幹システムが指定された（2021年６月）。クラウドを活用してこれまでのメインフレームで構築してきた基幹システムを刷新した新たなシステム基盤であり、「支援条件」となる社会的意義、先進性、利用者保護、遂行可能性の４項目で高い評価を得た。損保においても、メインフレームから移行するシステム基盤として目標になるものであり、その具体イメージ像（左図参照）を描いてみよう。

多種多量の契約データを管理する従来のメインフレームと、最新のクラウドをうまく組み合わせたオープンシステムのアーキテクチャーを採用する。手間や期間、コストが大幅にかかるシステムの全面刷新ではなく、顧客・契約などのデータを管理する従来のメインフレーム機能（SOR）を生かしながら、そのフロントエンドにクラウドを配置する構成をとる。顧客情報や契約情報のデータ分析機能（SOI）や顧客・取引先など外部システムと連携するクラウドサービス機能（SOE）をオープンシステム基盤のうえでAPI連携して実現する。既存インフラの徹底した「効率化とスリム化」によりコストの削減を図ることや高いセキュリティを確保すること、さらに、今後サービス・商品の展開でキーとなるさまざまな外部サービスとのAPI連携機能も必須になる。

新たな基幹プラットフォームを構築することにより、さまざまな外部ビックデータと自社保有データの連携によるデータ分析・活用の高度化が図られ、そこから生まれる多様な商品・サービスを創造し、顧客にタイムリーに提供できるようになる。さらに次のステップとして、このデジタルフォームにメインフレームの基幹システム（SOR）を全面的に組み込むことが可能になる。

SOMPO-MIRAIシステム

① 「未来革新プロジェクト」を2015年 4 月に組成し、保険会社では世界初の試みとなるオープン系技術を用いて一から構築するかたちで、保守性に優れたコンパクトなシステムに刷新(2021年 3 月稼働)

② 商品の構造から保険販売・引受け、保険料の収納・精算等に至る仕組みを、シンプルなシステムに刷新、「機動性・柔軟性・接続性」に優れた仕様にする。30年ぶりの抜本開発。

開発言語は、COBOLからJavaに全面刷新

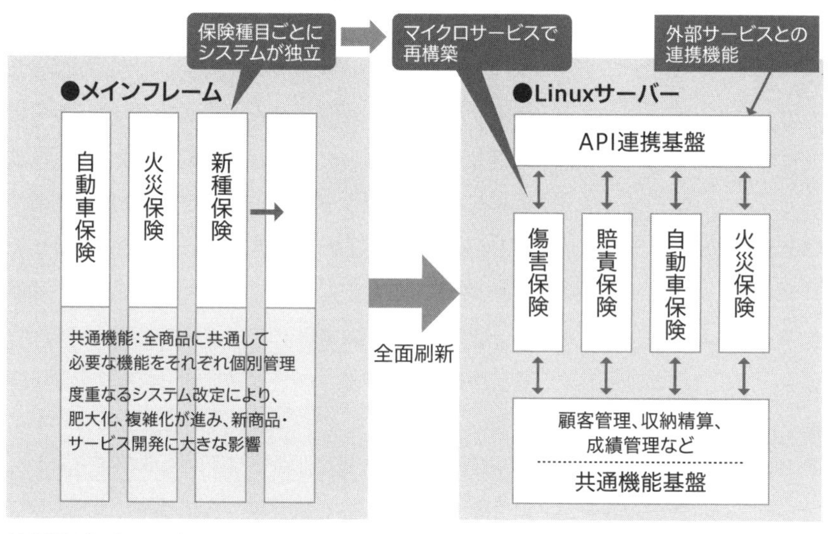

(出典)損保ジャパンへの取材をもとに筆者作成

特徴

- オープン系技術採用 Linux/API　等
- 言語:COBOLからJava
- コンポーネントのマイクロサービス化
- 開発方式:アジャイル開発
- 傷害保険・所得補償保険・個人賠償保険からスタート
- 保険種目共通機能の開発が完了し、今後自動車保険、火災保険などに展開
- 他のデジタル技術との連携がスムーズに行える

損保ジャパンのフルオープン化刷新

損保ジャパンは2021年６月、基幹システムを約30年ぶりに刷新し、2021年３月に稼働開始したとの衝撃的なニュースを発表した。「SOMPO—MIRAI」の名称を与えられた新システムは、基幹システムの全面刷新であること（３月稼働時には、傷害保険など一部種目に限定）と、2015年４月「未来革新プロジェクト」を発足させてから７年もかけた巨大プロジェクトであることだ。公表はされていないが、開発コストは1,500億円から2,000億円規模との声も聞こえてきている。マスコミの話題になることが多いみずほフィナンシャルグループの勘定系システムの開発に要した８年、約4,500億円には及ばないが、損保業界初めての巨大プロジェクトへの挑戦である。

損保業界は1996年の自由化以降、新商品の発売や商品改定の競争が続き、保険金不払い問題の発生（**4-9**参照）や保険会社間の経営統合・合併（2000～14年）により、従来のメインフレームシステムの複雑・肥大化は極限にまで高まっていた。このため新商品開発や商品改定などに迅速に対応できず、代理店、顧客へのサービスにもさまざまな悪影響がもたらした。この解決のため、損保ジャパンは環境変化や技術変化にいち早く対応し、ビジネスプロセスの抜本的な改革とDXを加速させるため基幹システムの全面刷新を決断した。

開発体制は社内から200名以上の専任メンバーを選抜し、東京の中野に関係者全員の集約拠点を設け、日立製作所との共同で開発会社を設立した。ピーク時には最大2,000人強の開発要員が投入された。

「SOMPO-MIRAI」のシステム技術の特徴をみてみよう。１つ目はシステム基盤にメインフレームを使わずLinuxサーバーなどオープン系システムだけで構成するフルオープンシステムを採用している。開発言語も従来のCOBOLからJavaに切り替えている。このことにより運用コストの低減、開発環境の自由度が高まり開発スピードの向上などを図る。さらにAPI連携基盤をもったことである。ブロックチェーンをはじめとするほかのデジタル技術との連携なども迅速に行えるようになり、ビジネスモデルの変化に対応した保険商品・サービスの開発が可能となる。新基盤システムの成果を発揮させるためにも第２期開発の自動車保険、火災保険など主力保険種目の早期稼働が待たれる。

8-8 データ活用とDX

① クラウドサービスを活用したリスクデータプラットフォームの構築
② 顧客から預かった情報を適切に管理し続けるための継続的改善
③ コンテナ技術による最新のデータ分析技術の迅速な活用
→データ分析プラットフォームに「SNOWFLAKE」採用
④ 社外の先進的分析技術の活用によるデータ分析力のさらなる高度化

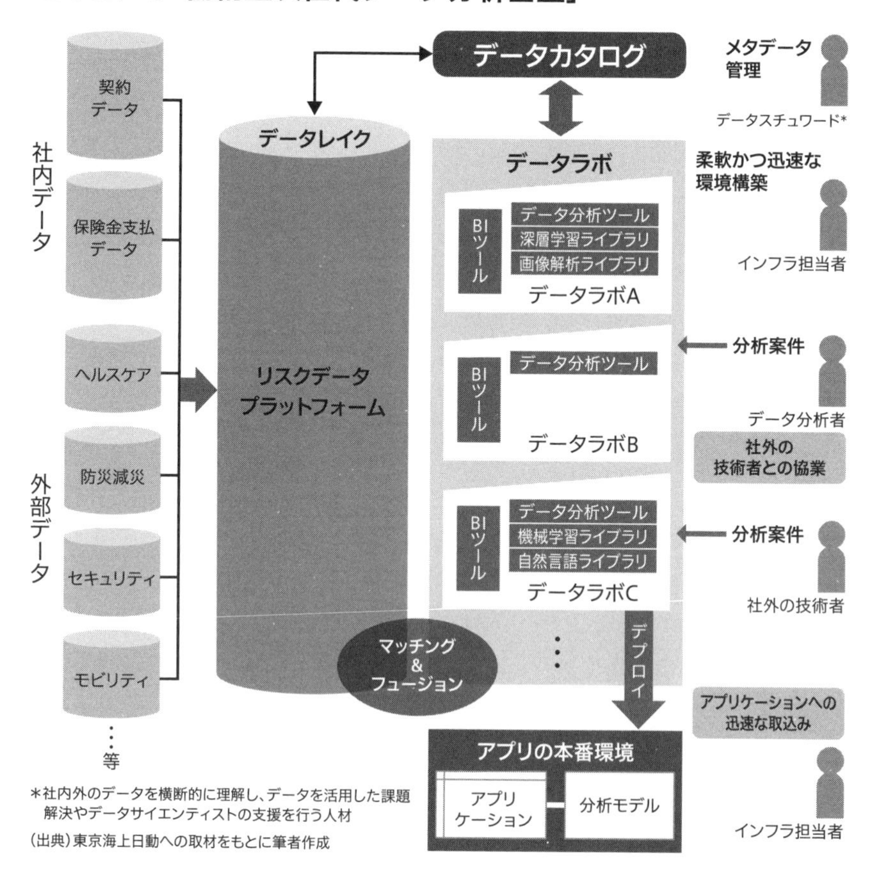

＊社内外のデータを横断的に理解し、データを活用した課題解決やデータサイエンティストの支援を行う人材

（出典）東京海上日動への取材をもとに筆者作成

東京海上グループの次世代データ分析基盤

データの活用が広がるDX時代に損保会社ができること、それは社会的課題の解決やイノベーションを後押しする役割である。DX技術などを活用した新しい商品・サービスを生み出すためのデータ分析基盤について、東京海上日動が2021年６月発表した次世代データ分析基盤を例に紹介する。

左図はクラウドサービスを活用した、保険会社が保有する契約や事故等に関するデータと外部のパートナーが保有するデータを同時に分析できるリスクデータプラットフォームのイメージ図である。このプラットフォームで収集したデータを安全に管理しながらデータの融合（マッチング＆フュージョン）を行うことで、防災・減災、セキュリティ、モビリティ領域、ヘルケアなどの課題解決に資するソリューションの開発・提供を行う。

東京海上日動はプラットフォームの導入にあたって、爆発的に増加する大量データを高速で処理できることを最優先してSNOWFLAKEを採用した。

このプラットフォームでは、コンテナ技術（アプリの動作環境を仮想的に構築する技術の一つ）を利用することで、データ分析結果を商品・サービス開発に迅速に反映できる。また、一つのプラットフォームで多数のデータワークロード（DWH、データレイク、データサイエンスなど））をサポートできる基盤である。

先進分析技術に精通したデータ分析者だけで、このプラットフォームを管理・運営することはできない。社内外のデータを柔軟かつ迅速に収集・管理する環境構築のインフラ担当者とデータを横断的に理解しデータを活用した課題解決やデータ分析者の支援を行うデータスチュワードの役割が重要である。

データ分析基盤の構築とともにデータ分析者（データサイエンティスト）の育成は急務である。東京海上日動は長期育成教育プログラム「データサイエンスヒルクライム」を2019年から開設し、すでに社内管理部門中心に約60名、社外約20名(2020年度から社外開放）を輩出している。カリュキュラムは、５つのステップ(導入教育、基礎数学・プログラミング、応用数学、機械学習・深層学習、実習)で体系的に構成され、オンライン座学・演習で200時間、延べ９カ月と充実している。なお、国（文部科学省他）も大学・高専を対象に、2021年から数理・データサイエンス・AI教育プログラム認定制度（リテラシーレベル）を開始した。

コラム11 APIで広がるビジネス領域

justInCaseTechnologies社デジタル保険基盤のSaaS型システム
「joinsure(ジョインシュア)」を保険会社、事業会社に提供

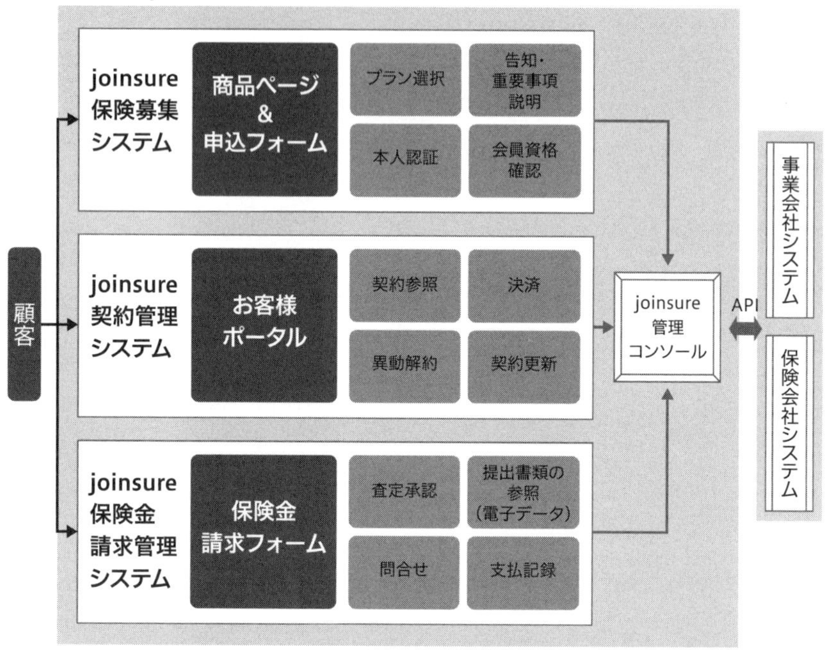

デジタル保険プラットフォーム活用のメリット

- ユーザーフレンドリーなUI/UXの利用
- ローコスト・ハイスピードなSaaS型システムの利用
- 保険契約からオペレーションまでプラットフォーマーが要件定義を支援

保険ビジネスに進出事業者のニーズ

- 保険商品を短期で開発して顧客に提供したい
- 販売チャネルを多角化して、顧客接点を密にしたい
- 少額短期保険会社の新設、金融仲介サービス事業に進出してマルチプロダクト展開をローコストで行いたい
- アップセル・クロスセル、OMO展開をしたい
- データ連携をして新サービスを提供したい……など

(出典)justInCaseTechnologiesニュースリリース

APIの活用が急速に拡大している。API（アプリケーション・プログラミング・インターフェース）とは、「アプリの一部を公開して、ほかのアプリと機能を共有できるようにした接続技術（手順やデータ形式などを定めた規約）」である。先行しているのは銀行、すでに銀行が公開するAPIを採用して、顧客の複数口座取引データを家計簿アプリで管理するなどの新たなサービスが生まれている。

保険の世界で外部に公開されているAPIの活用事例は少ないが、保険ビジネスへ進出する事業者向けに、短期間、ローコストで保険商品を販売できるプラットフォームの事例を紹介しよう。

保険スタートアップ企業justInCaseTechnologies社は、デジタル保険基盤のSaaS型システムである「joinsure」を提供している。東京都が主催した第１回東京金融賞「都民ニーズ解決部門」で第１位を受賞したこのプラットフォームは、クラウドベースの保険基盤を３つのコンポーネット①「保険募集システム」、②「契約管理システム」、③「保険金請求管理システム」で構成している。

「保険募集システム」は、募集フロント（商品紹介、申込受付）と顧客の認証機能・情報登録をもち、顧客はスマホから簡明な操作で保険加入ができる。

「契約管理システム」は、契約後の契約管理（変更・更新、契約照会、代理店管理など）とご契約者様マイページから契約内容照会、変更手続き、保険金請求手続き）、保険料の収納管理（オンライン決済など）の機能を提供する。

「保険金請求管理システム」は、状況に応じた手続き情報を的確に受領して、チャットボットの質問に回答していくだけのペーパレスで保険金請求を完結できる。

EC事業者などは、自社のサービスに加えてAPI連携により保険販売・管理に必要な要件を定めたユーザーフレンドリーなWeb保険システムを実現できる。少額短期保険会社の新設や金融サービス仲介業（**コラム16**参照）への進出をローコスト・ハイスピードで可能とするプラットフォームである。

また、既存の保険会社は自社の基幹システムともAPI接続で容易に連携して、顧客とのすべての手続きをデジタル完結で行うためのUI/UX（User・Interface/User・Experience）を効率的に開発し運用できる。

第9章

損害保険の流通ビジネスと保険代理店

9-1 損保流通ビジネス発達の歴史

年代	主な出来事	損害保険業界の動き	保険流通ビジネスの動き
幕末	●戊辰（ぼしん）戦争	●外国保険会社の日本進出	●日本で最初の保険代理店の誕生（万延元年〈1860〉）
明治（1868～1912）	●日清戦争 ●日露戦争	●東京海上設立（1879） ●東京火災設立（1887） ●明治火災設立（1891） ●日本火災設立（1892）	① 東京海上の海上保険募集体制 ●三菱会社や三井物産の支店や営業所 ② 東京火災の火災保険募集体制 ●地方の名士（主に個人）を「代弁店（保険代理店）」や「取継所（紹介代理店）」に起用 ●手数料率は８～10%、後に10%に統一
大正（1912～1926）	●第一次世界大戦 ●関東大震災	●大日本連合火災保険協会の設立（1917）	① 紹介人手数料率は10%以内（1917年） ② 代理店手数料率は15%以内（1921年）
昭和（1926～1989） 1926～1945	●満州事変、日中戦争 ●太平洋戦争	●損害保険の国家統制（保険料率、募集制度、1941） ●「損害保険統制会」発足（1942）	募集関係規制の強化（1941） ① 火災保険代理店手数料率の統一：10%、15%、20% ② 保険料率協定違反代理店の解約 ③ 保険料の割引・割戻の禁止、等
1945～1960頃	●終戦とGHQ支配 ●日本経済壊滅	●損害保険料率算定会設立 ●「保険募集取締法」成立（以上、1948） ●「テーブルファイア事件」（1956）	① 戦後の代理店制度のパラダイム確立 ●保険募集取締法：戦時中の募集関係規制が法制化 ●代理店手数料が大蔵省認可事項 ② 架空の火災保険事故によって得た裏金を対代理店対策に利用
1960～1980頃	●高度経済成長とモータリゼーションの進展	●火災保険のオールリスク担保化（1961） ●積立型商品認可（1968） ●自動車保険の引受規制（1966～1970頃）	① 損保会社による専業プロ代理店育成制度の誕生（1970年代） ② ノンマリン代理店制度の成立：火災、自動車、傷害保険を対象種目（1974）
1980～1989	●プラザ合意とバブル経済	●積立商品ブーム	営業拠点網の急展開と副業代理店の大量増設（1970年代後半以降～）
平成～令和（1989～2021）	●日米経済戦争 ●東日本大震災 ●新型コロナウイルス	●保険業法改正（1996） ●日米保険協議の決着 ●保険業法改正（2014） ●金融サービス提供法成立（2020）	① ダイレクト自動車保険の上陸（1997） ② 保険代理店制度の自由化（2003） ③ 銀行、証券、保険を横断する新ビジネスモデル

（出典）「損害保険代理店100年の歩みと今後の展望」「東京海上火災百年史」「東京火災50年史」

160年を超えた保険代理店の歴史

わが国における保険流通ビジネスの歴史は概ね５期に分けられる。

第１期は幕末である。黒船来襲によって諸外国との間で交易が始まり、海上保険や火災保険の引受けのために外国保険会社がわが国で営業を開始した時代である。わが国最初の保険代理店は1860年（万延元年）に誕生している。

第２期が東京海上（現東京海上日動火災）の創業に始まる時代である。1879年（明治12年）に誕生した東京海上は、三菱や三井物産、あるいは銀行といった企業を保険代理店に委託して全国展開を図った。一方、1887年に誕生した東京火災（現損保ジャパン）は主に地方の名士などの個人を「代弁店」や「取継所」（主に紹介人、いずれも後の保険代理店）に委託して営業を開始した。

1891年に誕生した明治火災（現東京海上日動火災）の記録によると、当時の保険代理店には契約締結権が与えられていなかった。それどころか、当初は火災保険の引受予定案件が１件残らず週２回の重役会議に付議され、引受けの可否と引受条件が決められていたのである。当時の代理店の役割は、契約者の紹介と引受けに必要な情報の収集に限定される実質的には「紹介代理店」であったのである。

第３期は戦時体制下である。保険料率は国家統制下に置かれ、代理店の設置自体が制限されるなか、保険料の「割引禁止」など業務規制も厳格化されていった。

第４期は、戦後の混乱と相次ぐ大火のなか、保険商品・料率や代理店手数料率等が全社統一のカルテル体制に移行した時代である。「保険募集取締法」が制定され、保険代理店の募集活動には法的規制が課せられた。戦後の復興が進むなか、火災保険の販売促進に拍車がかかっていた1956年、「テーブル・ファイア」という大事件が発生する。架空の火災事故を捏造して裏金をつくり、その資金で代理店手数料の上乗せをする会社ぐるみの事件であった。代理店の不適正な契約募集が業界全体の体質として常に問題視された時代であった。また、この期には、「専業プロ代理店」を育てるため「代理店研修生制度」が開始される。一方で、専業代理店の育成に逆行する動きも加速する。プラザ合意を経て、損保各社は副業代理店を中心に代理店の粗製乱造を進める。保険流通パラダイムは限界を迎えていた。

第５期は、わが国損保が再び自由化に突入した現在である。米国は、わが国に対して、「損保市場を完全に自由化すべきである」という要求を突きつけたのである。再度の黒船の来襲によってカルテル時代は終焉する。

9-2 保険代理店の現状と課題

1 募集形態別取扱いシェア

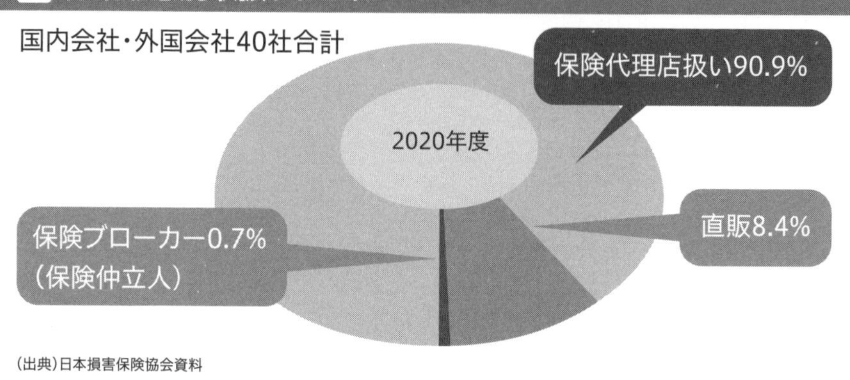

（出典）日本損害保険協会資料

2 保険代理店の現状（2020年度）……保険代理店数：165, 185店

専業・副業別（店数）	専業 18%（30,409店）	副業代理店 82%（134,776店）
専業・副業別（扱収入保険料）	専業 40%（2兆6,157億円）	副業代理店 60%（3兆9,789億円）
専属・乗合別（店数）	専属 77%（127,486店）	乗合 23%（37.699店）
専属・乗合別（扱収入保険料）	専属 32%（2兆1,356億円）	乗合 68%（4兆4,589億円）

副業代理店（自動車ディーラー整備工場等、保険手数料以外に収入源がある代理店）

乗合：2社以上の損保会社から代理店委託

（注）扱保険料：火災、自動車、傷害保険の合計額

特徴

- 保険ブローカーを含む専業代理店の保険料シェアが小さい
- 専業代理店の経営規模（手数料収入：約1,600万円／店）
- 専属代理店の数の多さと低生産性（同上：約300万円／店）

副業代理店が店数の８割、収保の６割を占める

2-6「損保商品の流通ビジネスの仕組み」で述べたとおり、わが国においては、保険代理店が損保商品の流通において圧倒的シェアを有している。欧米において、特に企業物件分野で保険流通の大きな分野を担っている保険仲立人（保険ブローカー）のシェアはわずか0.7％である。「企業物件市場の現状と今後の展望」については**9-5**で説明する。

保険代理店には、保険の販売を専業としている「専業」代理店と、保険販売以外に収入源がある「副業」代理店がある。これを店数ベースで比較した結果が左頁の「専業・副業別店数比較」である。副業代理店が８割を超え圧倒的多数を占めている。これは、先進国のなかでは日本だけにみられる特徴である。米国では、「副業」は、法律上は禁止されていないが、事実上皆無である。EUやアジアの一部の国では実在するが、わが国程顕著ではない。例えば、ドイツには企業の機関代理店が存在する。

専業代理店は、保険料でみてもそのシェアは40％と低い。また、保険を専業としていながら、１店当たり手数料収入は約1,600万円にすぎない。これでは、保険代理店は決して魅力的な職業ではない。財務基盤からみた事業の継続性からみても問題含みである。

一方、保険販売の委託契約をする保険会社との関係で、保険代理店には、専属代理店と乗合代理店がある。専属代理店とは特定の保険会社１社とだけ代理店委託契約を締結する代理店である。専属代理店が全代理店数の77％を占めている。

これに対し、乗合代理店の店数シェアは23％と低いものの、保険料シェアでは68％と専属を圧倒している。乗合代理店には、自動車ディーラーや金融機関など本業に関連した保険販売のメリットが大きい企業が数多く含まれている。このことが副業代理店の保険料シェアを押し上げている要因となっている。

専属代理店の１店当たり取扱保険料は1,700万円弱程度であり、手数料収入は１店当たり300万円程度にすぎない。このことは、副業代理店には経営規模の大きな企業が多数含まれる一方、自動車整備工場や不動産業など、経営規模の小さな多くの副業代理店が専属代理店として存続している実態を示している。

なお、図には示していないが、専業代理店はその手数料収入の６～７割を自動車保険に依存するという「一本足経営」になっていることも大きな特徴である。

9-3 専業代理店劣勢の歴史的背景

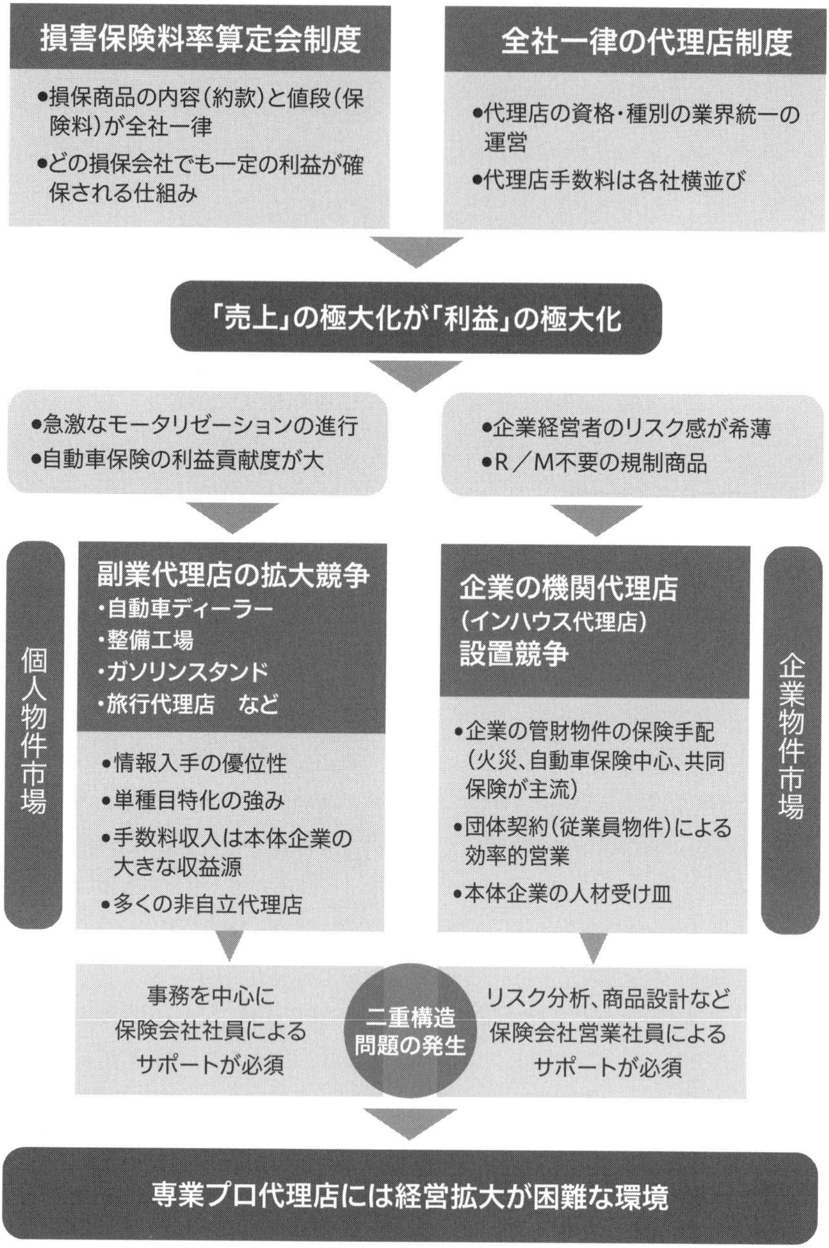

損害保険料率算定会制度

- 損保商品の内容(約款)と値段(保険料)が全社一律
- どの損保会社でも一定の利益が確保される仕組み

全社一律の代理店制度

- 代理店の資格・種別の業界統一の運営
- 代理店手数料は各社横並び

「売上」の極大化が「利益」の極大化

- 急激なモータリゼーションの進行
- 自動車保険の利益貢献度が大

- 企業経営者のリスク感が希薄
- R/M不要の規制商品

個人物件市場

副業代理店の拡大競争

・自動車ディーラー
・整備工場
・ガソリンスタンド
・旅行代理店　など

- 情報入手の優位性
- 単種目特化の強み
- 手数料収入は本体企業の大きな収益源
- 多くの非自立代理店

企業物件市場

企業の機関代理店
(インハウス代理店)
設置競争

- 企業の管財物件の保険手配(火災、自動車保険中心、共同保険が主流)
- 団体契約(従業員物件)による効率的営業
- 本体企業の人材受け皿

事務を中心に
保険会社社員による
サポートが必須

二重構造
問題の発生

リスク分析、商品設計など
保険会社営業社員による
サポートが必須

専業プロ代理店には経営拡大が困難な環境

画一的商品を一律価格で売る時代、専業の強味生かせず

1996年の損保自由化に至る戦後約50年間のわが国損害保険の流通を総括してみると、副業代理店の量的拡大の歴史であったということができる。こうなったのは、戦後、わが国の損害保険経営の根幹を支えてきた、"損害保険料率算定会制度"と"全社一律の代理店制度"、の２つにあったといえる。

どのような産業でも、そのなかで活動をする各企業は、与えられた制度的枠組みのなかで、売上げと利益を最大化するための経営戦略を採用している。

損害保険料率算定会制度は、保険商品の安定的供給を最大の目的としており、結果として、業界全体が一定の利益を確保できる仕組みとなっていた。損保全社が同じ商品内容（約款）を同じ値段（保険料）で販売をしていたのであり、"売上高の極大化"が、すなわち、"企業利益の極大化"に結びつく枠組みであったのである。

このような時代では、専業プロ代理店が行うリスクマネジメントやきめ細かな契約者サービスは大きな武器にはなりえなかった。リスクマネジメント（R/M）の出発点はリスクの低減による保険料の節減にあるが、これが有効にワークしない時代であった。

市場別にみると、個人物件分野においては、情報入手において優位性がある自動車ディーラー（自動車保険、自賠責保険）や整備工場（自賠責保険）、旅行代理店（旅行傷害保険）など副業代理店の設置競争に損害保険各社が走ったのは、企業戦略上、ある意味で必然であったといえる。

一方、企業物件分野では、大手保険会社は、大企業を相手に、自己物件を扱う機関代理店（インハウス代理店）を設置する方向に動き、この市場をほぼ支配する。その後、この動きは、地方の中堅企業にまで広がり、専業プロ代理店の活躍する場を奪っていった。企業経営者は、プロの専業代理店に企業のリスクマネジメントを委ねるのではなく、代理店手数料分の自社内への留保を選択したのである。

このようにみてくると、専業プロ代理店がわが国では主流にならなかったのは当然の結果である。ただ、副業代理店の設置競争は、保険会社の社員による保険代理店業務のカバーという「二重構造問題」を引き起こした。また、リスクマネジメントやアンダーライティング不在という時代は、損保ビジネスの本来あるべき姿に照らしても問題含みであった。自由化の進展は、この流れを大きく変えていく。

日本代協・大阪支部アンケートにみる専業代理店の課題

アンケートの内容と実施方法、回答代理店の基本情報

アンケートの目的と意義		●損保会社の代理店に求める品質や成果が厳しさを増す一方、大規模自然災害の増加、デジタル化の進行を受けて社会全体も大きく変化 ●「保険代理店の将来ビジョン」、「保険代理店の募集環境」や「保険会社との関係、施策」等について会員の声を集め「見える化」を図る。
実施期間と実施方法		●実施期間：2021年７月21日～８月10日（21日間） 回答代理店数：190社 ●実施方法：大阪代協の会員へのアンケート用紙のメール配信と受信
回答代理店の基本情報	回答者	1．経営者・役員（65%） 2．従業員（29%） 3．その他（6%）
	チャネル別	1．専業代理店（76%） 2．副業代理店（13%） 3．企業機関代理店（10%） 4．その他（1%）
	専属・乗合	1．専属（57%） 2．乗合（43%）
	募集人規模	1．４～９人（40%） 2．１～３人（32%） 3．10～19人（14%） 4．20人以上（14%）

（1）営業方針策定上の重要事項

営業方針を策定するうえでの重要項目	法人新規顧客の開拓	新種保険へのウェイト移行	生損保の併売	個人顧客の多種目化	顧客の層別化
非常に重要	69%	46%	51%	37%	37%
まあまあ重要	25%	44%	35%	48%	48%
合計	94%	90%	86%	85%	85%

（注）（1）に係わる経営者と従業員の意識の差について

経営者	従業員
「新種保険へのウェイト移行」 「法人新規顧客の開拓」を重要視	「生損保の併売」 「個人顧客の多種目化」を重視

（2）経営課題として重要と考えている項目

デジタル化の推進	社員の採用	後継者の育成	組織化・役割分担	社員教育	BCPの策定・見直し
62%	46%	40%	40%	39%	30%

（3）不公正・不公平と思われる募集の影響

自動車ディーラーによる保険抱合せ販売	金融機関の融資や金利優遇を条件とした販売	住宅販売・仲介業者による不公正募集	特に影響はない
71%	40%	26%	21%

日本損害保険代理業協会（日代協）・大阪支部が2021年夏に会員代理店を対象としたアンケートを実施した。自然災害の激増やDX（デジタルトランスフォーメーション）の進行など、経済や社会が大きく変貌を遂げようとするなか、保険代理店の現状の課題を「見える化」することを目的としている。

まず、[⑴営業方針策定上の重要事項］をたずねた結果が興味深い。「法人新規顧客の開拓」が「非常に重要」とする回答でいちばん多かったのである。次いで、「新種保険へのウェイト移行」と「生損保の併売」がほぼ同じ数字で並んでいる。

この背景は明確である。保険代理店の大半が自動車保険と個人物件に軸足を置いている現状では、代理店経営はいずれ行き詰まる可能性が高い、という見方が強くなっている。このアンケート結果は、５年前の2016年６月に公表された、日代協本部が野村総合研究所と共同実施した同種のアンケート結果と明らかに違っている。当時は、「新種保険の割合拡大」の問いに対して、88％が「ノー」と回答していたのである。この間に、代理店経営者の意識が相当変わったことを示している。

一方、経営者が「新種保険へのウェイト移行」と「法人新規顧客の開拓」を重視しているのに対して、従業員のほうは「生損保の併売」や「個人顧客の多種目化」が重要だとしている。実は、個人物件から企業物件、自動車保険から新種保険への移行、というのは保険代理店のあり方を相当変革しないと達成できない。

従業員は企業物件向け商品に関する知識を徹底して深める必要があるうえに、さまざまな業種にわたる企業の抱えるリスクについて豊富な知見をもつことが求められる。従業員には大変な努力と覚悟が求められる。代理店経営者の役割は大きい。

次に［⑵経営課題として重要と考えている項目］のトップが「デジタル化の推進」、２番目が「社員の採用」である。両方とも上記の業態変化の課題と通底する。高い専門知識をもつ人材を確保するためにはデジタル化によって社員の生産性を高め、高い報酬を実現しなければならない。

一方、「⑶の「不公正・不公平と思われる募集の影響」の結果は深刻である。そもそも、副業代理店は自動車の新規購入情報など、保険加入についての情報取得に有利な立場にある。そのうえで、本業にからめた「不公正な」保険加入の実態があるというのである。公平で公正な募集環境の確保が今後の大きな課題である。

9-4 自由化の進展と「独立代理店」の新興

商品・料率の自由化
（実質的に2000年 7 月以降）

代理店制度の自由化
（実質的に2003年 4 月以降）

▼

保険会社による代理店の
大型化・効率化施策
（保険会社の経営効率化策）

代理店自身の大型化と
自立化施策
（代理店の生き残り戦略）

リスク対策や他社比較を
求める契約者の増加
（保険市場の変化）

▼

代理店手数料体系への戦略組込み（大型化促進へのポイント付与など）

- 代理店同士の吸収・合併
- 他代理店保有の契約買取

- 保険金不払い問題の発生
- 東日本大震災の発生＝巨大リスク

企業の機関代理店の経営維持問題
（＝特定契約規制*）

＊代理店が、自らと人的または資本的に密接な関係を有する者を保険契約者又は被保険者とする保険契約（「特定契約」）の保険料が、全取扱保険料の 5 割を超えることは保険業法295条の趣旨に照らして問題である。（金融庁「保険会社向け総合監督指針」）

▼

保険市場からの構造改革要請

- 経営規模の拡大による専門プロ集団化
- リスクのプロによるR／M提案
- 多くの選択肢のなかから最適案の提示
- 「代理店経営」を志向

▼

日本における「独立代理店」の新興

（米国独立代理店と違うビジネスモデル）

米国と共通する特徴	日本独特の特徴
■企業物件の取扱いが中心 ■経営規模が大、従業員の高生産性 ■リスクマネジメントのプロを自認 ■多くの保険会社と乗合（自立） ■多店舗展開代理店が多い	■損保・生保の併売 （生保の取扱高の大きさは日本独特） ■来店型店舗の併営（一部） ■他販売チャネルとの提携 （企業の機関代理店、整備工場等）

自立可能な代理店だけが生き残る時代へ

1996年の保険業法改正に始まる損保自由化の進展は、副業代理店の設置競争と保険料の量的拡大による利益の極大化という単純な構図を崩した。まず、商品・料率の自由化突入以降、損保会社の経営環境は急激に悪化した。2008年～2012年の５年間にわたって、各社のコンバインドレシオは100％を上回り、損害保険の本来事業が赤字体質に陥った。これは、高コスト体質のなかで自然災害が増加し、自動車保険の損害率悪化などが重なったためである。

このため、保険会社の代理店戦略は、自立して契約を拡大する意欲と能力があり、保険会社からみて手間ひまのかからない専業プロ代理店のウェイトを高くする方向へと舵を切った。これに対し、保険代理店側も保険会社から切り捨てられないため、さらには、保険会社に対し一定の発言権や交渉力をもつために、自らの努力で大型化・自立化を図る動きを強めていった。

また、保険金不払い問題の発生以降、保険代理店にはコンプライアンス徹底の要求が厳しくなり、リスクと保険商品に精通する人材を揃えるためにも経営の大型化が必須になってきたという事情もあった。

一方、顧客側においては、東日本大震災やタイの大洪水などの発生によって巨大リスクが顕在化したため、従来の固定的な損保会社取引から、多くの保険会社の選択肢のなかから、最適な条件でリスク対策と保険設計を求める動きが強まった。

また、企業の機関代理店の一部に経営維持問題が発生している。機関代理店が保険業法295条の自己代理店禁止規定と同じ趣旨で、「特定契約取扱代理店」の認定を受けるケースが起きている。これは企業の従業員相手に傷害保険などを一斉募集する「団体契約」が、正社員の非正規社員への切替えや契約加入率の減少等によって契約ボリュームが減少していることが一因である。「団体契約」は代理店と密接な関係のある企業との間の「特定契約」には該当しないため、特定契約比率を５割未満に下げる効果がある。さらに、親企業が自身のリスク対策を強化するため機関代理店を売却するケースなども出てきている。

こうした環境の変化を受けて、日本でも「独立代理店」の存在感が増している。「独立代理店」とは、特定企業や企業グループとは人的・資本的関係がなく、多くの保険会社と乗り合っているR/Mのプロのことである。企業物件の取扱いに強く、自動車保険への依存度が低いところに大きな特徴がある。

コラム13 独立代理店の経営形態

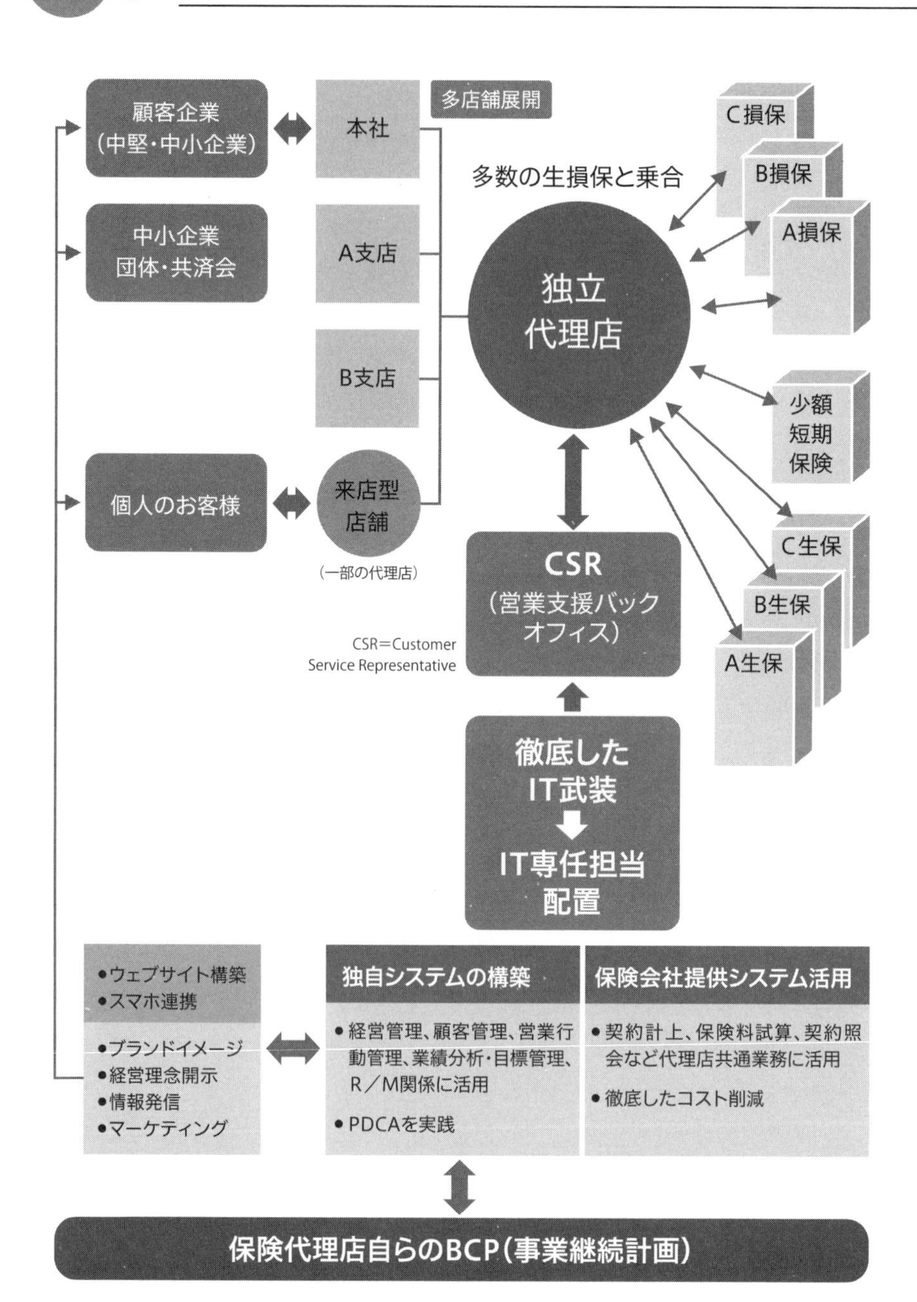

左図は、わが国における独立代理店の典型的な経営形態を示したものである。

独立代理店は、多くの生損保と乗り合っており、代申（代理申請）保険会社はあるものの、代申社への依存心はなく、保険会社とは等距離外交を貫いている。総じて、自社の経営ビジョンを明確にしており、その徹底に腐心している。経営規模の拡大を目指す場合も、自社の経営姿勢を貫くため、他社との経営統合や企業を丸ごと買収するのではなく、営業権や契約の買取りにとどめている保険代理店が多い。

また、落下傘方式で多店舗展開を進める代理店もある。例えば岐阜に本社がある保険代理店の場合、札幌から福岡まで全国に16支店を構えている。本社には経営企画部署を置き、支店の統括、成長戦略や店舗展開の立案、人材育成等を担っている。

独立代理店には、リスクのプロを自認する代理店が多く、企業物件の開拓、深耕を業務の中心にすえている。福岡に本社がある保険代理店は「新種保険の損保会社別比較表」を作成し、企業への提案時に活用している。A3サイズの大きな縦長の表である。7社の損保を選び、製造物責任保険や動産総合保険など代表的な商品の自動付帯特約の有無や標準保険料の比較が示されている。

一方、米国の独立代理店と同様、各社ともCSR（Customer Service Representative）の充実を図っている。CSRとは営業部門を支える事務と業務の中核部門であるが、契約の計上処理にとどまらず、各損保会社の企業向け商品の約款・特約、標準保険料等を調べ、企画書、契約書の原案を作成する役割まで担っている代理店が多い。

徹底したIT武装にも特徴があり、ITの専従者を置いている代理店が多い。

保険会社が提供する「代理店システム」を保険料試算などでは活用する一方、経営管理、顧客管理、営業行動管理などの分野では、自社で独自システムを開発するケースが多く、経営のPDCAを実践している。“保険代理店を経営する”、という意識が高く、これからの専業保険代理店のあるべき方向性を実践している。企業の顧客にはBCP（事業継続計画）の策定を促す一方、自社のBCPにも熱心に取り組んでいる。米国の独立代理店によく似ているが、絶対数が少ないのが業界にとっての課題である。

9-5 企業物件市場の現状と今後の展望

1 日米損害保険市場の構成割合比較：2019年度

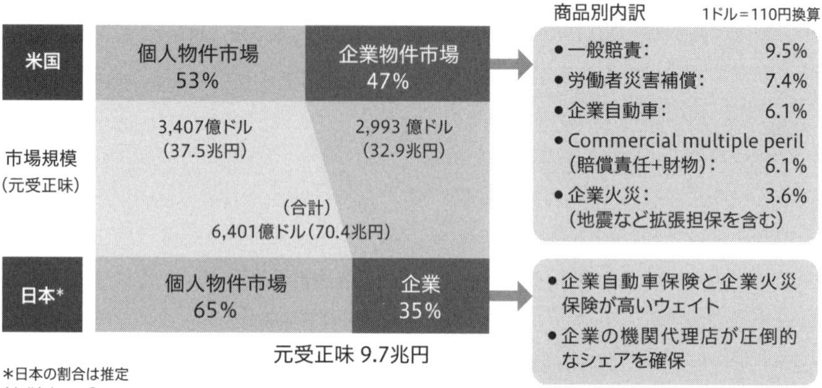

	個人物件市場	企業物件市場
米国	個人物件市場 53%	企業物件市場 47%
市場規模（元受正味）	3,407億ドル（37.5兆円）	2,993 億ドル（32.9兆円）
	（合計）6,401億ドル（70.4兆円）	
日本*	個人物件市場 65%	企業 35%

元受正味 9.7兆円

商品別内訳　1ドル＝110円換算
- 一般賠責：9.5%
- 労働者災害補償：7.4%
- 企業自動車：6.1%
- Commercial multiple peril（賠償責任+財物）：6.1%
- 企業火災：3.6%（地震など拡張担保を含む）

日本：
- 企業自動車保険と企業火災保険が高いウェイト
- 企業の機関代理店が圧倒的なシェアを確保

*日本の割合は推定
（出典）米I.I.I.「The Insurance Fact Book 2021」

2 企業物件市場の今後の展望

	（戦後〜自由化突入前）	（今後の展望）
企業を取り巻くリスク環境	•欧米に比べリスク環境は良好「安全神話」を生んできた •消費者等による訴訟リスクは稀少	•大規模な自然災害の増加 •パンデミックなど想定外のリスク •権利意識の増加による訴訟増加
大企業経営者のリスク対策	•損保商品は全社一律。リスクマネジメントは経営とは無縁 •インハウス代理店をつくり、代理店手数料を自社に還元	•グローバルリスクを含めた企業全体のリスク対策の必要性が増大 •ESG経営が求められるなか、リスク対策への説明責任 •リスクマネージャーの起用と機関代理店の改革が進む可能性
機関代理店の位置づけ	•機関代理店は本体社員の定年後の再雇用の受け皿	（同上）
中小企業経営者のリスク対策	•BCP策定の必要性は徐々に認識 •自動車・火災保険など最低限の保険加入	•零細企業が圧倒的に多く保険加入を含めたリスク対策が不十分 •リスク対策の人材不足

専業代理店の役割

中堅・中小企業のリスクマネージャーの役割
- 相手企業のリスクの洗出し、リスク評価等をふまえた最適保険設計
- 企業のBCP*策定支援やBCP担当者の育成支援

*BCP:Business Continuity Plan、事業継続計画

リスクの増大が企業代理店の機能高度化求める

わが国の企業物件市場をほぼ席巻しているのが企業の機関代理店（インハウス代理店）である。独立代理店も大企業にはなかなか攻め込めない状況にある。

この市場にもいくつかの変化の芽が生じている。その変化を追ってみる。

まず、わが国の企業物件市場を米国と対比させたのが、左頁の「１」である。米国の企業物件市場は、わが国の個人物件を含めた市場全体の3.4倍にも達する。この市場で大きなシェアを占めているのが賠償責任保険であり、一般賠償責任保険だけで6.7兆円（１ドル＝110円換算）。これに医療過誤賠責や生産物賠責（PL保険）を加えると約８兆円にも及ぶ。

また、欧米では、財物損壊のリスクと同様、費用／利益リスクやキャッシュフローリスクを重視する。賠償責任保険やBI（Business Interruption、事業中断）保険などの普及が企業物件市場を拡大させている。

翻って、わが国企業物件市場の今後を展望したのが左頁「２」である。日本は長い間「安全神話」のなかに浸っていた。それが転換点を迎えたのが1995年の「阪神淡路大震災」である。以降、東日本大震災や巨大台風の相次ぐ来襲によって、わが国は災害大国の様相を呈している。また、半導体工場や巨大物流倉庫の火災事故を受けてサプライチェーンが大混乱した。そこに起こったのが新型コロナウイルスによる世界的パンデミックの発生であった。

ある金融系企業代理店のトップの一人は、リスク対策と損害保険の提案先が従来の総務部門から経営企画やリスク管理部門に変わり、「企業からは想定外の事態も含めて、あらゆるリスク対策の提示が求められるようになった」と語る。

企業経営者はESG経営が求められるなか、自社のリスクマネジメントと保険手配についての説明責任が求められる時代である。大企業では社外からリスクマネージャーを起用する動きが続いており、ひとつの流れになりそうである。また、インハウス代理店を売却する事案も増えている。

一方、わが国の企業の大半が中小企業である。BCP策定などR/M推進の認識は徐々に高まっているが、そのための人材を置く余裕がない。損保専業代理店は中堅・中小企業のリスクマネージャーの役割を果たす方向に向かうべきである。

9-6 独立代理店と専属専業代理店

1 専業代理店、企業代理店へのヒアリング実施の概要

実施時期	対象代理店	対象地域	ヒアリングした事項
2021年 2月～10月	●専属専業代理店：2店 ●乗合専業代理店：7店 ●企業代理店：2店	東京、大阪、三重、愛知、福岡、北海道	●10年後の社会、経済変化 ●個人、企業のリスク観の変化 ●今後の代理店の「経営リスク」

2 ヒアリング結果の総括：両極に位置する2代理店を対比

		専業乗合代理店（独立代理店）A	専属専業代理店B
代理店のプロフィール		●戦前から続く代表的専業代理店 ●リスクマネジメントアプローチの徹底 ●取扱保険料：18億円、手数料収入：3.2億円、従業員：28人　法人ウェイト：87%	●某大手損保の「代理店研修生」出身 ●リスクマネジメントを独学で身に付けた ●取扱保険料：6億円、手数料収入：1億円、従業員：14人　法人ウェイト：48%　自動車保険ウェイト67%
代理店経営の特徴		●個人物件を極力排除、従業員1人当たり手数料収入の目標は2,000万円 ●米CPCU*を取得の女性を役員に登用 ●コロナ禍でもリモート営業は採用せず	●「専属」のメリットを最大限生かす方針 ●地元商社と資本提携の上、同社の機関代理店を譲り受けた。 ●営業に「ノルマ」なし、全員「固定給」
個別ヒアリング事項	重大な経済・社会の変化	●人口減少と人口構成の変化 ●マクロ経済は伸びない。ただ、必ず成長産業が出てくる。成長産業と一緒に発展していく。	●人口減少とインシュアテックなどのテクノロジーの進化 ●保険会社はその変化を受けて大きく変わる
	保険へのニーズの変化	●個人：通販はシェア10%が限界。 ●法人：BI（事業中断リスク）への関心。	●個人はデジタル志向を強める ●法人はトータルなリスクマネジメント
	企業物件市場への取組	●リスクとリスクプロフィールを洗い出してプロポーザルを作成。 ●経営者のリスク概念を洗脳する。	●「事業継続（BCP）」の資格を取得 ●エリア内の企業の証券診断を行い、企業のリスクマップを作成中 ●「自家保険」の採用も提案
	関心のあるデジタル化	物件調査や損害調査におけるドローンやAIの活用。自動車事故処理の迅速化に効果大。年間1万件の事故処理。	保険会社の構築、提供するビッグデータに期待。これをアプリでつないで活用する。
	損保会社の専業代理店戦略	代理店との取引高の下限を引き上げ、足切り。代理店手数料水準を10～12%にダウン。	代理店の「量」の大きさ（経営規模）も大事だが、経営の「質」を重視する方向に向かう
	対処が必要な「経営リスク」	●「独立代理店」としての人材育成。 ●リスク教育の徹底。丁稚奉公も必要。	保険代理業から真の「サービス業」に進化。真の「差別化」ができるかどうか

＊CPCU：Chartered Property Casualty Underwriter、認定損害保険士

それぞれの強味を生かした将来戦略

私たち（トムソンネット）は、「今後10年間における保険流通ビジネスの見通しと保険代理店のあり方」をテーマに議論を重ねてきた。紙幅の制約から、ここでは、戦前から続く乗合専業のＡ独立代理店と、徹底して専属を貫いているＢ専業代理店を対比させて、ヒアリング結果を紹介する。

「代理店のプロフィール」と「特徴」にあるようにＡ代理店は、筋金入りのR/Mのプロ集団である。個人物件には手を出さず、高い生産性を誇る。時に、明治時代までさかのぼって地域特有のリスク要因を洗い出す。人材の育成を大事にしており、米CPCUの資格を取得した中堅女性社員を、2021年から役員に登用している。

一方のＢ代理店は、徹底して「専属」のメリットを生かす戦略をとるなかで、取扱保険料を約６億円（生保は年換算保険料）という規模に成長している。後継者を含む人材の提供についても保険会社と相談をしながら進めている。自力でR/Mノウハウを習得した努力家だ。

「保険ニーズへの変化」については、Ａ社長は「BI（事業中断）リスクへの関心が高まっている」と語る。Ｂ社長は、「個人顧客はますますデジタル志向を強める」としながら、実際、自社のウェブサイトで顧客から予約受付を行い、リモート商談で成果をあげている。

「企業物件市場への取組み」については、Ａ社長は、「リスク感について経営者を洗脳する」と強調している。損保商品からではなく、まずリスクから入るべきであり、漫然と満期更改はしてはならないという。ねらっているのは、手数料収入2,000万円／人の生産性である。

一方、Ｂ代理店は地元商社の資本参加を受け入れ、かわりに同社の機関代理店を譲り受けている。自らBCP関連の資格を取得し、駅前に立地する自社が２年連続して水災被害に遭った経験をもとにBCPを含むリスク対策を提案している。自社のエリア内にある企業の保険証券診断を行い、リスクマップを作成中である。「企業物件の深耕はこれからだ」とも語る。

「対処すべき経営リスク」については、Ａ社長は“人材育成”、Ｂ社長は“差別化”をあげている。損害保険代理店の勝ち残る条件は、“人材の確保と育成”、という点が共通している。経営スタイルは違っているが、両者とも自社の経営姿勢には絶対の確信をもっている。

9-7（米国）損保流通ビジネスの最新動向

背景 ●●●
・異業種の保険流通ビジネスへの参入（地銀、流通、IT等）
・多様な経営形態の誕生
・IT化、デジタル化の進展

1 保険代理店／ブローカーによるフランチャイズ展開

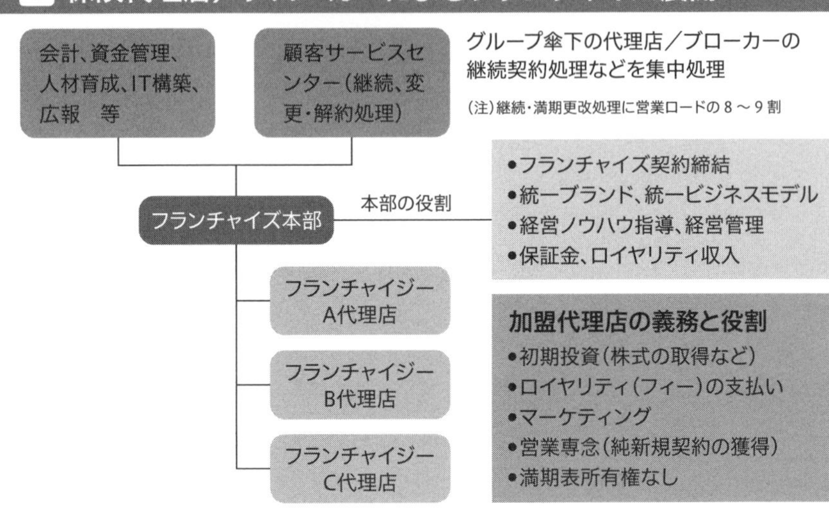

2 企業物件市場における保険流通プラットフォーマーの台頭

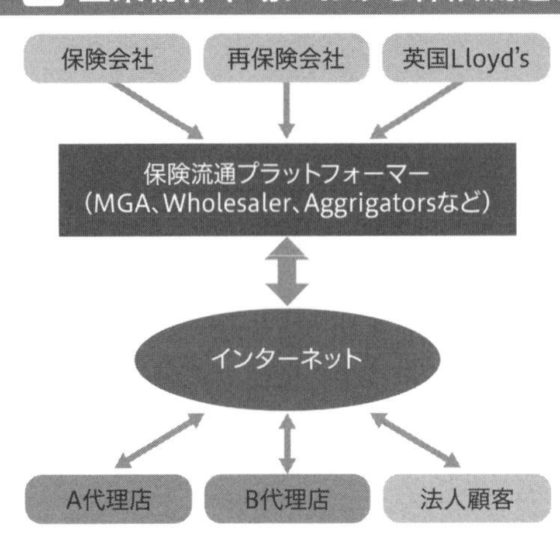

●AIやビッグデータ処理など最先端技術を活用しており、インターネットを介して非対面で保険取引やリスク関連サービスを展開。
●保険会社や再保険会社等から商品を部品として提供を受け、独自に加工、付加価値をつけて独立代理店や顧客に提供する。
●サイバー保険、外航貨物、一般賠責、BI（事業中断保険）等

異業種の参入、IT化・デジタル化が進展

米国では、IT化・デジタル化の進展のなか、異業種から保険流通ビジネスへの参入が相次ぎ、多様な経営形態が誕生している。具体的事例が、「保険代理店／ブローカーのフランチャイズ展開」であり、企業物件市場における「保険流通プラットフォーマー」の台頭である。

図１は、保険代理店／ブローカーのフランチャイズ展開の経営形態を示したものである。特徴的なのがブランドの統一であり、一つのビジネスモデルでの業務展開である。強力な本部が傘下の代理店／ブローカーの経営や業務指導にあたっている。

個人物件を主要ターゲットとする場合は、本部（地域本部を含む）に「顧客サービスセンター」をもち、継続・満期更改や契約の変更・解約などのメンテナンス業務を集中処理している。傘下の代理店／ブローカーは営業ロードの８〜９割を要する継続・満期処理などから解放され、マーケティングと新規契約の獲得に全精力を集中することができる。

企業物件を主体とする場合は、本部の機能には「商品開発」と「R/M指導、補助」が加わる。保険会社に対する強力な交渉力をバックに、フランチャイズ特別仕様の商品・サービスを開発するのである。また、傘下代理店では手に負えないむずかしい案件には、本部チームが参加してR/Mや契約設計のサポートを行う。

いずれの形態でも、フランチャイズ全体の契約規模をバックにして、多くの保険会社へのアクセスが可能となる一方、有利な代理店手数料率を勝ち取っている。

フランチャイズに加盟する傘下代理店／ブローカーは、株式の取得などの初期投資とロイヤリティ（フィー）の支払いが必要であるが、経営が安定するうえに、加盟店を離脱するときには、初期投資を上回る多額の資金を入手することができる。

一方、企業物件市場における保険流通プラットフォーマーは、書面による対面でのやり取りが原則であった企業物件分野に非対面の電子取引を持ち込んだものである。ビッグデータやAI処理などの最先端技術を駆使して、代理店／ブローカー、あるいは顧客の求める最適な商品の提供をインターネット経由で行っている。**コラム15**でそのビジネスモデルを確認してほしい。

なお、2021年10月には、わが国のエムエスティ保険サービスが、「中小企業向けオンライン保険プラットフォーム」の構築の検討に入ったと発表している。このような動きがわが国でも相次ぐのかどうか、興味深いところである。

米・代理店／ブローカーのフランチャイズ展開

タイプ	グループ名	沿革と特徴	初期投資額など	ビジネスモデル
個人物件特化型	Brightway Insurance	[沿革] ①2008年のリーマンショック時に創業 •モットーは、「代理店ビジネスモデルの再発明」 ②全米205地域に展開 •８億ドルの取扱保険料 [特徴] フォーブス誌から全米トップフランチャイズの評価（2015）	•フランチャイズ費用：最大３万ドル •初期投資額：４万2,300ドル～17万8,916ドル •代理店手数料の分担：新規契約（85～100%が加盟店） 継続契約（55%が加盟店）	①主力は個人物件：ニーズに応じカスタマイズ（多くの保険会社から部品調達） ②中央処理の顧客サービスセンターを保有（継続、満期更改、変更・解約の集中処理） ③加盟４年目までに、独立代理店の２倍の新規保険料を稼ぐことが可能
地域特化型	Great Florida Insurance （注）フランチャイズへの転換時期不明	[沿革] ①約30年間、フロリダ特化の地域密着の歴史 ②127カ所に展開：4.5億ドルの取扱保険料（2020） [特徴] 代理店の加盟のしやすさ •最低取扱収保基準なし •生保等の取扱義務なし •満期表所有権は加盟店が保有	加盟基準は低いはず（開示せず） •代理店手数料の分担：ロイヤリティ（フィー） 本部：５％ 加盟店：95%	①フロリダ州で営業免許を持つ“A”ランクの保険会社と取引 ②代理店手数料率：15～21%（およびボーナス代理店手数料） ③「売り方」は自由 ④本部による支援：マーケティングとIT（オンラインマーケティングツールの提供）
保険会社主導型	Allstate Insurance Company	[沿革] ①フランチャイズの開始は1993年： •営業社員（代理店）からの要請に対応 ②フランチャイズのユニット：250 [特徴] ロイヤリティは無料	•初期投資額：10万ドル（株式の取得） •必要流動性資金：５万ドル	①高いブランド力の利用、金融サービスも可能 ②本部による継続的な教育と経営サポートプログラム ③手厚いサポート体制 •24時間稼働の顧客サービスセンター •代理店ホームページの簡易な立上げ、など

（出典）各社のホームページ

フランチャイズ展開する米・保険代理店／ブローカーのなかから特に興味深く、わが国の展開でも参考となりそうな３例をあげてみた。

Brightway Insurance：個人物件特化型

フランチャイズ展開としては最先端を行くモデルである。

まずその経営規模に驚く。全米205地域に展開しており、2020年度には取扱保険料が８億ドル（日本円で880億円）に達している。傘下最大の代理店のBoca Northの取扱保険料が3000万ドルを超えたとして本部から表彰されている。

ロイヤリティ（フィー）が公開されている。加盟代理店は代理店分担方式でフィーを支払う仕組みである。新規契約では、ゼロ～15％、継続契約では45％が本部へのフィーとなる。継続・満期更改契約については、本部が集中処理してくれるため、加盟店に55％も手数料が入ることは魅力的であろう。ホームページをみると、加盟５年目で平均すると手数料収入が６千万円を超えるという。また、トップ25％の代理店に入ると、手数料収入は１億円を超えると宣伝している。

Great Florida Insurance：地域特化型

徹底的に“代理店の加盟のしやすさ”を追求しているため、フランチャイズらしからぬビジネスモデルである。まず、本部に払うロイヤリティ（フィー）が５％と安い。その分、本部への経営管理の集約や継続・満期更改処理のための顧客サービスセンターは設置されていない。本部が支援するのはIT関係やマーケティングツールの提供程度である。また、通常とは違って満期表所有権も加盟代理店が所有している。最低取扱収保基準や生保／健保の取扱義務も設定されていない。また、売り方も自由である。その割に代理店手数料率は15～21％と高い。

フランチャイズの経営形態をとるが、実態は“クラスター”である。合併や経営統合を嫌う代理店同士が本部代理店をつくり、グループ経営を行う経営形態である。

Allstate Insurance Company

大手損保が展開しているフランチャイズである。同社の原点は営業社員（わが国の外勤社員）による営業展開であるが、その営業社員からの要請に応えて立ち上げたモデルである。営業社員による代理店事業の家族などへの継承、あるいは本人の退職後の事業継続と引退時の事業売却に都合がいいモデルである。

米・企業物件の保険流通プラットフォーマーの台頭

企業名と企業概要	プラットフォーマーの特徴	ビジネスモデル
スライスラボ (Slice Labs) MGA(Managing General Agent) 本社:ニューヨーク州ニューヨーク ・創業:2015年	「世界で初めてオンデマンド型の保険クラウドプラットフォームを構築した」、と標榜している。 ●会社名の「スライス」は、「リスクと時間をスライスして(切り分けて)処理する」というコンセプトに拠っている。 ●この会社の保有するプラットフォームを他の保険会社にもライセンス供与している。	**1. サイバー保険関係** a. 中小企業向けサイバー保険をオンデマンド型で提供 b. 自社のURL、住所、業種、年間売上高、従業員数を入力するだけで概算保険料のオンライン見積りが可能。 c. 企業は月単位でサイバー保険契約を管理し、担保条件を変えて保険料を支払うことができる。 **2. シェアリング・エコノミー向け保険関係:** ライドシェア用自動車保険やホームシェア用ホームオーナーズ保険の提供
コーバス (Corvus) MGA 本社:マサチューセッツ州ボストン ・創業:2017年	「保険の未来を創り出す」とアピールしている。 ●貨物保険分野では、IoT、特にコンテナに温度追跡のセンサー等を配置してビッグデータを収集、気象データ等の外部情報とマッチングさせてリスク分析を行う点。 ●サイバーリスク分野でも、スキャン技術を使い企業のITセキュリティ対策のレベルを評価	**1. スマート貨物+サイバー保険の開発** a. ワインなど繊細で劣化しやすい積載貨物のリスク分析とリスク低減をオンラインでサポート。 b. スマート貨物+サイバー保険は全米のワイナリーやその他の飲料会社で利用されている。 **2. スマートサイバー保険の開発** Hudson保険グループと提携して、企業のセキュリティ対策のレベルをスキャン技術を使って8つの分野から解析する。サイバー保険の付保方針やセキュリティ対策をアドバイスする。
ボールドペンギン (Bold Penguin) インシュアテック企業 本社:オハイオ州コロンバス ・創業:2016年	創業以来、「SME(中堅中小企業)向け保険仲介のエクスチェンジ(電子取引所)」として機能。 2020年には、1年間に100万件を超える保険仲介を達成。2021年にはIVANSと提携、より広範な保険仲介が可能となった。	1. 個々の独立代理店は、このインターネットエクスチェンジを使うことによって、一つの申込み(application)を行うだけで、多数のMGAや保険会社から保険料見積結果を受けることができる。 2. 仲介する企業物件商品は次のとおり。 ・BOP(Business Owners Policy)・ボンド(Bond) ・商業用自動車保険(Commercial Auto) ・商業用財産保険(Commercial Property) ・労災保険(Workers Compensation) ・一般賠償責任保険(General Liability) ・専門職業賠償責任保険(Professional Liability) ・サイバー保険(Cyber Coverages)、 など

(出典) 1. World Insurance Report 2021 by Capgemini、2. 日本経済新聞電子版:2020年5月25日付特集記事「サイバー被害を補償保険スタートアップが開く新市場」、3. 各社のホームページ

米国では、企業物件市場で台頭している保険流通の新しいビジネスを「サービス提供オンラインネットワーク」とか「エレクトロニック卸売ブローカー」等と呼んでいる。“プラットフォーマー”はわれわれの独自のネーミングである。

スライスラボ（Slice Labs）

この企業は、ミュンヘン再保険ベンチャーズや米・XLイノベート等からすでに4,000万ドルの資金を調達している。米国や欧州では、企業物件市場の流通ビジネスに多様な分野から資金が集まっている。また同社のシステム開発にはアクサXLやマイクロソフトが関わっている。新興する多様なベンチャー企業に保険会社等の大手が連携の手を差し伸べるのも最近の特徴である。「リスクと時間をスライスする」とのコンセプトを掲げる同社は今後、シェアリングエコノミーに向けた多様なサービス、商品を開発していくものと思われる。

コーバス（Corvus）

この企業も、米・ベインキャピタル・ベンチャーズ等から4,600万ドルの資金を調達済みである。2017年に創業という若い会社であるが、2020年度の保険料取扱高が１億ドルという実績をあげている。企業保険分野の保険ブローカーからMGA（Managing General Agent）に転身した企業である。

温度感知センサー等のセンサーから収集した膨大なデータのAI処理に強みがあり、それを貨物保険やサイバー保険に活用している。また、データをウェブベースのアプリやポータルに転送できるAPI機能を開発している。

ボールドペンギン（Bold Penguin）

この企業は、企業物件の見積りや引受システムを提供するインシュアテック企業である。プログレッシブ、オールステート、ネーションワイドなどの保険代理店出身のアントレプレナーが2016年に興した企業であるが、2021年１月に米・アメリカンファミリーに買収されその傘下にある。米国では1980年代後半から個人物件分野では“SEMCI”（Single Entry Multi Company Interface）、「一度の入力で多数の保険会社からの一括見積取付け」が可能となっていた。それが中小企業市場向けの商品でも可能になったのである。

今後の10年間における損害保険流通構造の変化

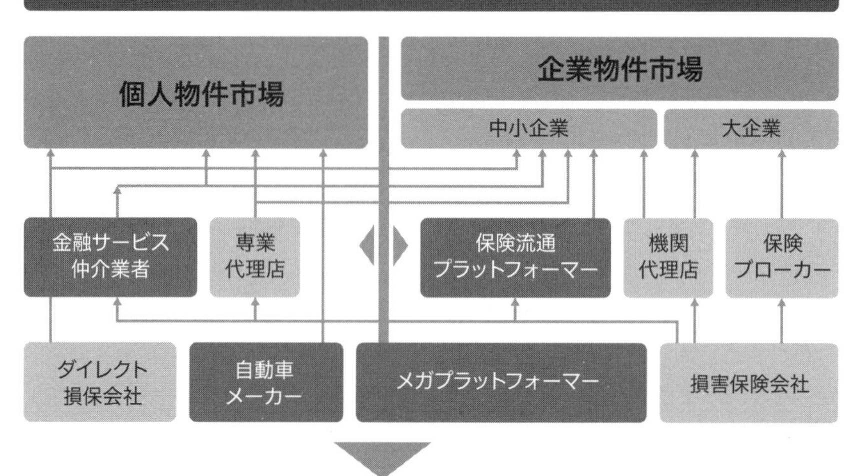

損保市場の変化	●巨大な自然災害の頻発、パンデミックリスクの発生等によってリスクへの感度は高まる。 ●企業分野ではサイバーリスク、BI（事業中断リスク）などへの関心が増大する。 ●自動運転化の進行などによって交通事故は大幅な減少。自動車保険市場は縮小が必至
保険流通市場の競争環境	● ダイレクト損保は中小企業市場向けの企業物件商品にも参入する可能性が大 ● EVメーカーや新興自動車メーカーなどは、自動車と保険のダイレクト販売に乗り出す ● 企業物件の商品を販売する保険流通プラットフォーマーの動きが激しくなる ● GAFAMなどメガプラットフォーマーのリスク対策・保険流通への参入可能性高まる
専業代理店の対応戦略	① 損保専業代理店の「強み」は、リスクと保険のプロとしての高い専門性 ② プロ人材を採用し、高い報酬で報いる必要がある ③ 高い付加価値を生むサービス企業への変革を行うべきである。

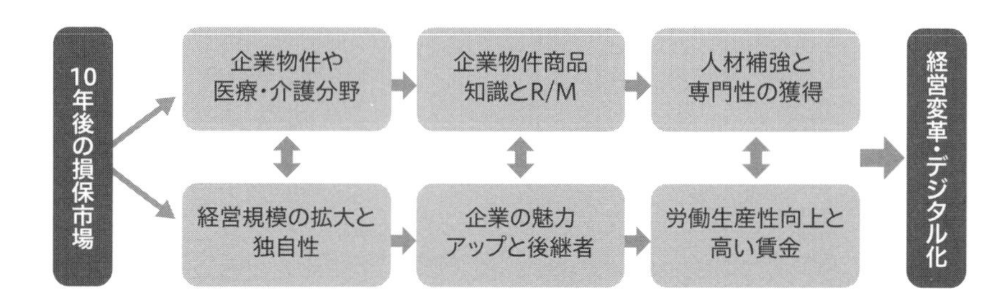

高い専門性が異業種に打ち勝つ最強の武器

図は、今後10年間程度を見通したわが国損保流通構造を模式的に描いたものである。網掛けをしてあるのが、これから市場に参入すると予想されるプレーヤ--である。この模式図をみながら、各市場別の今後の動向を予想してみる。

まず、個人物件市場は、そもそも人口減少や自動車保険の持続的な料率ダウンの結果、大きな伸びは期待できない。そこに自動運転時代が到来する。GoogleやAppleなどのメガプラットフォーマーは、自動車と自動車保険市場に参入してくる。リスク対策と保険の両面で多様なサービスを展開するはずである。すでに、EVメーカーのテスラはディーラー網をもたず、ネットでクルマを販売している。ホンダもネット販売の開始を表明している。

これに対し、ダイレクト損保会社はコアである個人向け自動車保険分野において、大胆な価格戦略に打って出る可能性がある。個人物件市場は自動車保険を中心として激烈な市場競争が展開されると考えて間違いがない。なお、新興の"金融サービス仲介業者"がどういうビジネスモデルを描くのかを現時点では見通すことはできない（**コラム16**参照）。

一方、中小企業物件市場も大きく変貌することが予想される。自動車保険市場の縮小を背景にして、ダイレクト損保も中小企業物件市場に参入してくる。また、前述の自動車メーカーやメガプラットフォーマーなども、間違いなくこの市場に参入してくる。米国などで新興してきた「保険流通プラットフォーマー」は、米国では保険会社と保険代理店をつなぐ卸売（ホールセラー）として機能している。日米の保険流通構造の違いを考えると、わが国では、「保険流通プラットフォーマー」は中小企業に対してダイレクトに保険商品を販売する形態をとるものと予想する。

最後に大企業市場であるが、この市場では企業におけるリスクマネージャーの配置や機関代理店の改革の動きが大きくなってくる可能性がある。

本来であれば保険流通の中核に位置すべき損保専業代理店にとって、これから迎える時代は逆風も吹いているが、むしろ、大きな機会が到来しているみたほうが妥当である。損保専業代理店の強みは、「リスクと保険」のプロであるという点に尽きる。それを支えるのは高い専門性を有した人材である。多くの人材を惹きつけるためには、高い生産性をもった魅力的な企業へと変身することがなにより大事である。

「金融サービス仲介業」のスタート

●背景

情報技術の発展

現行法制度のもとでは、
複数業者(銀行、証券、保険)の
金融サービスの提供は
念頭に置かれず事業者にとっては
負担が大きい

●制度の枠組み

仲介業の位置づけ	●業務ごとの登録を受けずとも一つの登録で銀行、証券、保険のすべての分野での仲介を可能とする (一定条件を満たせば電子決済等代行業の登録手続を省略可能) ●特定の金融機関の所属を求めず、業務上のパートナーとして金融機関と連携・協働する関係
業務範囲	高度な説明を要しないものとして考えられるものの媒介 保険での例示:生命保険、損害保険(傷害保険、旅行保険、ゴルフ保険)
参入規制	賠償資力の確保に資するよう、事業規模に応じた額の保証の供託等の義務づけ
行為規制	仲介する金融サービスの特性に応じて必要な規制を過不足なく適用するアクティビティベースの規制体系を志向 ●顧客資産の受入れの禁止・顧客情報の適正な取扱いの確保 ●仲介業者の中立性確保(手数料開示等)・顧客に対する説明義務
その他	新たな仲介業者に係る協会や紛争解決手段の規定の整備

●金融サービス提供法施行(2021年11月)

保険引受けや保険加入のための機能を提供する
プラットフォームサービスの増加が予見される

Fintech協会
電子決済等代行事業者協会
コンピュータソフトウェア協会

日本金融サービス仲介業協会
2021年４月設立

情報技術の革新により、消費者が求める金融サービスが急激に進化し多様化していくなか、さまざまなサービスのなかから最適なものを選択しやすくすることはとても重要である。従来、業種ごとに縦割りだった金融機関が提供する多種多様な商品・サービスをワンストップで提供する仲介業者として「金融サービス仲介業」が創設され、2021年11月1日スタートした。

「金融サービス仲介業者」は、一つの登録で銀行・証券・保険すべての仲介を可能として、さまざまな金融サービスを取り扱えるよう特定の金融機関への所属は求められていない。このため、消費者に損害が生じた場合、金融機関が損害賠償責任を負うことはない。かわりに取扱い可能なサービスの制限、利用者財産（サービス購入代金など)、保証金の供託義務などの消費者保護の規定が設けられた。

保険分野での注目点は、まず扱える保険商品の範囲である。顧客に対し高度に専門的な説明を必要とする金融サービスは除かれることから、個人保険に限定され、変額・外貨建て保険、自動車保険、建物火災保険、高額な保険金額契約（2,000万円超損害保険、1,000万円超生命保険、600万円超定額障害疾病保険）が除外されている。損害保険では保険金額の制限以下ならば、傷害保険、旅行保険、ペット保険などに限定される（2021年6月3日、金融庁関係政令・内閣政令等パブリックコメントから)。既存の保険会社の抵抗がうかがえる。また、従来の保険業法の規定、「顧客の意向の把握」、「告知の妨害の禁止」などの規定が準用されている。

この新しい金融サービス仲介業制度は、新しいビジネスモデルを生むチャンスになる。2021年5月には業界団体として「日本金融サービス仲介業協会」が設立された。従来の制度のもとでは参入がむずかしかった事業者でも、比較的容易に参入できて、アタックできなかった消費者を効果的に獲得できる可能性を秘めている。その一つとして「組込み型保険」がある。保険以外の商品・サービスに保険を組み込んで商品にしたものである。デジタルの活用で低コスト運用が可能であり、旅行・物販補償など本業の価値向上や販促効果も見込まれる。これを見越してプラットフォームを提供するフィンテック企業（**コラム11**参照）も出てきている。まだスタート段階で、加えて保険商品の制限もあり、参入企業は少ないが、熱意のある企業のチャレンジを期待する。

第10章

損保経営のガバナンスと監督行政

10-1 ERMをベースにした経営

統合的リスク管理(ERM)の概念図

❶健全性:リスクを上回る資本の確保
❷収益性:リスクに見合ったリターンをあげる
❸資本効率:資本コストを上回るリターンを得る

新事業、商品開発・改定、施策の立案・実施に関わるリスク量の変化、リターンを経営判断に活用

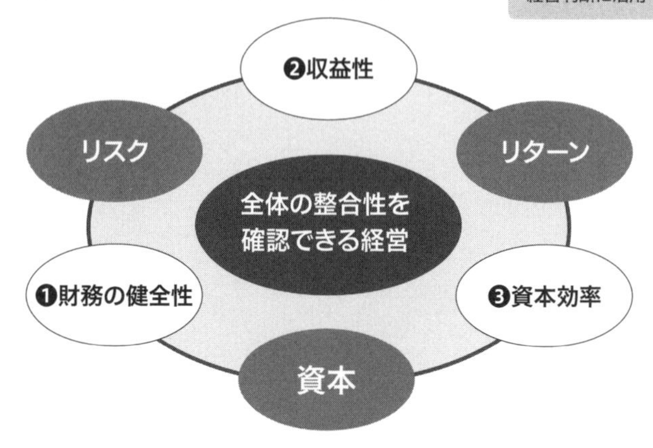

整備すべきリスク管理態勢、リスク管理の仕組み

求められるリスク管理態勢

- 「リスク管理方針」の策定
- 「リスク選好」の策定、それに基づき経営計画、資源配分、リスクリミットの設定
- リスク管理委員会・責任部署の確立

リスク管理の仕組み(PDCA)

- リスクプロファイルの作成(リスクの洗出し、評価)
- リスクリミットの管理等リスクへの対応方針策定、実施
- モニタリング、内部監査

リスクの洗出しのイメージ

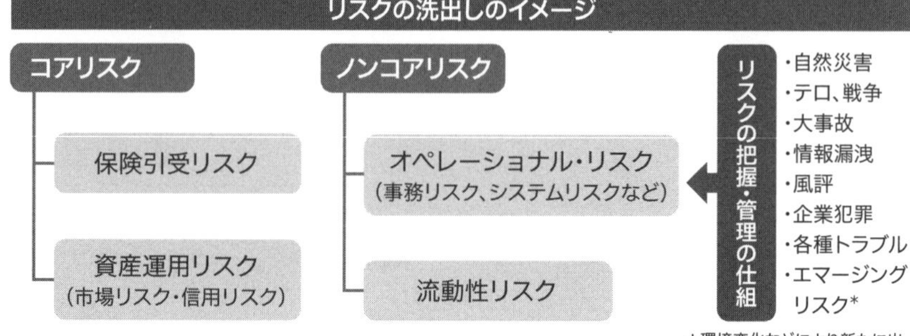

*環境変化などにより新たに出現するリスク、想定外のリスク

保険会社、当局ともに統合的リスク管理を重視

統合的リスク管理（ERM, Enterprise Risk Management）が近年その重要性を増し、戦略的経営の方策として定着している。ERMは保険会社の有するリスクを包括的に把握・管理し、「リスク」、「リターン」、「資本」を適切にコントロールすることにより、財務の健全性の確保、収益力の向上、資本の有効活用を図る仕組みである。企業価値の向上を目指すものでもある。日本を含め世界の保険監督当局が保険会社の財務の健全性を測る指標としてERMの手法・数値を重視しており、投資家や格付け会社も収益力や資本効率をERMによって判断しようとしている。

ERMはIAIS（保険監督者国際機構）等が推進してきており、欧州のSolvency Ⅱの導入（2016年から実施）も同じ流れである。金融庁も保険会社向けの総合的な監督指針等で「統合的リスク管理態勢」について規定している。

保険会社はリスク管理態勢を整備し、各種リスク管理に取り組んでいる。態勢整備としては、リスク管理部門の設置に加え、「リスク管理の基本方針」、「リスク選好（アペタイト）」の策定がある。リスク選好では、どのようなリスクをどの程度とってリターンを獲得するのかが定められる。リスク選好に基づき、各事業等でとることが許容されるリスクリミットや各事業に配賦する資本を決定する。事業計画もリスク選好に基づいて策定される。リスク、リターン、資本の整合性を図るグループ全体の統合的リスク管理を根幹として経営判断を行う態勢がERMをベースにした経営である。資本、リスク、リターンの管理は、決算時等の事後検証だけではない。新商品開発や新事業進出等の計画の際、それによるリスクの質の変化、リスク量の増加が許容範囲内か、リターンはリスクテイクに見合っているかという戦略の妥当性評価に用いられ、経営判断のプロセスとなっている。

統合的リスク管理の仕組みは、事業の抱える各種リスクを洗い出し、その発生頻度や影響度を評価して対応を行い、結果を検証するPDCAサイクルである。リスクアセスメント、リスクプロファイルの作成、リスクリミット管理、リスク対応策を実施し、モニタリングや内部監査を行う。大手損保は、コアリスク（リスクテイクにより収益を期待するもの）である保険引受リスクのうち国内自然災害リスクのコントロールと、資産運用リスクの削減のための政策株式売却に継続して取り組んでいる。新型コロナウイルにより再認識されたパンデミックやエマージングリスクへの対応も今後の課題である。

10-2 経済価値ベースのソルベンシー比率

ERM経営の評価指標

健全性(資本の十分性)を示す指標であるESRが重視される

- 包括的・定量的に把握されたリスク量と自己資本とのバランスを管理
- リスクの定量的評価のためリスクモデルを使用

他の指標
- ・収益性(リスク対リターン):ROR(Return on Risk)
- ・資本効率:ROE(Return on Equity)

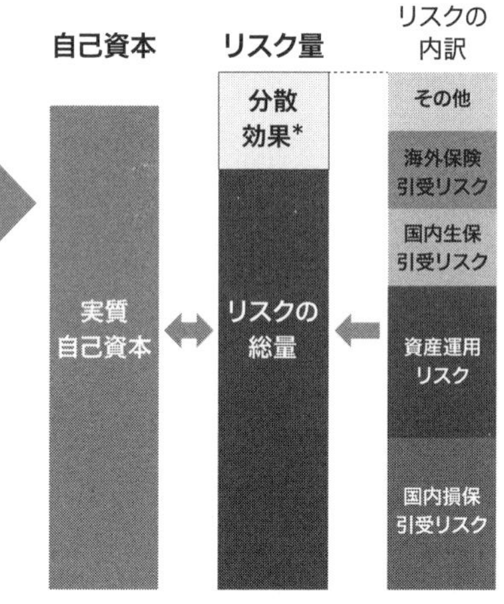

*分散効果:右の複数のリスクは連動して発生するとは限らない。連動しないことにより総リスク量が減少する効果

ソルベンシー規制の変化

現在のソルベンシー規制

【ソルベンシー比率】:

$$\frac{\text{会社が保有する資本、準備金等の支払余力}}{\text{通常の予測を超えるリスクの合計額}\times 1/2}$$

リスク:保険引受リスク、予定利率リスク、資産運用リスク、経営管理リスク、巨大災害リスク

経済価値ベースのソルベンシー規制

【第1の柱:ESR】
- ソルベンシー規制

【第2の柱:内部管理】
- 保険会社の内部管理を当局が検証(定量評価しにくいリスクの管理を含む)
- リスク・リターン・資本のバランス

【第3の柱:情報開示】
- 経済価値ベースの情報の開示
- ステークホルダーとの対話

(出典)「経済価値ベースのソルベンシー規制等に関する有識者会議報告書(2020年6月)」を参考に筆者作成

「財務の健全性」を測る投資判断・監督指標に

ERMに基づく保険会社の経営状況の評価は、資本効率（ROE）、テイクしたリスクに対する収益性（ROR）および財務の健全性が重要な要素であるが、健全性の評価に用いられる「経済価値ベースのソルベンシー比率（ESR, Economic Solvency Ratio)」が重視されようになっている。

保険会社の財務の健全性は、保険引受リスクや資産運用リスクなど保険会社が抱えるリスクを包括的・定量的に把握したリスク量と、実質的な自己資本とを比較する手法により測る。リスク量に対する自己資本の比率がソルベンシー比率である。リスク量を上回る自己資本を有していることが最低基準であるが、逆に、リスク量に対して自己資本が大き過ぎると、資本が有効活用なされていないという判断になる。リスク量は、例えば、200年に１度のリスクが発生した場合に、平均的な損失を超える額がいくらになるのか、といった基準で定量評価される。定量評価にはモデルが用いられるので、モデルそのものや使用データの精度向上が重要である。

財務の健全性は、当局による保険会社の監督において最も重要なものであり、当局は保険会社のソルベンシー比率を継続的にウォッチしている（ソルベンシー規制)。世界の潮流として「経済価値ベース」のソルベンシー規制を導入する方向にあり、日本も2025年の導入を目指している。「経済価値」とは、市場価格に整合的な価値で、単純にいえば時価である。現在の日本のソルベンシー規制では、通常の予測を超える危険（リスクの合計額）に対する、保険会社が保有している資本・準備金等の支払余力の比率を評価するものであるが、資産の一部を除き、資産と負債の評価は簿価である。これが時価評価になると、長期契約の金利の変化によるリスクの評価で影響が大きい。経済価値ベースのソルベンシー比率は、現在大手損保が自らの手法で計算、公表し、投資家や格付け機関などが経営状況の判断材料とする位置づけであるが、近い将来、当局によるすべての保険会社に対する監督の重要な指標となる。欧州のSolvencyⅡにならい、わが国の新たな監督スキームも、ソルベンシー規制（第１の柱）に加え、定量評価がしにくいリスクの管理を含む内部管理の強化（第２の柱)、当局およびステークホルダーへの情報開示（第３の柱）を一体として監督することになる。新たな「経済価値ベースのソルベンシー規制」の導入により、保険会社のリスク管理の高度化や経営判断の明瞭化・オープン化が図られ、契約者保護につながっていくことが望まれる。

10-3 グローバルな保険監督規制

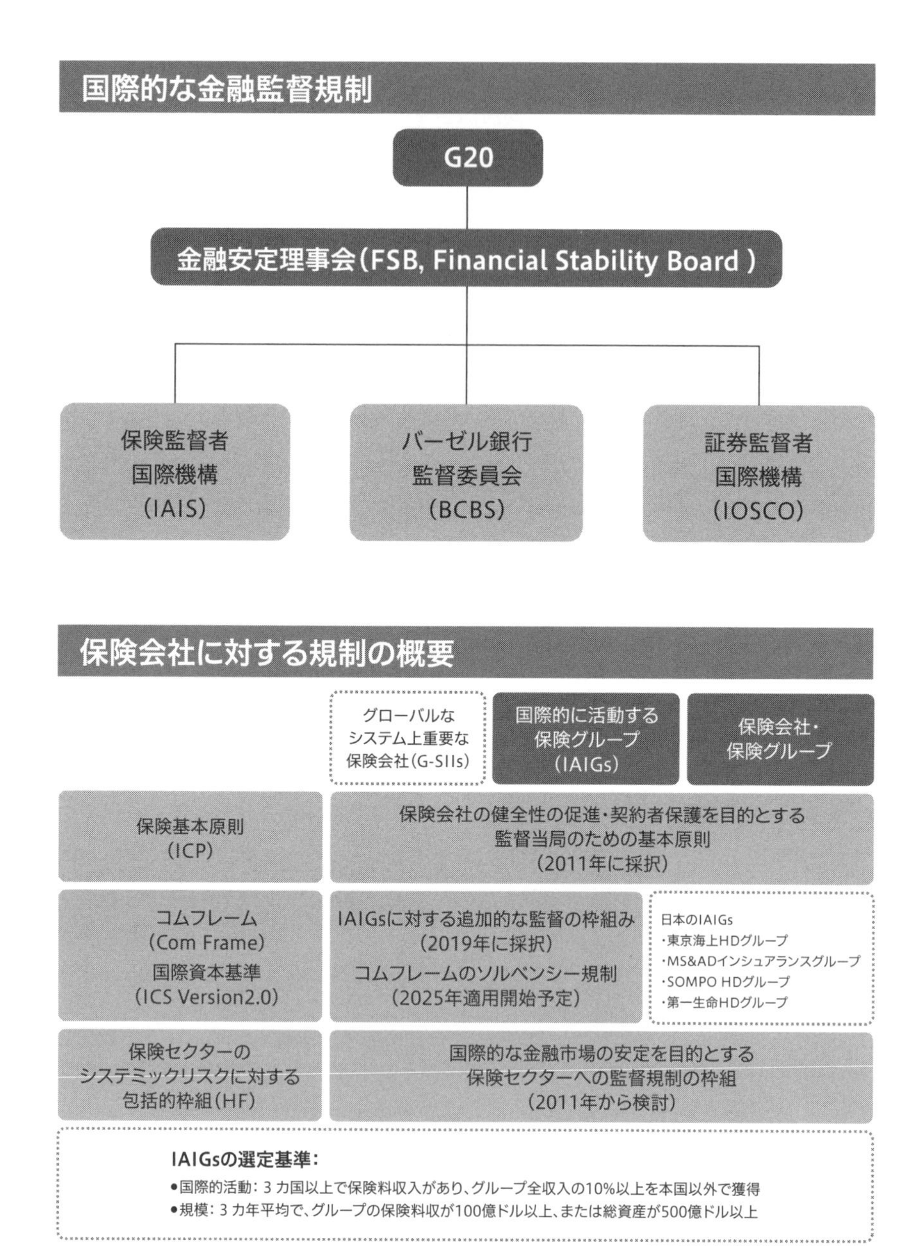

（出典）IAIS HP、金融庁 HP、中村良一「ソルベンシー規制の国際動向」、損保総研「欧米の保険会社におけるERM（統合的リスク管理）の進展と事業活動への影響」（2020年3月）

多層にわたる監督規制、規制の国際的標準化

金融のグローバル化が進み、取引のルールや会計基準の統一だけでなく、当局による金融機関の監督内容の標準化・高度化が求められるようになった。銀行や証券と同様に、保険会社への国際的な監督基準等の策定、監督当局の協調を目的として、1994年に保険監督者国際機構（IAIS, International Association of Insurance Supervisors）が設立された。バーゼルに事務局を置く国際機関で、200を超える国の保険監督当局等によって構成されている。グローバルな監督規制の内容は、対象となる保険会社の範囲や監督規制の目的により、左図のとおり多層の枠組みとなっている。これらには、現在策定中のものもある。

保険基本原則（ICP, Insurance Core Principle）は、すべての保険会社・保険グループに適用される、保険会社の財務の健全性の促進・契約者保護を目的とする当局の監督における基本原則（基準やガイダンスを含む）である。1997年に公表され、2011年に採択されたもので、その後も改定を重ねている。

コムフレーム（Com Frame）は、国際的に活動する保険グループ（IAIGs, Internationally Active Insurance Groups）に対する監督の枠組みである。IAIGsは、「国際的活動基準」と「規模基準」の２つに該当する保険グループが指定される。金融庁により、日本の４つの生損保グループがIAIGsに指定されている。コムフレームは保険基本原則を拡張し、IAIGsに対する追加的な監督規制の基準やガイダンスを定めている。コムフレームのなかのソルベンシー規制は、国際資本基準（ICS, Insurance Capital Standard）として定められる。国際資本基準は経済価値ベースのソルベンシー基準であり、2020年にVersion2.0が公表され、５年間のモニタリングを経て2025年の導入を目指している。

リーマンショックのときのような、グローバルな金融危機の広がりを防ぐため、金融安定理事会を中心にシステミックリスクを回避するための仕組みが検討されている。当初は、世界的に影響の大きいグローバルな保険グループ（G-SIIs, 世界で９社を指定、日本社の指定はない）を指定し、それらに対する監督を検討していたが、内容がすべての保険会社を対象とする包括的枠組み（HF, Holistic Framework）に変わったため、G-SIIsを指定することは2020年からいったん停止している。包括的枠組みは、監督当局の介入を含め、システミックリスクにつながる保険会社の活動に対する監督の枠組みを策定することを目指している。

10-4 金融行政の変化

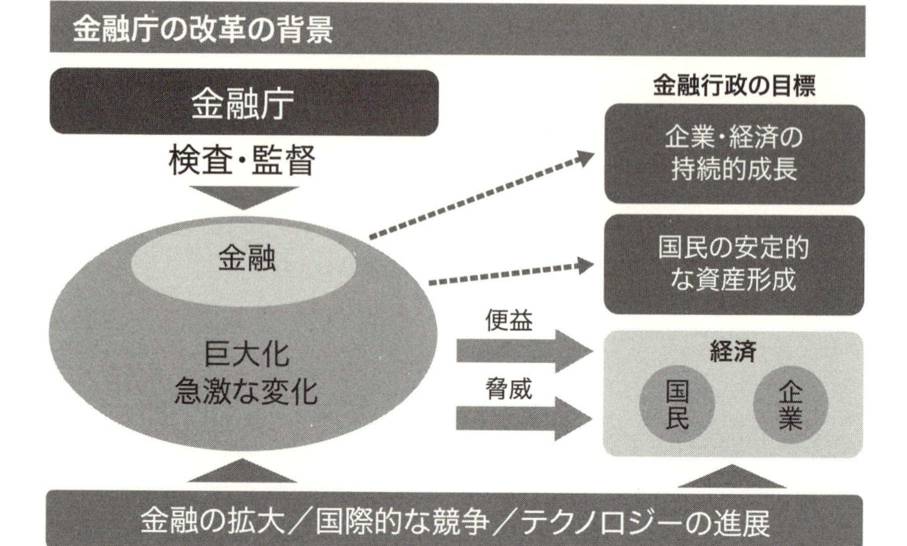

金融庁の組織再編と検査・監督の変化

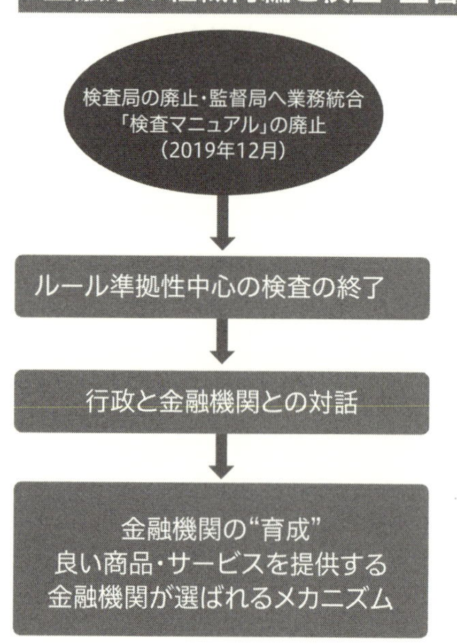

- 金融行政の視野：「形式・過去・部分」
  ↓
  「実質・未来・全体」

- 検査：定期的な個社の検査
  ↓
  保険会社のリスク等テーマ別検査
  （保険会社横断の検査も）
- ビジネスモデルの持続可能性を検証する動的な監督

- 「探求型対話」により金融機関のベスト・プラクティス追求を支援

- 利用者保護・利便向上のための「見える化」
- 「顧客本位の業務運営に関する原則」

マニュアルを廃し、業界との「対話」を深める

2018年７月、金融庁は金融機関への監督行政を大きく変えることを宣言した。巨大化し急激に変化していく金融を適切に制御し経済の発展につなげることが重要であるとして、金融機関への検査・監督の内容や手法を見直したものである。その少し前から示され実施されていた事項やその後も継続している検査・監督の変化を含め、金融監督行政の変化をみていきたい。

改革の背景：金融庁は発足後、金融システムの安定・利用者保護・市場の公正性と透明性確保を目指したが、法令遵守への対応が最優先課題となり、検査マニュアルを用いたチェックリスト方式で法令遵守状況を徹底的に検査してきた。それにより、金融機関に、ルール遵守の証拠を残すことには熱心であるが、利用者にとって良い商品・サービスを提供することが後回しとなっているとの懸念が生じた。法令遵守のための業務負担が過大となり、いわゆる「コンプラ疲れ」が起きていたことも指摘された。過去の検査・監督のやり方は「重箱の隅をつつく」傾向があり、金融機関の重点課題に注力できていないのではとの反省があった。金融機関の健全性の確保は将来に向けて重要であるため、金融行政の視野を「形式・過去・部分」から「実質・未来・全体」に広げるとの観点に基づく改革である。

具体的には、検査局や検査マニュアルを廃止し、ルールへの準拠性中心の検査を見直す。金融機関が遵守すべき最低基準の検証を止めるわけではないが、金融機関の抱えるリスク等に焦点を当てた検査、ビジネスモデルの持続可能性を検証する動的な監督に取り組むことになった。また、一方的に検査するという形をあらため、オンサイト（立入）とオフサイト（立入をしないモニタリング）を併用し、金融機関のベストプラクティスの追求のための創意工夫を支援すべく、「探求型対話」を推進する。利用者の保護・利便性向上のためにも、「見える化」の内容として、金融機関による自主的な情報開示や当局による情報の公表を推進する。良い商品・サービスを提供する金融機関が利用者から選ばれることを目指すものである。「見える化」は「顧客本位の業務運営に関する原則」と一体の取組みである。

このような改革の考え方に基づき、当局は保険会社と保険代理店のモニタリングや「対話」を続けている。金融庁自らが「“金融育成庁”として国内外の経済社会に貢献していく」（2021事務年度 金融行政方針）ことを謳っており、保険業務の現場の実態をふまえた検査・監督が進むことを期待したい。

10-5 顧客本位の業務運営

『フィデューシャリー・デューティー』から「顧客本位の業務運営」へ

「フィデューシャリー・デューティー」：元来は信託契約に基づく“受託者責任”

「顧客本位の業務運営」（フィデューシャリー・デューティー）の確立と定着

- フィデューシャリー・デューティーのプリンシプルの確立と定着
- 手数料率（額）およびそれがいかなるサービスの対価なのかを明確化
- 商品のリスクの所在等の説明（資料）の改善
- 金融機関による顧客本位の取組みの自主的な開示の促進

（金融庁「平成28事務年度 金融行政方針」2016年10月）

「顧客本位の業務運営に関する原則」を公表（2017年3月）

1. 顧客本位の業務運営に関する方針の策定・公表等

2. 顧客の最善の利益の追求

4. 手数料等の明確化

3. 利益相反の適切な管理

5. 重要な情報のわかりやすい提供

6. 顧客にふさわしいサービスの提供

7. 従業員に対する適切な動機づけの枠組み等

（出典）セミナーインフォ社「REGULATIONS」September 2017

「顧客本位の業務運営に関する原則」を改訂（2021年１月）

顧客本位の業務運営のさらなる進展

- 「原則」の具体的な内容の充実：「原則」により求められる具体的な取組を「注記」に追加
- 「原則」のいっそうの浸透・定着：金融庁は取組状況を「原則」の項目ごとに比較可能なかたちで公表
- 不適切な販売事例の効果的な抑制：誠実公正義務や適合性原則を明確化すべく監督指針を改正

- 金融事業者は取組方針を策定・公表し、取組状況を定期的に公表
- 金融庁は取組方針や取組成果（KPI）を公表した事業者を公表

公表された金融事業者数（2020年12月末報告）
- 保険会社等：502者
- 全金融事業者：2098者

→

- 金融事業者は原則２～７との対応関係を示した取組方針を報告
- 金融庁は原則に対応した取組方針等を明確に示している事業者を公表

公表された金融事業者数（2021年６月末報告）
- 保険会社等：221者
- 全金融事業者：493者

「取組方針」策定・公表から実践ステージへ

フィデューシャリー・デューティーは、かつて信託契約等に基づく「受託者責任」と訳されていた。しかし、近年その意味が広がり、「真に顧客の利益を図るために金融機関等が果たすべき責任」として用いられるようになった。

金融庁は、2017年３月30日に「顧客本位の業務運営に関する原則」を公表した。概要は左図のとおりで、７つの原則である。しかし、具体的に何をすべきかを定めるものではなく、何をすべきかを各金融事業者が主体的に創意工夫して実践すべきという考え方である。これが「プリンシプルベース」のアプローチである。各事業者の取組みを顧客が評価して取引先を選ぶという競争促進の面もある。なお、プリンシプルベースのアプローチは、具体的規則を定める「ルールベース」のアプローチと背反するものではなく、ルールを遵守したうえでベストプラクティスの追求を図るものだ。金融事業者は、この原則を実現するための取組方針を策定し、取組状況も公表して方針を見直していく、当局はベストプラクティスの収集・公表により、取組みの「見える化」を行っていくことになった。

「原則」を受け、保険会社、少額短期保険業者、保険代理店、保険仲立人（以下「保険会社等」）は「お客様本位の業務運営方針」を次々と策定・公表し、金融庁は事業者名を公表してきた。2020年12月末で、金融庁が公表した保険会社等は502者、全金融事業者は2098者を数えた。しかし、取組方針を策定した事業者数は着実に増加してきたものの、取組方針の策定自体が目的化している、利用者が取組方針をあまり認知していない、さらには、顧客の利益を犠牲にして事業者の利益を追求する行為が依然として見受けられるとの問題意識から、金融審議会市場ワーキング・グループでの検討（2019年10月～2020年７月）を経て、2021年１月に「顧客本位の業務運営に関する原則」の改訂版が公表された。

それは、顧客本位の業務運営のさらなる進展を目指すものである。金融事業者のより具体的な取組みを促すよう、「原則」により求められる具体的取組みが注記に追加された。また、リスクや利益相反の情報を比較できるようにする「重要情報シート」の導入・活用を目指している。「見える化」として、「原則」と各事業者の取組方針との対応関係を報告することになり、対応関係を明確に示している事業者が金融庁から公表されることになった。公表された事業者数は、いったん大きく減少した。顧客本位の業務運営の実践が取引の現場で浸透していくことを期待する。

10-6 保険代理店の義務と代理店経営

代理店制度
自由化
（代理店手数料競争）

大型乗合代理店
の台頭
（銀行窓販、ショップ、
大型乗合代理店）

比較サイト等
（想定外の
プレーヤー登場）

商品・料率の
自由化
（保険金不払い問題）

従来の保険会社を通じた代理店の管理・指導を軸にした保険行政に限界

対顧客
・情報提供義務
（重要事項の説明）
・意向把握・確認義務
・比較推奨義務

保険会社の対応
・代理店の大型化・集約
・保険会社の直資代理店

保険業法改正
（2016年 5 月施行）

「顧客本位の
業務運営に関する
原則」
（2017年 3 月公表）

保険代理店
・体制整備義務
・代理店経営の高度化

大型乗合代理店*
・金融庁による直接監督
・事業報告義務
・帳簿備付け義務

＊乗合会社：15社以上または
手数料等総額：10億円以上

専属代理店として
保険会社にフォロー

代理店の選択

自立して品質向上

金融庁による代理店訪問ヒアリング（2016年10月～12月）
関東財務局による代理店ヒアリング（2019年10月～12月）

「代理店を経営する」時代へ

- 経営理念：企業としてあるべき姿を示し、社員へ浸透するよう取り組む
- 経営戦略、経営計画：数年後に目指す姿、成長を実現する方法を策定し、会社の業務運営に落とし込んで継続的に取り組む
- 社員教育：募集人の義務の履行から顧客の満足度を高める行動へ「顧客本位の業務運営」に基づく「お客様の声」への対応
- システム投資：業務効率化だけでなく、顧客との関係強化、競争力向上のためのデジタル化、リモートワークへの対応

求められる代理店独自の取組み

2016年５月施行された改正保険業法は、1900年に同法が成立して以来初めて、保険募集に係る理念が規定されるという画期的な内容となった。それまでは、保険募集に関しては「やってはいけないこと」の規定はあるものの、「こうあるべき」という募集に関する指針が法律で規定されることはなかった。このような保険業法の改正がなされた背景には、左図に示したいくつかの要因があったが、生保商品を中心に銀行窓販や大手保険代理店（ショップ）による販売チャネルが成長するなか、顧客の意向を無視した手数料稼ぎの販売手法が一部で横行したことがあった。大型保険代理店が勃興するなかで、保険会社を通じた保険代理店の管理と指導を基調としてきた保険行政に限界がみえてきた。場合によっては保険会社よりもパワーのある保険代理店の出現は、保険業法のなかできちんと保険募集に関する義務を定め、保険募集のあるべき方向性を示す必要性を生じさせたのである。

対顧客の関係では、募集人に対して「情報提供義務」と「意向把握・確認義務」が課せられた。また、保険代理店には「体制整備義務」が課せられ、代理店経営の高度化が要請されるようになった。乗合会社が15社以上、または、手数料等総額が10億円以上という大型乗合代理店については、さらに追加的体制整備義務が課せられ、金融庁による直接監督のもとに置かれることになった。

2017年３月には「顧客本位の業務運営に関する原則」が公表され、保険代理店も真に「顧客本位」の業務運営が実践されているかどうかが問われるようになった。

2016年秋に金融庁によって実施されたヒアリングでは、全国100の代理店が選ばれ、ベストプラクティス事例が集められた。2019年秋には関東財務局が119店の生損保代理店からのアンケートと、61店との「対話」を実施した。体制整備状況、体制整備義務の実効性の確認のため、内部監査、募集人教育、顧客本位の業務運営についてヒアリングされた。体制整備がきちんと行われていることをチェックすべきという観点で、内部監査の重要性が言及されたことが注目される。保険契約者と保険会社を「つなぐ」存在の重要性も指摘されている。

代理店は、その規模や業態を問わず、保険商品を消費者に提供する機関として、保険会社の指導に依存するのではなく、経営理念を定め、明確な経営戦略の下に事業を実施していくことがますます求められるようになっている。保険代理店の行動変革、経営変革が今後とも望まれる。

10-7 SDGsと損害保険ビジネス

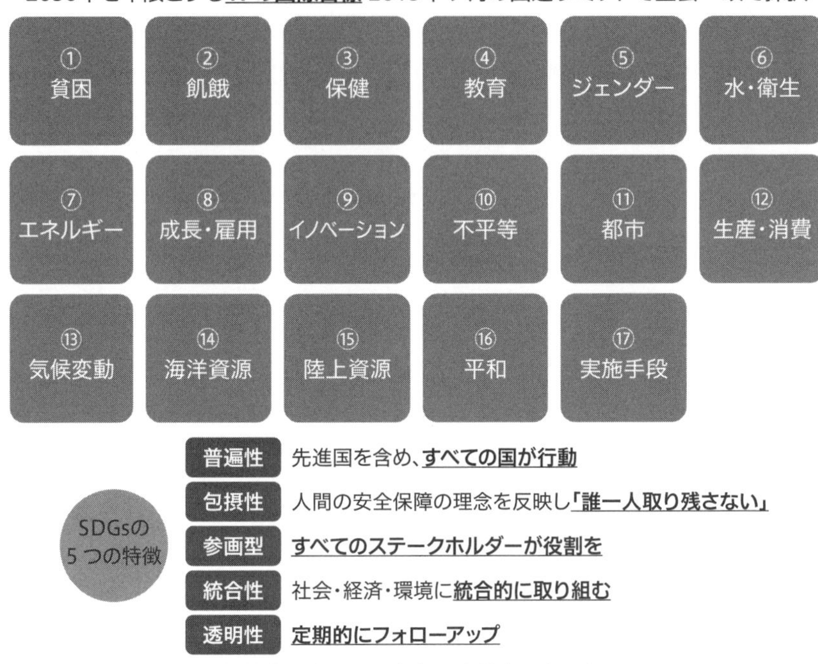

(出典)外務省「持続可能な開発目標達成（SDGs)に向けて日本が果たす役割」(2021年 8 月)

損害保険会社のSDGsへの取組み

	取組みの例
ESG投資	**【環境・社会・ガバナンスに配慮している事業を重視・選別して投資】** •グリーンボンド:国際機関や自治体等の環境改善プロジェクトへの投資
ESG引受け	**【ESGの観点から分野・業種により引受制限／積極的引受け】** •CO_2を排出する石炭等の火力発電所の保険引受停止 •再生可能エネルギー施設に対する積極的な保険引受け
SDGsに基づく保険商品	•異常気象による農作物不作の損害を補償する保険(パラメトリック保険) •低所得者向けマイクロ保険

ESGに配慮した投資、保険引受けに取り組む

SDGs（Sustainable Development Goals、持続可能な開発目標）とは、2015年９月の国連サミットで採択された「持続可能な開発のための2030アジェンダ」に記載された、2030年までに持続可能でよりよい世界を目指す国際目標である。17のゴール・169のターゲットから構成されている。SDGsは５つの特徴を有し、地球上の「誰一人取り残さない」ことを誓い、発展途上国、先進国を問わずすべての国が取り組む普遍的なものである。日本においても、政府が自ら取り組むと同時に、各企業が取組みを推進している。

企業は消費者や社会のため、製品やサービスを提供してきた。しかし、少子高齢化やニーズの変化等により、売上拡大やビジネス継続について課題を抱える企業も多い。企業が将来にわたって継続、発展していくために必要となるのが、長期的な視点で社会のニーズをとらえた経営と事業展開である。1990年代以降、環境問題への取組みが企業に求められるようになり、企業の社会的責任（CSR, Corporate Social Responsibility）という用語が一般的になった。そして、投資等の意思決定においてESG（Environment／環境、Social／社会、Governance／ガバナンス）を重視する考えが広がっている。SDGsはそれらに連なるもので、ビジネスの世界での共通言語になっており、取引先や市場から、取引や投資の条件としてSDGsに取り組んでいるかどうかをみられる時代になってきている。SDGsに取り組み、それを公表することは、企業イメージの向上、経営リスクの回避、新たな事業機会の創出等につながり、企業の持続可能性を高めるものである。

保険会社に特徴的なSDGsへの取組みをみていきたい。

ESG投資：環境・社会・ガバナンスに配慮している事業を重視・選別して投資する。環境改善を目的としたグリーンボンドへの投資がその例である。

ESG引受け：ESGの観点から対象とする分野・業種等を定め、引受けを制限したり、積極的に引き受ける。石炭火力発電所の引受停止やクリーンエネルギー施設の保険引受けなど、地球温暖化／環境維持の観点から引受方針を定めるものが多い。

SDGsに基づくそのほかの取組み：左図の17の目標に沿って取組みを行っている。保険商品としては、異常気象による農作物の損害の補償等がある。ほかの章で述べている自然災害等への防災・減災の各種取組み、自然保護や温室効果ガス削減への自らの取組み、社会貢献活動や働き方改革もSDGsに基づくものである。

参考文献一覧（本書記載順）

〈第１章〉

欧米主要国の保険業界における新型コロナウイルス感染症への対応（損害保険事業総合研究所編・刊）

The Insurance Fact Book 2021（Insurance Information Institute）

〈第２章・第３章〉

保険入門 第２版（上山道生著、中央経済社刊）

保険論（広海孝一著、中央経済社刊）

はじめて学ぶ損害保険（大谷孝一・中出哲・平澤敦編、有斐閣ブックス刊）

アンダーライティング Ｉ＆Ⅱ［損害保険研究科講座テキスト］（損害保険事業総合研究所）

損害保険とリスクマネジメント（杉野文俊編著・池内光久・諏澤吉彦著、損害保険事業総合研究所刊）

リスクマネジメント総論 増補版（亀井利明・亀井克之著、同文館出版刊）

リスクマネジメント総論（武井勲著、中央経済社刊）

金融と保険の融合（可児滋著、金融財政事情研究会刊）

最後のリスク引受人（石井隆著、保険毎日新聞社刊）

最後のリスク引受人２（石井隆著、保険毎日新聞社刊）

再保険―その理論と実務（トーア再保険編、日経BPコンサルティング刊）

本邦および海外主要国における再保険事業の概況ならびに規制の動向（損害保険事業総合研究所再保険研究会編、損害保険事業総合研究所刊）

〈第４章〉

東京海上火災保険株式会社百年史（上・下）（日本経営史研究所編、東京海上火災保険株式会社刊）

東京海上の100年（日本経営史研究所編、東京海上火災保険株式会社刊）

東京海上百二十五年史（東京海上日動火災保険編・刊）

明治火災海上保険株式会社五十年史（明治火災海上保険株式会社編・刊）

安田火災百年史―明治21年～昭和63年（ライフ社編、安田火災海上保険株式会社）

東京火災保険株式会社五十年誌（東京火災保険株式会社編・刊）

日本損害保険協会70年史（日本損害保険協会会史編集室編、日本損害保険協会刊）
インシュアランス損害保険統計号（保険研究所編・刊）

〈第５章〉

損害保険実務講座５［火災保険］（東京海上火災保険株式会社編、有斐閣刊）
火災保險料率論 神戸商業大學商業究所論集［第三冊］（瀧谷善一著、寳文館刊）
ファクトブック2021 日本の損害保険（日本損害保険協会）
火災・地震保険の概況2020年度（損害保険料率算出機構）
諸外国における保険業界の自然災害に対する防災・減災の取組について（損害保険事業総合研究所編・刊）
The Insurance Fact Book 2021（前掲）

〈第６章〉

Beyond MaaS（日高洋祐・牧村和彦・井上岳一・井上佳三著、日経BP社刊）
続・モビリティー革命2030（デロイトトーマツコンサルティング著、日経BP社刊）
Apple Car（日本経済新聞・日経クロステック合同取材班著、日経BP社刊）
モビリティー進化論―自動運転と交通サービス、変えるのは誰か（アーサー・ディ・リトル・ジャパン著、日経BP社刊）
新しい時代の自動車販売店店長の仕事（塚本晴樹著、日刊自動車新聞社刊）
図説 生命保険ビジネス［第２版］（トムソンネット編、金融財政事情研究会刊）

〈第７章〉

2050年の技術―英『エコノミスト』誌は予測する（英『エコノミスト』編集部著・土方奈美訳、文藝春秋刊）
自動車会社が消える日（井上久男著、文藝春秋刊）
日本車は生き残れるか（桑島浩彰・川端由美著、講談社刊）
EVと自動運転―クルマをどう変えるか（鶴原吉郎著、岩波書店刊）
Beyond MaaS 日本から始まる新モビリティ革命（前掲）
銀行を淘汰する破壊的企業（山本康正著、SBクリエイティブ刊）
グローバル経済下のサプライチェーンとリスク（石井隆著、保険毎日新聞社刊）
欧米地域におけるサイバー保険関連動向（損害保険事業総合研究所編・刊）

〈第８章〉
フィンテックエンジニア養成読本（阿部一也・藤井達人監修著・吉沢康弘他著、技術評論社刊）
データ分析人材になる（三井住友海上火災保険デジタル戦略部著、日経BP社刊）
UXデザインの法則（Jon Yablonski著、相島雅樹・磯谷拓也・反中望・松村草也訳、オライリー・ジャパン刊）
APIエコノミー―勝ち組企業が取り組むAPIファースト（佐々木隆仁著、日経BP社刊）
みずほ銀行システム統合、苦闘の19年史（山端宏実・岡部一詩・中田敦・大和田尚孝・谷島宣之著、日経BP社刊）

〈第９章〉
損害保険代理店100年の歩みと今後の展望（塙善多著、損害保険企画刊）
図説 損害保険代理店ビジネスの新潮流（トムソンネット編、鈴木治・岩本堯著、金融財政事情研究会刊）
青雲の時代史－芥舟録・一明治人の私記（大沢由也著、大沢衛 校注、文一総合出版刊）
プロが教える企業のリスクマネジメントと保険活用（マーシュジャパン株式会社著、中央経済社刊）
最新リスクマネジメント経営（MS&ADインターリスク総研著、日経BP刊）
The Insurance Fact Book 2021（前掲）
World Insurance Report 2021（Capgemini）

〈第10章〉
欧米の保険会社におけるERM（統合リスク管理）の進展と事業活動への影響（損害保険事業総合研究所編・刊）
ソルベンシー規制の国際動向（中村亮一著、保険毎日新聞社刊）
諸外国の保険会社等によるESGおよびSDGsへの取組（損害保険事業総合研究所編・刊）

索　引

【な】

【は】

図説　損害保険ビジネス【第4版】

2022年6月13日　第1刷発行
2024年6月27日　第3刷発行
（2006年4月27日　初版発行
2010年5月10日　補訂版発行
2018年5月25日　第3版発行）

編　者　株式会社トムソンネット
著　者　鈴木　治・岩本　堯
小島修矢・川上　洋
発行者　加藤一浩

〒160-8520　東京都新宿区南元町19
発　行　所　一般社団法人 金融財政事情研究会
企画・制作・販売　株式会社 き ん ざ い
出 版 部　TEL 03(3355)2251　FAX 03(3357)7416
販売受付　TEL 03(3358)2891　FAX 03(3358)0037
URL https://www.kinzai.jp/

※2023年4月1日より企画・制作・販売は株式会社きんざいから一般社団法人金融財政事情研究会に移管されました。なお連絡先は上記と変わりません。

DTP：株式会社アイシーエム／印刷：三松堂株式会社

ISBN978-4-322-14040-8